LA STRATÉGIE ENDER

Du même auteur
aux Éditions J'ai lu :

Abyss, *J'ai lu* 2657

Le cycle d'Ender :
1. La stratégie Ender, *J'ai lu* 3781
2. La voix des morts, *J'ai lu* 3848
3. Xenocide, *J'ai lu* 4024
4. Les enfants de l'esprit, *J'ai lu* 5622

Terre des origines :
1. Basilica, *J'ai lu* 6937
2. Le Général, *J'ai lu* 7363
3. L'Exode, *J'ai lu* 7593
4. Le Retour, *J'ai lu* 7751
5. Les Terriens, *J'ai lu* 7973

La saga des ombres :
1. La stratégie de l'ombre, *J'ai lu* 8204
2. L'ombre de l'Hégémon, *J'ai lu* 8540

Pisteur, Livre 1, *J'ai lu* 11219
Pisteur, Livre 2, *J'ai lu* 11597
Pisteur, Livre 3, *J'ai lu* 11974

ORSON SCOTT CARD

LA STRATÉGIE ENDER

ROMAN

Traduit de l'anglais (États-Unis)
par Sébastien Guillot

Collection dirigée par Thibaud Eliroff

Titre original
ENDER'S GAME

1

TROISIÈME

« J'ai regardé par ses yeux, j'ai écouté par ses oreilles, et je vous dis que c'est le bon. Ou du moins le meilleur que nous pourrons trouver. »

« C'est ce que vous disiez à propos de son frère. »

« Le frère s'est révélé inadéquat. Pour d'autres raisons. Rien à voir avec ses aptitudes. »

« Pareil avec la sœur. Et il y a des doutes à son propos. Il est trop influençable. Trop prompt à se laisser submerger par les désirs d'autrui. »

« Sauf s'il s'agit d'un ennemi. »

« Que faut-il faire dans ce cas ? L'entourer en permanence d'ennemis ? »

« S'il le faut. »

« J'avais cru vous entendre dire que vous aimiez bien cet enfant. »

« Si les doryphores l'attrapent, ils me feront passer pour son oncle préféré. »

« Très bien. Nous sauvons le monde, après tout. Allez-y. »

La responsable du moniteur lui adressa son plus beau sourire, lui ébouriffa les cheveux et dit : « Andrew, tu dois en avoir plus qu'assez de cet horrible moniteur. Eh bien, j'ai une bonne nouvelle pour toi. Il va disparaître aujourd'hui. Nous allons le retirer complètement, et tu ne vas rien sentir du tout. »

Ender hocha la tête. C'était un mensonge, bien sûr – qu'il n'allait rien sentir. Mais vu que les adultes disaient toujours ça quand ça *allait* faire mal, il pouvait considérer cette affirmation comme une juste prédiction de l'avenir. Parfois, les mensonges se révélaient plus fiables que la vérité.

« Donc si tu veux bien venir ici, Andrew, et t'asseoir sur la table d'examen. Le docteur va venir te voir dans un instant. »

Plus de moniteur. Ender tenta de s'imaginer l'absence du petit appareil à la base de sa nuque. *Je ne sentirai plus sa pression quand je me retournerai sur le dos dans mon lit. Ni ses picotements sous la douche, lorsqu'il absorbe la chaleur.*

Et Peter ne me détestera plus. Une fois à la maison, je lui montrerai que le moniteur a été retiré, et il verra que ce n'est pas moi qui l'ai fait. Que je vais juste être un gosse normal désormais, comme lui. Ça devrait faciliter les choses entre nous. Il me pardonnera d'avoir eu mon moniteur une année entière de plus que lui. Nous serons…

Sans doute pas des amis. Non, Peter était trop dangereux. Il se mettait dans de telles colères. Des frères. Ni ennemis ni amis, mais frères – capables de vivre sous le même toit. *Il ne me détestera pas, il me laissera juste tranquille. Et, quand il voudra jouer aux doryphores et aux astronautes, je n'aurai peut-être pas à jouer avec lui, peut-être que je pourrai simplement aller lire un livre.*

Mais Ender savait pertinemment que Peter n'allait pas le laisser tranquille. Il y avait quelque chose dans les yeux de son frère lorsqu'il piquait une de ses crises, et quand Ender voyait ce regard, cette lueur, il savait bien que la seule chose que Peter ne ferait *pas*, ce serait de le laisser tranquille. *Je m'exerce au piano, Ender. Viens me tourner les pages. Oh, Môssieur Moniteur est trop occupé pour aider son frère ? Il est trop malin pour ça ? On doit aller tuer des doryphores, astronaute ? Non, non, je ne* veux *pas de ton aide. Je peux me débrouiller tout seul, espèce de petite merde, de petit* Troisième.

« Ça ne prendra pas longtemps, Andrew », dit le médecin.

Le garçon hocha la tête.

« C'est conçu pour être retiré. Sans infection, sans le moindre dommage. Mais ça va chatouiller un peu, et certains disent avoir une impression de *manque* après le retrait. Tu ne vas pas arrêter de chercher quelque chose, quelque chose qui se trouvait là, mais tu n'arriveras pas à le retrouver, tu ne te souviendras même pas de quoi il s'agissait. Alors je vais te le dire. C'est le moniteur que tu chercheras, et il ne sera plus là. La sensation te passera au bout de quelques jours. »

Le docteur tourna quelque chose à l'arrière de la tête d'Ender. Un élancement le transperça aussitôt jusqu'au bas-ventre. Il sentit un spasme lui parcourir le dos, son corps s'arquer en arrière avec violence ; sa tête alla heurter la table. Ses jambes se mirent à battre furieusement, ses mains à se serrer si fort qu'elles lui faisaient mal.

« Deedee ! hurla le docteur. J'ai besoin de vous ! » L'infirmière entra en courant, haleta. « Il faut détendre ces muscles. Donnez-moi ça tout de suite ! Qu'est-ce que vous attendez ? »

Quelque chose changea de mains ; Ender ne voyait rien. Il bascula sur le côté et tomba de la table d'auscultation. « Rattrapez-le ! s'écria l'infirmière.

— Bornez-vous à le tenir…

— Je vous laisse faire, docteur, il est trop fort pour moi.

— Vous plaisantez ! Ça va stopper son cœur. »

Une aiguille pénétra dans son dos juste au-dessus du col de sa chemise. Une sensation de brûlure l'envahit aussitôt, mais, partout où le feu se propageait, ses muscles se détendaient progressivement. Il pouvait se laisser aller à pleurer à présent, tant de peur que de douleur.

« Tout va bien, Andrew ? » lui demanda l'infirmière.

Andrew ne se rappelait plus comment parler. Ils le remirent sur la table, prirent son pouls, firent d'autres choses encore ; il ne comprenait pas tout.

Le docteur reprit la parole d'une voix tremblante : « À quoi ils s'attendent en laissant ces choses dans ces gosses pendant trois ans ? Vous vous rendez compte ? On a failli lui griller le cerveau définitivement.

— Combien de temps dure l'effet de l'anesthésiant ? s'enquit l'infirmière.

— Gardez-le ici au moins une heure, sous surveillance permanente. S'il n'a pas recommencé à parler dans quinze minutes, appelez-moi. On a failli le griller pour de bon. Je n'ai pas une cervelle de doryphore. »

Ender regagna la classe de Mlle Pumphrey à peine un quart d'heure avant la fin du cours. Il marchait encore d'un pas mal assuré.

« Tu te sens bien, Andrew ? » lui demanda Mlle Pumphrey.

Il hocha la tête.

« Tu étais malade ? »

Il secoua la tête.

« Tu n'as pas l'air bien.

— Ça va.

— Tu ferais mieux de t'asseoir, Andrew. »

Il commença à s'approcher de son siège, mais s'immobilisa. *Bon, qu'est-ce que je cherchais ? Je ne sais plus ce que je cherchais.*

« Ta place se trouve là-bas », lui indiqua Mlle Pumphrey.

Il s'assit, mais c'était d'autre chose dont il avait besoin, quelque chose qu'il avait perdu. *Je finirai bien par trouver quoi.*

« Ton moniteur », murmura sa camarade installée derrière lui.

Andrew haussa les épaules.

« Son moniteur », chuchota-t-elle à l'intention des autres.

Il posa une main sur la nuque. Y trouva un pansement. Le moniteur avait disparu. Ender était comme tout le monde, à présent.

« Lessivé, Andy ? » lui demanda un petit garçon assis de l'autre côté de l'allée, un peu derrière lui. Ender n'arrivait pas à se rappeler son nom. Peter. Non, c'était quelqu'un d'autre.

« Silence, monsieur Stilson », lui dit Mlle Pumphrey. Il sourit aussitôt d'un air satisfait.

Elle se mit à leur parler des multiplications. Ender griffonnait distraitement sur son bureau, dessinant les contours d'îles montagneuses pour ensuite les projeter en trois dimensions. L'institutrice allait bien sûr s'apercevoir de son inattention, mais peu lui importait. Il savait toujours quoi lui répondre, même lorsqu'elle le croyait perdu dans ses pensées.

Un mot fit son apparition dans un coin de son bureau et commença à en parcourir le périmètre. Sens dessus dessous dans un premier temps, mais Ender l'avait déchiffré bien avant qu'il n'en atteigne le bas et se retourne du bon côté.

TROISIÈME

Ender sourit. C'était lui qui avait découvert comment expédier des messages et les animer – alors même que son ennemi secret pensait l'injurier, la méthode d'envoi ne faisait que confirmer sa supériorité. Ce n'était pas *sa* faute s'il était un Troisième. L'idée venait du gouvernement, c'étaient eux qui l'avaient autorisé – comment, sinon, un Troisième tel que lui aurait-il pu aller à l'école ? Mais le moniteur avait disparu désormais. L'expérience Andrew Wiggin n'avait pas fonctionné, en fin de compte. S'ils le pouvaient, il ne doutait pas qu'ils auraient annulé les dérogations auxquelles il devait sa naissance même. Ça n'a pas marché, effaçons l'expérience.

La sonnerie retentit. Chacun éteignit son bureau, parfois après s'être hâté de taper quelque pense-bête ou de télécharger leçons et données vers son ordinateur domestique. Quelques-uns se rassemblèrent devant les imprimantes pour y récupérer quelque devoir qu'ils voulaient montrer. Ender écarta ses doigts sur le clavier taille enfant qui bordait le bureau en se demandant quel effet ça devait faire d'avoir des mains aussi grosses que celles des adultes. *Ils doivent trouver ça horriblement malcommode, avec leurs doigts épais, boudinés, et leurs paumes charnues.* Bien sûr, ils avaient de plus grands claviers – mais comment arrivaient-ils à tracer une fine ligne, comme Ender était capable de le faire, une ligne si précise qu'il pouvait la faire tourner en spirale soixante-dix-neuf fois depuis le centre du bureau sans même que les traits se touchent ou se chevauchent. Ça lui occupait l'esprit pendant que l'institutrice ânonnait ses leçons d'arithmétique. L'arithmétique ! Valentine la lui avait enseignée quand il avait trois ans.

« Ça va, Andrew ?

— Oui, Mademoiselle.

— Tu vas manquer le bus. »

Ender hocha la tête et se leva. Les autres gosses étaient partis, mais les méchants allaient l'attendre. Il n'avait plus son moniteur perché sur sa nuque pour entendre ce qu'il entendait et voir ce qu'il voyait. Ils pourraient lui dire tout ce qui leur passerait par la tête. Ils pourraient même le frapper – personne ne les verrait, donc personne ne viendrait à son secours. Le moniteur avait certains avantages, des avantages qui allaient lui manquer.

C'était Stilson, bien sûr. Pas plus grand que la plupart des autres enfants, mais davantage qu'Ender. Et il était accompagné. Il l'était toujours.

« Hé, Troisième ! »

Ne réponds pas. Rien à leur dire.

« Hé, Troisième, on te parle, Troisième, *hé*, doryphore, on te parle. »

Qu'est-ce que je pourrais leur répondre ? Tout ce que je dirai ne fera qu'empirer les choses. Autant me taire.

« Hé, Troisième, hé, connard, on te l'a viré, hein ? Tu te croyais meilleur que nous, mais t'as perdu ton petit oiseau, Troiseau, t'as un pansement dans le cou.

— Vous comptez me laisser passer ? leur demanda Ender.

— Est-ce qu'on compte le laisser passer ? Est-ce qu'on *devrait* le laisser passer ? (Ils éclatèrent de rire.) Bien sûr qu'on va te laisser passer. D'abord un bras, puis la tête, et puis peut-être un morceau de genou. »

Les autres suivirent le mouvement : « T'as perdu ton petit oiseau, Troiseau. T'as perdu ton petit oiseau, Troiseau. »

Stilson le poussa d'une main ; quelqu'un derrière lui le renvoya sur Stilson.

« Un p'tit tour de balançoire, mam'zelle ? fit quelqu'un.

— Tennis !

— Ping-pong ! »

Ça allait forcément mal finir. Et Ender préférait ne pas être le plus malheureux à la fin. Lorsque Stilson tendit une nouvelle fois le bras pour le pousser, Ender tenta d'un geste brusque de le saisir. Sans succès.

« Ah, on veut se battre, hein ? Tu veux te battre, Troiseau ? »

Les gosses qui se trouvaient derrière Ender se saisirent de lui pour l'immobiliser.

Ender n'avait pas franchement envie de rire, mais il se força. « Si je comprends bien, vous avez besoin d'être aussi nombreux pour battre un Troisième ?

— On est des *gens*, pas des *Troisièmes*, tête de con. T'as à peu près autant de force qu'un pet ! »

Ils le lâchèrent néanmoins. Ender gratifia aussitôt Stilson d'un coup de pied haut et puissant qui l'atteignit en plein sternum. Il tomba, à la grande surprise d'Ender – qui n'aurait jamais imaginé pouvoir l'abattre d'un seul coup. Il ne lui était pas venu à l'esprit que son adversaire puisse prendre une telle bagarre par-dessus la jambe, qu'il ne se soit pas préparé à une action vraiment désespérée.

Les autres reculèrent ; quant à Stilson, il demeurait immobile. Tous se demandaient s'il était mort. Ender, pour sa part, essayait déjà de concevoir un moyen d'échapper à leur vengeance. De les empêcher de le choper en bande le lendemain. *Il faut que je gagne maintenant, et pour toujours, sans quoi j'aurai à me battre chaque jour et la situation ne fera qu'empirer.*

Du haut de ses six ans, Ender connaissait déjà les règles implicites d'un combat viril. Il était interdit de frapper un adversaire sans défense et à terre ; seul un animal ferait une chose pareille.

Il marcha jusqu'au corps allongé de Stilson et lui donna un nouveau coup de pied brutal dans les côtes. Dans un gémissement, Stilson tenta de rouler hors de sa portée. Ender le contourna et lui assena un ultime coup entre les jambes. Le garçon à terre n'était même plus capable d'émettre le moindre son ; il se plia en deux, les yeux remplis de larmes.

Puis Ender jeta un regard glacé aux autres. « Vous avez peut-être dans l'idée de vous liguer contre moi. Vous pourriez sans doute m'infliger une belle correction. Mais n'oubliez jamais ce que je fais aux gens qui essaient de me faire du mal. Vous ne cesseriez dès lors de vous demander quand je vous aurais, et à quel point ça ferait mal. » Il gratifia le visage de Stilson d'un nouveau coup de pied. Du sang jaillit de son nez pour gicler sur le sol alentour. « Ça ne serait pas comme ça, ajouta Ender. Ça serait pire. »

Il pivota sur ses talons et s'engagea dans le couloir qui menait à l'arrêt de bus. Personne ne le suivit. Derrière lui, il pouvait les entendre dire : « Nom de Dieu. Regardez-le. Il l'a démoli. » La tête penchée contre le mur, Ender pleura jusqu'à l'arrivée du bus. *Je suis comme Peter. Retirez-moi mon moniteur, et je suis exactement comme lui.*

2

Peter

« Très bien, il ne l'a plus. Comment s'en sort-il ? »

« Quand vous vivez dans le corps de quelqu'un pendant quelques années, vous finissez par vous accoutumer. Regarder son visage ne me suffit pas à décrypter ce qu'il a en tête. Je n'ai pas l'habitude de voir ses expressions faciales. J'ai l'habitude de les sentir. »

« Allons, nous ne faisons pas de psychanalyse ici. Nous sommes des soldats, pas des sorciers. Vous venez de le voir faire cracher ses intestins à un chef de bande. »

« Il a fait les choses à fond. Il ne s'est pas contenté de le battre, il l'a écrasé. Comme Mazer Rackham au... »

« Je sais, merci. Le comité estime donc qu'il a réussi le test. »

« Dans l'ensemble, oui. Voyons comment il va se débrouiller avec son frère sans moniteur. »

« Son frère. Vous n'avez pas peur de ce que son frère risque de lui faire ? »

« C'est vous qui m'avez dit que cette affaire n'était pas sans risques. »

« J'ai reconsulté certains des enregistrements. Je ne peux pas m'empêcher d'apprécier ce gosse. Je pense que tout ça va sérieusement le perturber. »

« Bien sûr que oui. C'est notre boulot. Nous sommes les méchantes sorcières. Nous promettons du pain d'épices, mais nous dévorons tout crus les petits bâtards. »

« Je suis désolée, Ender », murmura Valentine. Elle était en train de regarder le pansement sur sa nuque.

D'une pression sur le mur, Ender ferma la porte derrière lui. « Je m'en fiche. Je suis content d'en être débarrassé.

— De quoi ? » Peter pénétra dans le petit salon en mâchant une pleine tartine de beurre de cacahuète.

Ender ne voyait pas en Peter le beau garçon de dix ans que les adultes percevaient, avec ses épais cheveux sombres ébouriffés et un visage qui aurait pu appartenir à Alexandre le Grand. Ender ne regardait Peter que pour déceler en lui colère ou ennui, les dangereuses humeurs qui auguraient presque toujours d'un événement douloureux. Or à présent, alors que Peter découvrait le pansement sur la nuque, ses yeux s'emplissaient d'un scintillement éloquent.

Valentine le vit elle aussi. « Il est comme nous à présent », dit-elle, histoire de le calmer avant qu'il n'ait eu le temps de frapper.

Mais Peter ne comptait pas se calmer. « Comme nous ? Il a gardé cette saloperie de ventouse jusqu'à ses six ans ! Quand est-ce que tu as perdu le tien ? À trois ans. On m'a retiré le mien avant mes cinq ans. Ce petit doryphore a *presque* réussi. »

C'est très bien, se dit Ender. *Parle, Peter, n'arrête pas de parler. Ça me va parfaitement.*

« Eh bien, poursuivit son frère, à présent tes anges gardiens ne veillent plus sur toi. Ils ne mesurent plus ta douleur, n'écoutent plus ce que je dis, ne voient plus ce que je te fais. Ça te fait quoi, hein ? Qu'est-ce que tu en dis ? »

Ender haussa les épaules.

Peter se mit soudain à sourire et à battre des mains, dans une parodie de bonne humeur. « Jouons aux doryphores et aux astronautes, fit-il.

— Où est Maman ? s'enquit Valentine.

— Dehors, répondit Peter. C'est moi le chef.

— Je crois que je vais appeler Papa.

— Appelle fort, dans ce cas. Tu sais bien qu'il n'est jamais là.

— Je vais jouer, dit Ender.

— Tu fais le doryphore, fit Peter.

— Laisse-le jouer l'astronaute pour une fois, suggéra Valentine.

— Ne te mêle pas de ça, face de pet. Ender, viens choisir tes armes à l'étage. »

Ça n'allait pas être un jeu bon enfant, Ender le savait. Il n'était pas question de gagner. Les doryphores ne l'emportaient jamais quand les gosses jouaient en bande dans les couloirs, et parfois même le jeu prenait un mauvais tour. Mais ici, dans leur appartement, le jeu allait mal *commencer*, et le doryphore ne pourrait pas simplement se réfugier dans la mort comme il l'aurait fait dans une guerre réelle. Le doryphore était coincé jusqu'à ce que l'astronaute se décide à arrêter.

Peter ouvrit son tiroir du bas pour en sortir le masque de doryphore. Mère lui avait sonné les cloches lorsqu'il l'avait acheté, mais Père avait fait remarquer que la guerre n'allait pas disparaître rien qu'en cachant les masques de doryphore et en empêchant ses gosses de s'amuser avec des faux pistolets laser. Jouer à la guerre accroîtrait leurs chances de survie quand les doryphores se décideraient à revenir.

Pour peu que je survive à ça, se dit Ender. Il enfila le masque, qui l'enserra comme une main pressée avec force contre son visage. *Mais ce n'est pas ce que ressent un doryphore. Ils ne portent pas ce visage comme un masque,* c'est *leur visage. Est-ce qu'ils mettent des masques d'humains sur leurs planètes pour jouer ? Et comment nous appellent-ils ? Les limaces ? Ils doivent nous trouver tellement mous et gras par rapport à eux.* « Fais gaffe à toi, Limace. »

Il voyait à peine Peter par les trous du masque. Son frère lui sourit. « Limace, hein ? Eh bien, bébé doryphore, on va voir comment faire pour te péter la gueule. »

Ender ne vit rien venir à part un léger changement de position de Peter ; le masque le privait de toute vision périphérique. Il ressentit soudain la pression d'un coup sur la tempe qui lui fit perdre l'équilibre. Il s'écroula sur le sol.

« Tu n'y vois rien, hein, doryphore ? » fit Peter.

Alors qu'Ender commençait à ôter le masque Peter enfonça ses orteils dans son aine. « Ne l'enlève pas. »

Son frère le remit en place, puis retira ses mains.

Peter appuya plus fort. La douleur envahit le corps d'Ender ; qui se plia en deux.

« Reste à terre, doryphore. On va te vivisecter. Depuis le temps qu'on en voulait un vivant, on va enfin voir comment vous fonctionnez.

— Arrête, Peter, dit Ender.

— Arrête, Peter. Très bien. Alors comme ça, vous autres doryphores vous pouvez deviner nos noms. Vous pouvez parler comme de mignons petits garçons pathétiques pour qu'on vous aime et qu'on soit gentil avec vous. Mais ça ne marche pas avec moi. Moi, je te vois tel que tu es vraiment. Ils voulaient faire de toi un humain, petit Troisième, mais en fait tu es un doryphore – et tu ne peux plus le cacher à présent. »

Il souleva son pied, fit un pas, puis s'accroupit sur Ender, un genou enfoncé dans son ventre juste sous le sternum. Il fit progressivement peser son corps sur son frère. Qui éprouvait de plus en plus de mal à respirer.

« Je pourrais te tuer, murmura Peter. Rien qu'en appuyant, et en appuyant encore jusqu'à ce que tu meures. Et je pourrais dire que j'ignorais que ça te ferait du mal, qu'on était seulement en train de jouer, et ils me croiraient, et tout serait parfait. Et tu serais mort. Tout serait parfait. »

Ender n'arrivait plus à parler ; il n'avait plus d'air dans les poumons. Peter était peut-être sérieux après tout. Sans doute pas, mais…

« Je suis sérieux, insista Peter. Que tu le croies ou non, je suis sérieux. Ils n'ont autorisé ta naissance que parce que j'étais super prometteur. Mais j'ai mal tourné. Tu t'en es mieux sorti. Ils te croient meilleur que moi. Mais je ne veux pas de petit frère meilleur que moi, Ender. Je ne veux pas de Troisième.

— Je vais tout raconter, dit Valentine.

— Personne ne te croirait.

— Détrompe-toi.

— Si tu fais ça, je m'occuperai aussi de ton cas, chère petite sœur.

— Oh, oui, fit Valentine. Ils vont sûrement te croire. "Je ne savais pas que ça tuerait Andrew. Ni que ça tuerait *aussi* Valentine ensuite." »

La pression diminua un peu.

« Bon. Pas aujourd'hui. Mais un de ces jours vous ne serez pas ensemble, tous les deux. Et il y aura un accident.

— Tu n'as que de la gueule, jeta Valentine. Tu n'en penses pas un mot.

— Tu crois ?

— Et tu sais pourquoi ? Parce que tu veux faire partie du gouvernement quand tu seras grand. Tu veux qu'on t'élise. Et ça n'arrivera pas si tes adversaires déterrent l'histoire de ton frère et de ta sœur morts dans des circonstances suspectes lorsqu'ils étaient petits. Surtout avec la lettre que j'ai mise dans mon dossier secret, à la bibliothèque municipale. À ouvrir en cas de décès.

— Épargne-moi ce genre de conneries, dit Peter.

— Elle dit que je ne suis pas morte de mort naturelle. Que c'est Peter qui m'a tuée, et que s'il n'a pas encore supprimé Andrew, il le fera bientôt. Pas suffisant pour te faire condamner, mais bien assez pour t'empêcher de remporter la moindre élection.

— Tu es son moniteur à présent, fit Peter. Tu ferais mieux de le surveiller nuit et jour. Ça vaut vraiment mieux pour lui.

— Ender et moi ne sommes pas stupides. On a des notes aussi bonnes que les tiennes dans toutes les matières. Meilleures, dans certaines. Nous sommes tous les trois des enfants exceptionnellement brillants. Tu n'es pas le plus malin, Peter, juste le plus grand.

— Oh, je sais. Mais un de ces jours tu ne seras pas avec lui, tu auras oublié. Et tout d'un coup tu te souviendras et tu te précipiteras vers lui ; il sera là, et tout ira bien. Et, la fois suivante, tu ne t'inquiéteras pas autant et tu ne viendras pas aussi vite. Et chaque fois tout ira bien. Et tu te mettras à penser que j'ai oublié. Même si tu te rappelles ce que j'ai dit, tu croiras que j'ai oublié. Et les années passeront. Et alors il y aura un terrible accident, je trouverai son corps et je pleurerai toutes les larmes de mon corps, et tu te souviendras de cette conversation, Vally, mais le simple fait de t'en souvenir te fera honte, parce que tu sauras que j'ai changé, que c'était vraiment un accident, que ce serait cruel de ta part de te focaliser sur quelque chose que j'ai dit au cours d'une simple querelle d'enfance. Sauf que tout sera vrai. Je vais mettre ça de côté, et il va mourir, et tu ne feras rien, rien du tout. Mais continue de croire que je suis juste le plus grand.

— Le plus grand des trous du cul », précisa Valentine.

Peter bondit sur ses pieds et se jeta sur elle. Elle l'esquiva. Ender retira son masque. Peter s'affala sur son lit et éclata de rire. Un rire sonore, presque hystérique. Ses yeux se remplirent de larmes. « Oh, les copains, vous êtes vraiment super, les plus belles poires de la planète Terre.

— Et maintenant, il va nous dire que ce n'était qu'une blague, dit sa sœur.

— Pas une blague, un jeu. Je peux faire vous croire n'importe quoi, mes petits potes. Je peux vous faire danser comme des marionnettes. (Puis, d'une fausse voix de monstre :) Je vais vous tuer, vous hacher en petits morceaux et vous mettre au vide-ordures. (Il rit de plus belle.) Les pires poires du Système Solaire. »

Alors même qu'il regardait son frère d'un air interdit, Ender songeait à Stilson, à ce qu'il avait ressenti en brisant son corps. *C'est Peter qui le méritait. C'est à lui que ça aurait dû arriver.*

Comme si elle pouvait lire ses pensées, Valentine murmura : « Non, Ender. »

Peter roula soudain sur le côté, sauta du lit et se mit en position de combat. « Oh, si, Ender. Quand tu veux, Ender. »

Celui-ci leva sa jambe droite pour ôter sa chaussure. Qu'il montra à son frère. « Tu vois, là, au bout ? C'est du sang, Peter. Et ce n'est pas le mien.

— Oooh. Oooh, je vais mourir, je vais mourir. Ender a tué un moucheron et maintenant il va me tuer. »

Il n'y avait aucun moyen de l'atteindre. Peter avait une âme d'assassin, et personne ne le savait à part Valentine et Ender.

À son retour, Mère compatit avec Ender à propos du moniteur. Quand Père rentra à son tour, il n'arrêta pas de répéter combien c'était une merveilleuse surprise, qu'ils avaient des enfants tellement fantastiques que le gouvernement leur avait demandé d'en avoir trois, et qu'à présent il ne voulait en prendre aucun en fin de compte – et voilà qu'ils se retrouvaient avec les trois sur les bras, qu'ils avaient toujours un Troisième… jusqu'à ce qu'Ender manque lui hurler dessus. *Je sais que je suis un Troisième. Je le sais. Si c'est ce que tu veux, je m'en irai pour t'éviter l'embarras. Je suis désolé d'avoir perdu le moniteur, désolé que tu doives te coltiner trois enfants sans la moindre explication valable – c'est si gênant pour toi. Je suis désolé désolé désolé.*

Il était étendu sur son lit, à fixer l'obscurité. Il pouvait entendre Peter se retourner sans cesse dans la couchette supérieure. Puis son frère glissa de son lit et sortit de la pièce. Ender perçut le bruit assourdi de la chasse d'eau ; puis vit la silhouette de Peter se découper dans l'encadrement de la porte.

Il croit que je dors. Il va me tuer.

Peter s'approcha du lit et, comme attendu, ne se hissa pas sur sa couchette. Il vint se planter près de la tête d'Ender.

Mais il ne tendit pas la main vers un oreiller pour étouffer son frère. Il n'avait pas d'arme.

« Ender, dit-il dans un murmure, je suis tellement désolé. Je sais ce que ça fait. Pardon. Je suis ton frère, je t'aime. »

Beaucoup plus tard, la respiration régulière de Peter laissa entendre qu'il s'était endormi. Ender retira le pansement de sa nuque. Et pour la deuxième fois de la journée, il se mit à pleurer.

3

GRAFF

« La sœur est notre maillon faible. Il l'aime vraiment beaucoup. »

« Je sais. Elle peut tout remettre en question, depuis le début. Il va refuser de la quitter. »

« Qu'allons-nous faire, dans ce cas ? »

« Le persuader qu'il a davantage envie de venir avec nous que de rester avec elle. »

« Et comment comptez-vous vous y prendre ? »

« Je vais lui mentir. »

« Et si ça ne marche pas ? »

« Eh bien, je lui dirai la vérité. Nous sommes autorisés à le faire en cas d'urgence. Nous ne pouvons pas tout prévoir, vous savez. »

Ender n'avait pas très faim au petit déjeuner. Il n'arrêtait pas de se demander comment ça allait se passer à l'école. Faire face à Stilson après la bagarre de la veille. Ce que ses amis comptaient faire. Probablement rien, mais Ender ne pouvait en être sûr. Il ne voulait pas y aller.

« Tu ne manges rien, Andrew », lui dit sa mère.

Peter pénétra dans la pièce. « Salut, Ender. Merci d'avoir laissé ton gant de toilette visqueux en plein milieu de la douche.

— Spéciale dédicace, murmura Ender.

— Andrew, il faut que tu manges quelque chose. »

Il tendit les poignets, comme pour signifier : *Il va falloir m'attacher pour ça.*

« Très drôle, fit Mère. J'essaie de faire de mon mieux, mais ça n'a pas l'air d'intéresser mes petits génies.

— Ce sont tes gènes qui ont fait de nous des génies, Maman, fit Peter. Papa ne nous en a certainement pas refilé un seul.

— J'ai entendu, dit Père sans même quitter des yeux les nouvelles projetées sur la table pendant qu'il mangeait.

— Quel intérêt sinon ? »

La table émit un signal sonore – quelqu'un se trouvait à la porte.

« Qui est-ce ? » demanda Mère.

Père appuya sur une touche et un homme apparut sur sa vidéo. Il portait le seul uniforme militaire ayant gardé un minimum de sens désormais : celui de la F.I., la Flotte Internationale.

« Je croyais que c'était fini », commenta Père.

Peter ne prononça pas un mot ; il se contenta de verser du lait sur ses céréales.

Je ne vais peut-être pas devoir aller à l'école aujourd'hui, finalement, songea pour sa part Ender.

Père composa le code d'ouverture de la porte et se leva de table. « Je m'en occupe. Continuez à manger. »

Mais tout le monde semblait avoir perdu l'appétit. Quelques instants plus tard, Père revint dans la pièce et fit signe à son épouse de le suivre.

« Tu es dans une sacrée merde, dit Peter. Ils ont découvert ce que tu as fait à Stilson, et maintenant ils vont t'envoyer pour un bon moment dans la Ceinture.

— Je n'ai que six ans, crétin. Je suis mineur.

— Tu es un Troisième, couillon. Tu n'as aucun droit. »

Valentine fit son apparition, ses cheveux encore ébouriffés de sommeil. « Où sont Maman et Papa ? Je suis trop malade pour aller à l'école.

— Encore un examen oral, hein ? fit Peter.

— La ferme, toi, répliqua Valentine.

— Tu devrais te détendre et en profiter, dit son frère. Ça pourrait être pire.

— Je ne vois pas comment.

— Ça pourrait être un examen anal.

— Trop drôle, dit Valentine. Où sont Maman et Papa ?

— En discussion avec un type de la F.I. »

Elle se tourna instinctivement vers Ender. Après tout, ça faisait des années qu'ils s'attendaient à ce que quelqu'un vienne leur dire qu'Ender avait réussi, qu'on avait besoin de lui.

« C'est ça, regarde-le, fit Peter. Mais ça pourrait être pour moi, tu sais. Ils ont peut-être fini par comprendre que j'étais le meilleur du lot en fin de compte. » Chaque fois qu'il était vexé, Peter se mettait à agir comme un morveux.

La porte s'ouvrit. « Ender, dit Père, tu ferais mieux de venir.

— Désolée, Peter », railla Valentine.

Père les gratifia d'un regard noir. « Il n'y a pas de quoi rire, les enfants. »

Ender le suivit jusqu'au petit salon. L'officier de la F.I. se leva à leur entrée, mais ne lui tendit pas la main.

Mère ne cessait de tourner son alliance autour de son doigt. « Andrew, dit-elle, jamais je n'aurais imaginé que tu étais du genre à te battre.

— Le petit Stilson est à l'hôpital, dit Père. Tu l'as massacré. Avec ta chaussure, Ender. Ce n'était pas précisément loyal. »

Ender secoua la tête. Il s'était attendu à la visite d'un représentant de l'école, pas à celle d'un officier de la flotte. C'était plus grave qu'il ne l'avait imaginé. Et, pourtant, il n'arrivait pas à trouver ce qu'il avait bien pu faire d'autre.

« As-tu la moindre explication à ton comportement, jeune homme ? » lui demanda l'officier.

Ender secoua la tête de plus belle. Il ne savait pas quoi dire, et craignait de se révéler plus monstrueux encore que ce que ses actes le laissaient supposer. *J'accepterai ma punition quelle qu'elle soit*, songea-t-il. *Finissons-en.*

« Nous sommes prêts à prendre en compte des circonstances atténuantes, annonça l'officier. Mais je dois te dire que ça ne se présente pas bien. Rouer son corps de coups de pied alors qu'il se trouvait à terre – à croire que tu y as vraiment pris plaisir.

— Pas du tout, murmura Ender.

— Et pourquoi l'as-tu fait, dans ce cas ?

— Il était avec sa bande.

— Et donc ? Ça te suffit comme excuse ?

— Non.

— Dis-moi pourquoi tu as continué à lui donner des coups de pied. Tu avais déjà gagné.

— Le faire tomber m'a assuré une première victoire. Mais je voulais aussi gagner toutes les suivantes. Pour qu'ils me laissent tranquille. » Ender se remit à pleurer. Il ne pouvait s'en empêcher, il avait trop peur, trop honte de ses actes. Il n'aimait pas pleurnicher, et ça lui arrivait d'ailleurs rarement ; et voilà qu'en moins d'une journée il fondait trois fois en larmes. Chaque fois plus fort que la précédente. Pleurer devant sa mère, son père et ce militaire l'emplissait de honte. « Vous m'avez enlevé le moniteur, dit Ender. Il fallait bien que je me débrouille tout seul, non ?

— Ender, tu aurais dû demander l'aide d'un adulte », commença Père.

Mais l'officier se leva et traversa la pièce en direction du garçon. Il tendit la main. « Je m'appelle Graff, Ender. Colonel Hyrum Graff. Je suis le directeur de l'École Primaire de Guerre de la Ceinture. Je suis venu te proposer de l'intégrer.

Enfin. « Mais le moniteur…

— L'ultime étape de ta mise à l'épreuve consistait à voir ce qui allait se passer après le retrait du moniteur. On ne procède pas toujours ainsi, mais dans ton cas…

— Et j'ai réussi ? »

Mère était incrédule. « Il a envoyé le petit Stilson à l'hôpital. Qu'auriez-vous fait s'il l'avait tué ? Vous lui auriez donné une médaille ?

— Ce n'est pas ce qu'il a fait qui importe, madame Wiggin. C'est *pourquoi* il l'a fait. (Le colonel Graff lui tendit un dossier rempli de papiers.) Voici sa réquisition. Votre fils a reçu le feu vert du Service de Sélection de la F.I. Bien sûr, nous avons déjà votre accord, consenti par écrit au moment où la conception a été confirmée – sans quoi nous n'aurions pas autorisé sa naissance. Il nous appartenait depuis lors, s'il remplissait les conditions requises. »

Père reprit la parole d'une voix tremblante : « Ce n'est pas très honnête de votre part, de nous laisser croire que vous ne vouliez pas de lui, puis de l'accepter en fin de compte.

— Et toute cette comédie avec le petit Stilson, dit Mère.

— Ça n'a rien d'une comédie, madame Wiggin. Tant que nous ne connaissions pas les motivations d'Ender, nous ne pouvions savoir avec certitude qu'il n'était pas un autre… Nous devions nous assurer de la signification de son acte. Du moins aux yeux d'Ender.

— Vous êtes vraiment obligé de l'appeler par ce surnom stupide ? » Mère se mit à pleurer.

« Je suis désolé, madame Wiggin, mais c'est ainsi qu'il s'appelle lui-même.

— Qu'est-ce que vous comptez faire, Colonel Graff ? s'enquit Père. Passer cette porte avec lui séance tenante ?

— Ça dépend, répondit Graff.

— De quoi ?

— De la décision d'Ender. »

Les larmes de Mère firent place à un rire amer. « Oh, c'est donc volontaire, en fin de compte. Comme c'est gentil de votre part !

— En ce qui vous concerne tous les deux, le choix a été fait au moment de la conception d'Ender. Mais *lui* n'a encore rien choisi du tout. Les appelés font de la bonne chair à canon, mais nous avons besoin de volontaires pour les officiers.

— Les officiers ? » Les autres s'étaient tus au son de la voix d'Ender.

« Oui, confirma Graff. L'École de Guerre a pour mission de former les futurs capitaines de vaisseau, commandants de flottille et amiraux de la flotte.

— Que tout soit bien clair ! explosa alors Père. Combien parmi les garçons de l'École de Guerre finissent véritablement à la tête d'un vaisseau ?

— Malheureusement, monsieur Wiggin, il s'agit là d'une information classifiée. Mais je *peux* néanmoins vous dire qu'aucun de nos garçons ayant passé la première année n'a jamais échoué à obtenir un grade d'officier. Et qu'aucun n'en est sorti avec un grade inférieur à celui d'officier responsable de vaisseau interplanétaire. Même dans les forces de défense intrasystème, ça n'a rien de déshonorant.

— Combien réussissent à passer la première année ? s'enquit Ender.

— Tous ceux qui le veulent », répondit Graff.

Ender faillit dire : *« C'est ce que je veux. »* Mais il tint sa langue. Ça lui éviterait certes d'aller à l'école, mais c'était stupide, son problème là-bas n'était qu'une affaire de quelques jours. Ça le tiendrait éloigné de Peter – et c'était bien là le plus important, ça pouvait même être une question de vie ou de mort. Mais quitter Mère et Père, et par-dessus tout quitter Valentine ! Et devenir un soldat. Ender n'aimait pas se battre. Il n'aimait pas ceux qui se comportaient comme Peter, les forts contre les faibles, et il n'aimait pas non plus son propre genre, les intelligents face aux imbéciles.

« Je crois, dit Graff, qu'Ender et moi devrions avoir une conversation privée.

— Non, fit Père.

— Je ne vais pas l'emmener sans vous laisser lui parler une dernière fois. Quoi qu'il en soit, vous ne pourriez pas m'en empêcher. »

Père jeta un long regard noir à l'officier, puis il se leva et quitta la pièce. Mère marqua une pause pour serrer la main de son fils. Elle ferma la porte derrière elle en sortant.

« Ender, dit Graff, si tu pars avec moi, tu ne reviendras pas ici avant longtemps. Il n'y a pas de vacances à l'École de Guerre. Ni de visites. Un entraînement complet dure jusqu'aux seize ans de l'élève – dans certaines circonstances, on peut avoir une première permission à douze. Crois-moi, Ender, les gens changent en six ans, en dix ans. Ta sœur, Valentine, sera devenue une femme quand tu la reverras, si tu viens avec moi. Vous serez des étrangers. Tu l'aimeras toujours, Ender, mais tu ne connaîtras plus rien d'elle. Tu vois, je ne prétends pas que c'est facile.

— Maman et Papa ?

— Je te connais, Ender. Ça fait un certain temps que je regarde les disques du moniteur. Tes parents ne te manqueront pas, pas beaucoup, pas longtemps. Et tu ne leur manqueras pas longtemps non plus. »

Les yeux d'Ender s'emplirent de larmes, malgré lui. Il détourna la tête, mais se refusa à lever la main pour les essuyer.

« Ils t'aiment *vraiment*, Ender. Mais tu dois comprendre ce que ton existence leur a coûté. Ils sont nés dans un milieu religieux, tu sais. Le nom de baptême de ton père était John Paul Wieczorek. Catholique. Le septième de neuf enfants. »

Neuf enfants. C'était inconcevable. Criminel.

« Je sais. La religion fait faire des choses bizarres aux gens. Tu connais les sanctions, Ender – elles n'étaient pas aussi sévères à l'époque, mais ça ne plaisantait déjà pas. Seuls les deux premiers enfants recevaient une éducation gratuite. Les impôts augmentaient avec chaque nouvelle naissance. À ses seize ans, ton père a invoqué la Loi sur les Familles Non Conformes pour rompre avec la sienne. Il a changé de nom, abjuré sa religion, et fait le serment de ne jamais avoir plus de deux gosses. Il était sincère. Toute la honte, toutes les persécutions qu'il a subies dans sa jeunesse… il a juré qu'aucun de ses enfants ne les endurerait. Tu comprends ?

— Il ne voulait pas de moi.

— Eh bien, plus personne ne *veut* de Troisième. Tu ne peux guère espérer d'eux qu'ils s'en réjouissent. Mais tes parents constituent un cas particulier. Ils ont tous les deux renoncé à leur religion – ta mère était mormone –, mais leur état d'esprit demeure ambigu sur la question. Tu sais ce qu'*ambigu* signifie ?

— Qu'ils ont des sentiments partagés.

— Ils ont honte de venir de familles non conformistes. Ils le gardent secret. Au point que ta mère refuse de reconnaître devant quiconque qu'elle est née dans l'Utah, de peur d'éveiller les soupçons. Ton père rejette son ascendance polonaise car la Pologne fait toujours partie des nations non conformes, ce qui la met sous le coup de sanctions internationales. Donc, tu vois, le fait d'avoir un Troisième, même pour répondre à des instructions directes du gouvernement, vient détruire tout ce qu'ils se sont efforcés de construire.

— Je suis au courant.

— Mais c'est plus compliqué que ça. Ton père vous a quand même donné des noms de saints légitimes. En fait, c'est lui-même qui vous a baptisés tous les trois dès votre retour à la maison, après chacune de vos naissances. Et votre mère s'y opposait. Ça a donné lieu chaque fois à de belles disputes entre eux, non pas parce qu'elle refusait de vous voir baptisés, mais parce qu'elle ne voulait pas que vous le soyez selon le rite catholique. Ils n'ont pas vraiment renoncé à leur religion. Quand ils te regardent, ils voient en toi un symbole de fierté : ils sont parvenus à tourner la loi pour avoir un Troisième. Mais aussi un symbole de lâcheté, parce qu'ils n'osent pas aller plus loin et pratiquer la non-conformité qu'ils considèrent toujours comme juste. Et ton existence même les livre au déshonneur public, vu qu'à chaque instant tu contraries leurs efforts pour s'intégrer à la société qui les entoure.

— Comment pouvez-vous savoir tout ça ?

— Ton frère et ta sœur avaient un moniteur, Ender. Tu n'imagines pas la sensibilité de ces instruments. Nous étions directement connectés à ton cerveau. Nous entendions tout ce que tu entendais, que tu écoutes ou pas. Que tu comprennes ou pas. *Nous*, nous comprenions.

— Et donc, mes parents m'aiment ou pas ?

— Ils t'aiment. La question est plutôt de savoir s'ils souhaitent ou non ta présence ici. Le fait que tu habites dans cette maison est une source de perturbations permanente. De tensions. Est-ce que tu comprends ?

— Ce n'est pas moi la cause des tensions.

— Rien de ce que tu *fais*, Ender. C'est ton existence même qui est en cause. Ton frère te déteste parce que tu es la preuve vivante de son propre échec. Tes parents t'en veulent à cause de tout un passé auquel ils s'efforcent d'échapper.

— Valentine m'aime.

— De tout son cœur. Elle t'est complètement dévouée, sans la moindre restriction, et toi tu l'adores. Je t'ai dit que ça ne serait pas facile.

— À quoi ça ressemble, là-bas ?

— On travaille dur. Des études, tout comme à ton école ici, sauf qu'on y met beaucoup plus l'accent sur les mathématiques et l'informatique. Histoire militaire. Stratégie et tactique. Et, surtout, la salle de combat.

— C'est quoi ?

— Des jeux de simulation militaire. Tous les garçons sont organisés en armées. Chaque jour se déroulent des fausses batailles en apesanteur. Personne n'est blessé, c'est juste une question de gagnants et de perdants. Tout le monde commence comme simple soldat, aux ordres. Les plus âgés deviennent vos officiers, qui ont pour tâche de vous entraîner et de vous commander au combat. C'est déjà plus que je ne puis t'en dire. C'est comme jouer aux doryphores et aux astronautes – sauf que vous avez des armes qui fonctionnent, des camarades qui luttent à vos côtés, et que votre avenir, tout comme celui de la race humaine, dépend de votre aptitude à apprendre à vous battre. Une existence difficile, qui te privera d'une enfance normale. Bien sûr, avec ton intelligence – sans même parler de ton statut de Troisième – tu n'aurais quoi qu'il en soit pas une enfance normale.

— Tous des garçons ?

— Quelques filles. Elles réussissent rarement les tests d'entrée – il y a trop de siècles d'évolution qui jouent contre elles. Aucune d'entre elles ne ressemblera à Valentine, de toute façon. Mais tu y trouveras des frères, Ender.

— Comme Peter ?

— Peter n'a pas été admis, Ender, pour les raisons précises qui te poussent à le haïr.

— Je ne le déteste pas. C'est seulement que…

— Que tu as peur de lui. Eh bien, Peter n'est pas totalement mauvais, tu sais. C'était notre meilleur candidat depuis bien longtemps. Nous avons demandé à tes parents de concevoir une fille ensuite – c'est ce qu'ils auraient choisi de toute façon – dans l'espoir d'obtenir un Peter plus pondéré. Elle s'est révélée l'être trop. Ce qui nous a poussés à réclamer ta naissance.

— Pour avoir un mélange de Peter et de Valentine.

— Si tout se déroulait comme prévu.

— Et c'est le cas ?

— Pour autant que nous puissions en juger. Nos tests sont très bons, Ender. Mais ils ne nous disent pas tout. Au fond, ils ne nous apprennent pas grand-chose. Mais c'est toujours mieux que rien. (Graff se pencha en avant pour prendre la main d'Ender dans la sienne.) Ender Wiggin, s'il était simplement question pour toi de choisir le meilleur avenir possible, le plus heureux, je te dirais de rester chez toi. De rester ici, de grandir et de vivre dans le bonheur. Il y a des choses pires que d'être un Troisième, que d'avoir un grand frère incapable de choisir s'il doit être un humain ou un chacal. Et l'École de Guerre en fait partie. Mais nous avons besoin de toi. Tu vois peut-être les doryphores comme un jeu à présent, Ender, mais ils ont bien failli nous anéantir la dernière fois. Ils nous ont pris par surprise, ils nous surpassaient en nombre comme en armement. Nous n'avons dû notre salut qu'au fait d'avoir de notre côté le commandant militaire le plus brillant que nous ayons jamais trouvé. Appelle ça le destin, appelle ça une intervention divine, appelle ça la *chance* : nous avions Mazer Rackham.

« Mais nous ne l'avons plus désormais. Nous avons rassemblé tout ce que l'espèce humaine pouvait produire, une flotte qui ferait passer celle qu'ils ont envoyée contre nous la dernière fois pour une bande de gamins jouant dans une piscine. Sans compter quelques armes nouvelles. Mais ça risque de ne pas suffire. Parce qu'ils ont eu autant de temps que nous pour se préparer au cours des quatre-vingts années qui nous séparent de la dernière guerre. Nous avons besoin des meilleurs, et rapidement. Peut-être vas-tu nous convenir, ou peut-être pas. Peut-être vas-tu t'effondrer sous la pression, peut-être que ça va ruiner ton existence, que tu finiras par me détester pour être venu chez toi aujourd'hui. Mais si ton intégration dans la flotte ne donne à l'espèce humaine ne serait-ce qu'une chance de survivre face aux doryphores – alors, je vais te demander de le faire. De venir avec moi. »

Ender avait du mal à se concentrer sur le colonel Graff. Il lui semblait très loin, très petit, comme si le cadet des Wiggin avait pu le prendre avec une pince à épiler pour ensuite le laisser tomber dans sa poche. Tout abandonner derrière lui pour se rendre dans un endroit très dur, sans Valentine, sans Maman, sans Papa...

Puis il se souvint des films consacrés aux doryphores, que tout le monde devait voir au moins une fois par an. *La Dévastation de la Chine. La Bataille de la Ceinture.* La mort, la souffrance, la terreur. Et Mazer Rackham, dont les brillantes manœuvres étaient venues à bout d'une flotte ennemie d'une taille et d'une puissance de feu doubles de la sienne, en utilisant des petits vaisseaux qui semblaient tellement fragiles en comparaison. Comme des enfants se battant contre des adultes. Et, au bout, la victoire.

« J'ai peur, dit Ender d'un ton égal. Mais je vais partir avec vous.

— Redis-le-moi, fit Graff.

— C'est pour ça que je suis né, non ? Ma vie n'a aucun sens si je n'y vais pas.

— Ce n'est pas suffisant, insista Graff.

— Je ne veux pas partir, reprit Ender, mais je le ferai quand même. »

Graff hocha la tête. « Tu peux changer d'avis. Jusqu'à ce que tu sois monté dans ma voiture. Après ça, tu te conformeras au bon vouloir de la Flotte Internationale. Tu comprends ? »

Ender acquiesça de la tête.

« Très bien. Allons le leur dire. »

Mère pleura. Père faillit l'étouffer dans ses bras. Peter lui serra la main et dit : « Tu ne connais pas ta chance, espèce de petit crétin de bouffeur de merde. » Valentine l'embrassa, semant des larmes sur ses joues.

Il n'y avait rien à emballer. Pas d'affaires à prendre. « L'école te fournira tout ce dont tu as besoin, des uniformes jusqu'aux fournitures scolaires. Pour ce qui est des jouets, il n'y a qu'un seul jeu là-bas.

— Au revoir », dit Ender à sa famille. Il prit la main du colonel Graff et sortit avec lui.

« Tue des doryphores pour moi ! hurla Peter.

— Je t'aime, Andrew ! lui cria Mère.

— Nous t'écrirons ! » fit Père.

Et alors qu'il montait dans la voiture qui attendait silencieusement dans le couloir, il entendit le cri angoissé de Valentine : « Reviens-moi ! Je t'aimerai à jamais ! »

4

Bleusaille

« Nous devons trouver un équilibre délicat avec Ender : l'isoler suffisamment pour qu'il reste inventif – sans quoi il adoptera notre système et nous le perdrons. Et en même temps nous assurer qu'il garde une forte aptitude à commander. »

« S'il monte régulièrement en grade, il finira par commander. »

« Ce n'est pas aussi simple. Mazer Rackham pouvait manœuvrer sa petite flotte et l'emporter. Lorsque cette guerre aura lieu, même un génie ne pourra pas tout gérer. Trop de petits vaisseaux en jeu. Il va devoir travailler en douceur avec ses subordonnés. »

« Oh, parfait. Non seulement il faut qu'il soit génial, mais en plus il faut qu'il soit un gentil garçon. »

« Pas gentil. Les doryphores nous auront s'il fait preuve de gentillesse. »

« Donc, vous allez l'isoler. »

« Je vais faire en sorte de le séparer complètement du reste des élèves avant même d'arriver à l'école. »

« Je n'en doute pas un instant. En vous attendant, j'ai regardé les vidéos de ce qu'il a fait au jeune Stilson. Ce n'est pas un gentil petit garçon que vous nous amenez ici. »

« C'est là que vous vous trompez. Il est encore plus gentil que ça. Mais nous aurons tôt fait de le purger de ça. »

« Je me dis parfois que vous prenez du plaisir à briser ces petits génies. »

« C'est un art en soi, et j'y excelle. Mais du plaisir ? Eh bien, peut-être. Lorsqu'ils remettent les pièces en place, après, et qu'ils s'en trouvent améliorés. »

« Vous êtes un monstre. »

« Merci. Est-ce que ça va me valoir une augmentation ? »

« Juste une médaille. Notre budget n'est pas inépuisable. »

On dit que l'apesanteur peut provoquer une certaine déstabilisation, surtout chez les enfants, dont le sens de l'orientation n'est pas encore assuré. Mais Ender était désorienté avant même de quitter la gravité terrestre. Avant même que le lancement de la navette ne commence.

Les dix-neuf autres garçons qui l'accompagnaient sortirent du bus à la file et montèrent dans l'ascenseur en discutant. Ils plaisantaient, fanfaronnaient, *riaient*. Ender, quant à lui, gardait le silence. Il scrutait la manière dont Graff et les officiers qui l'entouraient les observaient. Analysaient. *Tout ce que nous faisons* veut dire *quelque chose*, songea Ender. *Ils s'amusent. Pas moi.*

Il joua avec l'idée d'essayer de leur ressembler. Mais aucune blague ne lui venait, et aucune des leurs ne lui semblait drôle. D'où que puissent provenir leurs rires, Ender ne parvenait pas à trouver un tel endroit en lui. Il avait peur, et la peur le rendait grave.

On lui avait fait revêtir un uniforme, tout d'une pièce ; ça lui faisait bizarre de ne pas avoir de ceinture autour de sa taille. Il se sentait débraillé, paradoxalement nu ainsi habillé. Il y avait des caméras de télévision, perchées tels des animaux sur les épaules d'hommes qui les suivaient accroupis. Ils se déplaçaient lentement, à la manière d'un chat, afin d'éviter tout mouvement brusque. Ender se surprit à les imiter.

Il s'imagina à la télévision, en pleine interview. Le présentateur lui demandait : *« Comment vous sentez-vous, monsieur Wiggin ?*

— *Parfaitement bien, sauf que j'ai faim.*

— *Faim ?*

— *Oui, on ne vous autorise pas à manger pendant les vingt heures précédant le lancement.*

— *Comme c'est intéressant, je l'ignorais.*

— *Nous mourons tous de faim, pour tout vous dire.* »

Et pendant tout le temps que durait l'interview, lui et le type de la télé déambulaient tranquillement devant le cameraman, en longues enjambées agiles. Son interlocuteur le considérait à l'évidence comme le porte-parole de tous les autres, alors qu'il se sentait à peine capable de parler pour lui-même. Pour la première fois, Ender eut envie de rire. Il sourit. Les garçons autour de lui riaient eux aussi, mais pour une autre raison. *Ils croient que leurs blagues m'amusent*, se dit Ender. *Mais c'est quelque chose de beaucoup plus drôle.*

« Gravissez l'échelle un par un, dit un officier. Quand vous atteindrez une allée avec des sièges vides, prenez-en un. Il n'y a pas de place côté fenêtre. »

C'était une plaisanterie. Les autres garçons se mirent à pouffer.

Ender se trouvait vers la fin de la file, mais pas en tout dernier. Les caméras persistaient à le suivre. *Est-ce que Valentine va me voir disparaître dans la navette ?* Il songea à lui adresser un signe, à se précipiter vers le cameraman pour lui demander s'il pouvait dire au revoir à sa sœur. Il ignorait que ce serait censuré de l'enregistrement s'il le faisait, car les enfants en partance pour l'École de Guerre étaient tous censés être comme des héros. Imperméables au manque. Ender ne connaissait rien de la censure, mais il savait que courir en direction des caméras ne se faisait pas.

En traversant la petite passerelle qui menait à la porte de la navette, il remarqua que la paroi sur sa droite était couverte de moquette, comme s'il s'était agi d'un sol. C'est là que la désorientation commença. Dès l'instant où il l'envisagea comme un plancher, il se mit à avoir l'impression de marcher sur un mur. Une fois à l'échelle, il constata que la surface verticale qui se trouvait derrière était pareillement moquettée. *Je suis en train d'escalader le sol. Une main après l'autre, pas à pas.*

Puis, par jeu, il s'imagina en train de *descendre* le mur. Il se le figura mentalement de façon presque instantanée, s'en convainquant malgré l'évidence jusqu'à ce qu'il atteigne un siège vide. Il se retrouva à agripper celui-ci de toutes ses forces, alors même que la pesanteur l'appuyait vigoureusement contre.

Les autres garçons s'amusaient à rebondir légèrement sur leur siège, se poussant et se bousculant, criant. Ender, quant à lui, se mit prudemment à examiner les sangles pour trouver de quelle manière elles se fixaient en haut des cuisses, à la taille et aux épaules. Il imaginait le vaisseau suspendu à l'envers sous la surface de la Terre, avec les doigts géants de la pesanteur qui le maintenaient fermement en place. *Mais nous allons nous en échapper*, se dit-il. *Nous allons nous libérer de cette planète.*

Il en ignorait la signification à l'époque. Plus tard, toutefois, il se souviendrait que c'était avant d'avoir quitté la Terre qu'il l'avait pour la première fois vue comme un monde parmi d'autres, et pas particulièrement le sien.

« Oh, on a déjà compris », fit Graff. Il se tenait debout sur l'échelle.

« Vous venez avec nous ? lui demanda Ender.

— Je n'ai pas l'habitude de descendre pour les recrutements. Je suis une sorte de responsable là-bas. Administrateur de l'École. Comme un principal. On m'a dit que j'avais le choix entre faire le voyage et perdre mon boulot. » Il lui adressa un sourire.

Qu'Ender lui rendit aussitôt. Il se sentait en confiance avec Graff. Graff était un type bien. Et il était principal de l'École de Guerre. Le jeune Wiggin se détendit un peu. Il aurait un ami là-bas.

Les adultes aidèrent ceux qui ne l'avaient pas déjà imité à boucler leur ceinture. Puis ils patientèrent une heure devant la télé située à l'avant de la cabine, qui les introduisait aux spécificités du vol en navette, à l'histoire de la conquête spatiale, à leur avenir possible dans les grands vaisseaux de la F.I. Très ennuyeux. Ender avait déjà vu ce genre de film.

Sauf qu'il n'avait pas été attaché sur un siège à l'intérieur d'une navette. Suspendu la tête en bas depuis le ventre de la Terre.

Le lancement ne fut pas si horrible. Un peu effrayant. Quelques secousses, quelques instants de panique à l'idée qu'il puisse devenir le premier échec depuis les débuts de la navette. Les films ne s'étendaient pas sur la violence d'une telle expérience, visionnés comme ils l'étaient le dos bien calé dans un fauteuil confortable.

Et ce fut tout. C'étaient vraiment les sangles qui le retenaient à présent, en l'absence de toute pesanteur.

Mais parce qu'il s'était déjà réorienté, il n'éprouva aucune surprise en voyant Graff monter l'échelle à reculons, comme s'il *descendait* vers l'avant de la navette. Il ne fut pas davantage troublé de le regarder coincer ses pieds dans un barreau puis pousser avec les mains, de sorte qu'il se retrouva soudain à la verticale, comme dans un avion ordinaire.

La réorientation ne fut pas au goût de certains. Un garçon eut un haut-le-cœur ; Ender comprit alors pourquoi on leur avait interdit de manger pendant les vingt heures précédant le lancement. Vomir en apesanteur n'aurait rien d'amusant.

Contrairement au petit jeu gravitationnel de Graff, du moins à ses yeux. Un jeu qu'il poussa plus loin, imaginant Graff suspendu la tête en bas dans l'allée centrale, puis proprement planté dans une paroi latérale. La pesanteur n'avait pas de sens défini. *C'est moi qui le choisis. Je peux mettre Graff debout sur la tête et il ne s'en apercevrait même pas.*

« Qu'est-ce que tu trouves si drôle, Wiggin ? »

La voix de Graff était mordante, pleine de colère. *Qu'est-ce que j'ai fait de mal ?* se demanda Ender. *Je n'ai quand même pas ri tout haut ?*

« Je t'ai posé une question, soldat ! » aboya Graff.

Bien sûr. C'est le début de notre entraînement. Il avait vu des films de guerre à la télé ; ça n'arrêtait pas de hurler au début de l'entraînement, avant que les soldats et l'officier ne deviennent bons amis.

« Oui, mon Colonel, répondit Ender.

— Eh bien, réponds dans ce cas !

— Je vous imaginais pendu la tête en bas. Je trouvais ça drôle. »

Cela lui semblait stupide, à présent, avec Graff qui le fixait froidement. « J'ai bien compris que *tu* trouvais *ça* drôle. Est-ce le cas pour quelqu'un d'autre ici ? »

Murmures de dénégations.

« Et pourquoi ça ne l'est pas ? (Graff les gratifia tous d'un regard méprisant.) Des crétins, c'est tout ce que nous avons dans cette navette. De petits crétins à tête de linotte ! Un seul parmi vous a compris qu'en apesanteur les directions ne sont ni plus ni moins qu'une vue de l'esprit. Tu comprends ça, Shafts ? »

Le garçon hocha la tête.

« Non. Bien sûr que non. Pas seulement stupide, mais menteur par-dessus le marché. Il n'y a qu'un seul garçon avec *un peu* de cervelle à bord, et c'est Ender Wiggin. Regardez-le bien, mes petits. Il sera devenu commandant avant que vous n'ayez renoncé à vos couches là-haut. Parce qu'il sait réfléchir en apesanteur, alors que vous, vous avez juste envie de vomir. »

Ce n'était pas ainsi que le film était censé se dérouler. Graff devait le harceler, pas l'ériger en modèle. Ils étaient censés commencer par s'opposer, afin de pouvoir se lier d'amitié par la suite.

« La plupart d'entre vous vont finir au frigo. Faites-vous à cette idée, mes petits. La plupart d'entre vous vont finir à l'École de Combat, parce que vous n'avez pas assez de cervelle pour maîtriser le pilotage dans l'espace interstellaire. Nombre d'entre vous ne valent pas le prix de leur billet pour l'École de Guerre – parce que vous n'en avez pas l'étoffe. Certains d'entre vous peuvent peut-être y arriver. *Certains* d'entre vous ont quelque chance de pouvoir servir l'Humanité. Mais je ne parie pas là-dessus. Je ne parie que sur un seul. »

Sans crier gare, Graff effectua un salto arrière, saisit l'échelle avec ses doigts, puis projeta ses pieds vers l'extérieur. Un appui renversé, si l'on considérait le sol comme le bas. Suspendu par les mains, dans le cas inverse. Il parcourut ainsi l'allée à reculons jusqu'à sa place.

« *Toi* au moins, tu n'as pas à t'en faire pour ton avenir », murmura son voisin.

Ender secoua la tête.

« Oh, on ne veut même pas me parler ? ajouta le gosse.

— Je ne lui ai pas demandé de dire ces trucs », grommela Ender.

Il ressentit une vive douleur au sommet du crâne. Puis une autre. Des ricanements s'élevèrent derrière lui. Le gosse qui occupait le siège suivant avait dû détacher ses ceintures. Encore un coup sur la tête. *Fiche-moi la paix*, pensa Ender. *Je ne t'ai rien fait.*

Un nouveau coup. Rire général. Graff n'avait-il donc rien vu ? Ne comptait-il pas y mettre un terme ? Un autre coup. Plus fort. Qui lui fit vraiment mal. *Où est Graff ?*

Puis tout devint clair. Graff avait délibérément causé tout cela. C'était pire que les insultes dans les films. Quand le sergent s'en prenait à vous, les autres vous appréciaient davantage. Mais lorsque les officiers vous préfèrent, ils se mettent à vous détester.

« Hé, bouffeur de merde, murmura une voix derrière lui. (On le frappa une nouvelle fois sur la tête.) Tu aimes ça ? Hé, supercerveau, tu trouves ça drôle ? » Un coup de plus, si violent cette fois qu'Ender étouffa un cri de douleur.

Si Graff l'avait sciemment placé dans cette situation, il ne pourrait compter sur l'aide de personne à part la sienne. Il attendit jusqu'au moment où il estima qu'un autre allait lui être asséné. *Maintenant*, se dit-il. Dont acte. Ça faisait mal, mais Ender essayait déjà d'anticiper l'arrivée du prochain. *Maintenant. À la seconde près. Je te tiens.*

Il leva les deux mains, saisit le garçon par le poignet et tira sur son bras. Fort.

Sur Terre, le gosse se serait retrouvé plaqué contre le dossier du siège d'Ender, la poitrine écrasée. Mais l'apesanteur le fit basculer au-dessus dudit dossier en direction du plafond. Ender ne s'y attendait pas. Jamais il n'aurait imaginé que l'absence de gravité puisse à ce point amplifier les mouvements, même ceux d'un enfant. Il s'envola littéralement, rebondit sur le plafond, puis retomba sur un autre garçon assis dans son fauteuil – pour ensuite repartir de plus belle dans l'allée, battant des mains jusqu'à ce que dans un hurlement son corps aille s'abattre contre la coque à l'avant du compartiment, son bras gauche coincé dessous.

Ça ne dura que quelques secondes. Graff était déjà là, arrachant le malheureux à l'apesanteur. Il le propulsa adroitement vers l'arrière, en direction de son acolyte. « Le bras gauche, fit-il. Cassé, je crois. » L'homme eut tôt fait d'anesthésier le gosse, qui flottait à présent dans les airs pendant que l'officier gonflait une attelle autour de son membre blessé.

Ender avait envie de vomir. Il n'avait cherché qu'à saisir le bras du garçon. Non. Non, il avait eu *l'intention* de lui faire mal, et il avait tiré de toutes ses forces. Il regrettait de l'avoir fait en public, mais la douleur que sa victime ressentait correspondait précisément à ce qu'Ender avait voulu lui infliger. L'apesanteur l'avait trahi, voilà tout. *Je suis Peter. Exactement comme lui.* Et il se détestait pour ça.

Graff était resté à l'avant de la cabine. « Eh bien, on ne peut pas dire que vous êtes des flèches. Vos petits esprits étriqués en ont-ils tiré le moindre enseignement ? Vous avez été conduits ici pour devenir des *soldats*. Vous étiez peut-être des rois dans vos anciennes écoles, dans vos familles, vous étiez peut-être des durs, des petits malins. Mais nous choisissons la crème de la crème, et c'est le seul genre de gosses que vous croiserez désormais. Et quand je vous dis qu'Ender Wiggin est le meilleur de ce lancement, la bande d'abrutis que vous êtes ferait mieux de se le coller dans le crâne. Ne vous amusez pas à le chercher. Il y a déjà eu des morts à l'École de Guerre. Me suis-je bien fait comprendre ? »

Le reste du voyage se déroula en silence. Le voisin d'Ender évita scrupuleusement de le toucher.

Je ne suis pas un tueur, ne cessait-il de se répéter. *Je ne suis pas Peter. Peu m'importe ce que Graff peut dire, je n'en suis pas un. Je me défendais. J'ai supporté tout ça suffisamment longtemps. J'ai été patient. Je ne suis pas ce qu'il a dit.*

Le haut-parleur leur annonça qu'ils approchaient de l'École ; décélération et accostage prirent une bonne vingtaine de minutes. Ender traînait derrière les autres. Qui semblaient tout à fait disposés à le laisser quitter la navette en dernier. Pendant qu'ils montaient dans la direction qui avait été le bas au moment de l'embarquement, Graff attendait à l'extrémité du tube étroit qui menait au cœur de l'École de Guerre.

« Tu as fait un vol agréable, Ender ? lui demanda-t-il d'une voix joyeuse.

— Je vous prenais pour mon ami. » Malgré tous ses efforts, Ender ne pouvait empêcher sa voix de trembler.

Graff semblait perplexe. « D'où sors-tu une idée pareille, Ender ?

— Parce que vous... parce que vous m'avez parlé avec gentillesse, et honnêtement. Vous n'avez pas menti.

— Et je ne vais pas non plus te mentir maintenant, fit Graff. Mon boulot ne consiste pas à me faire des amis, mais à produire les meilleurs soldats du monde. De toute l'histoire du monde. Nous avons besoin d'un Napoléon. D'un Alexandre. Sauf que Napoléon a fini par perdre, et qu'Alexandre est mort jeune après avoir brûlé sa vie par les deux bouts. C'est d'un Jules César que nous avons besoin, sauf qu'il s'est transformé en dictateur et que ça lui a coûté la vie. C'est mon boulot de produire une telle créature, ainsi que tous les hommes et les femmes dont il aura besoin pour l'aider. Il n'est dit nulle part que je doive me lier d'amitié avec les enfants.

— Vous avez fait en sorte qu'ils me haïssent.

— Et alors ? Qu'est-ce que tu comptes faire ? Te terrer dans un coin ? Leur embrasser leur petit derrière pour qu'ils se remettent à t'aimer ? Il n'y a qu'une seule chose qui les fera cesser de te haïr : être tellement bon dans ta partie qu'ils ne puissent pas t'ignorer. Je leur ai dit que tu étais le meilleur. Tu aurais tout intérêt à l'être à partir de maintenant.

— Et si je n'y arrive pas ?

— Eh bien tant pis pour toi. Écoute, Ender, je suis désolé pour toi si tu te sens seul et effrayé. Mais les doryphores sont là, quelque part. Dix milliards, cent milliards, un million de milliards, impossible de le déterminer. Avec le même nombre de vaisseaux, pour ce que nous en savons. Avec des armes que nous n'arrivons pas à appréhender. Et la volonté de s'en servir pour nous exterminer. Ce n'est pas la planète qui est en jeu, Ender. Juste nous. Juste l'Humanité. Le reste de la biosphère n'aurait aucun mal à s'adapter à notre annihilation, elle se contenterait de passer à l'étape suivante de l'évolution. Mais l'Humanité ne veut pas mourir. En tant qu'espèce, nous avons évolué pour survivre. Et nous le faisons en luttant encore et encore, pour finalement mettre au monde un génie par génération – au mieux. Celui qui a inventé la roue. Et la lumière. Et le vol. Qui construit une ville, une nation, un empire. Est-ce que tu comprends le moindre mot de ce que je te raconte ? »

Ender pensait que oui, mais n'en étant pas sûr il préféra se taire.

« Non. Bien sûr que non. Je ne vais donc pas mettre de gants. Les êtres humains sont libres sauf quand l'Humanité a besoin d'eux. Peut-être que l'Humanité a besoin de toi. Pour accomplir quelque chose. Peut-être que l'Humanité a besoin de *moi* – pour découvrir à quoi tu es bon. Ça risque de faire de nous deux des créatures abjectes, Ender, mais si l'Humanité survit, ça voudra dire que nous étions de bons outils.

— Et c'est tout ? Juste des outils ?

— Les individus sont tous des outils, que d'autres utilisent pour permettre à la race de survivre.

— C'est un mensonge.

— Non. Juste une demi-vérité. Tu pourras t'inquiéter de l'autre moitié quand nous aurons gagné cette guerre.

— Elle aura pris fin avant que je sois devenu adulte, affirma Ender.

— J'espère que tu as tort, fit Graff. Soit dit en passant, tu ne te rends guère service en parlant avec moi. Les autres garçons doivent sans doute se dire que ce bon vieux Ender Wiggin est en train de me lécher les bottes. Si le bruit court que tu es un fayot, ils ne vont certainement pas te manquer. »

En d'autres termes : *Fiche-moi la paix.* « Au revoir », fit Ender avant de s'engager dans le tube que le reste des élèves avaient emprunté.

Graff le regarda partir.

« Est-ce lui ? lui demanda l'un des professeurs qui l'entouraient.

— Dieu seul le sait, répondit Graff. Et si c'est un autre, il ferait mieux de ne pas tarder à se montrer.

— Il n'y a peut-être personne, hasarda le professeur.

— Peut-être. Mais si c'est le cas, Anderson, m'est avis que Dieu est un doryphore. Vous pouvez me citer.

— Certainement. »

Le silence qui s'ensuivit s'éternisa quelque peu.

« Anderson.

— Hum ?

— Le petit se trompe. Je suis son ami.

— Je sais.

— Il est pur. Bon jusqu'au fond du cœur.

— J'ai lu les rapports.

— Anderson, pensez à ce que nous allons devoir faire de lui. »

Anderson prit un air de défi. « Nous allons faire de lui le meilleur commandant militaire de l'histoire.

— Puis mettre le destin du monde sur ses épaules. Pour son propre bien, j'espère que ce n'est pas lui. Vraiment.

— Déridez-vous. Les doryphores nous aurons peut-être tous tués avant qu'il obtienne son diplôme. »

Graff s'autorisa un sourire. « Vous avez raison. Je me sens déjà mieux. »

5

Jeux

« Admirable. Un bras cassé – c'était un coup de maître. »

« C'était un accident. »

« Vraiment ? Alors que j'ai déjà fait votre éloge dans votre rapport officiel ? »

« C'est disproportionné. Ça fait de l'autre petit fils de pute un héros. Ça risque de foutre en l'air l'entraînement de nombreux gosses. Je pensais qu'Ender allait peut-être appeler à l'aide. »

« Appeler à l'aide ? Je croyais que c'était ce que vous estimiez le plus en lui – sa capacité à régler seul ses problèmes. Quand il sera dans le vide, encerclé par une flotte ennemie, il n'y aura personne pour venir à son secours si jamais il appelle à l'aide. »

« Qui aurait pu deviner que ce petit connard allait quitter son siège ? Et qu'il se prendrait la coque de la pire manière qui soit ? »

« C'est un exemple supplémentaire de la stupidité des militaires. Si vous aviez un minimum de cervelle, vous vous seriez trouvé un vrai métier – vendeur d'assurances vie, par exemple. »

« Vous aussi, grosse tête. »

« Nous devons juste admettre que nous ne sommes pas du second choix. Avec le destin de l'Humanité entre nos mains. Ça vous remplit d'un délicieux sentiment de puissance, n'est-ce pas ? Surtout que, cette fois, il n'y aura plus personne pour nous critiquer si nous échouons. »

« Je n'ai jamais vu les choses sous cet angle. Il ne nous reste plus qu'à ne pas échouer. »

« Voyez de quelle manière Ender prend les choses en main. Si nous l'avons déjà perdu, s'il n'arrive pas à gérer cette situation, qui aurons-nous ensuite ? Qui d'autre ? »

« Je vous ferai parvenir une liste. »

« Dans l'intervalle, trouvez-moi un moyen de ne pas le perdre. »

« Je vous l'ai dit. Son isolement ne peut être rompu. Il ne doit jamais en arriver à croire que quiconque puisse venir lui donner un coup de main, jamais. S'il en vient à penser ne serait-ce qu'une fois qu'il peut s'en sortir facilement, il est foutu. »

« Vous avez raison. Ce serait terrible s'il croyait avoir un ami. »

« Il peut en avoir. C'est de parents *dont il est interdit. »*

Les autres élèves avaient déjà choisi leur couchette quand Ender arriva. Il s'arrêta sur le seuil du dortoir, en quête de l'unique lit restant. Le plafond était bas – il pouvait le toucher en tendant le bras. Une pièce taillée pour des enfants, avec des couchettes inférieures reposant sur le sol. Les garçons l'observaient du coin de l'œil. Comme attendu, seule celle située à droite de la porte demeurait libre. L'idée lui traversa un instant l'esprit qu'en les laissant le mettre à la pire des places il ouvrait la voie à des persécutions ultérieures. Il ne pouvait guère évincer quelqu'un d'autre, cependant.

Il choisit donc d'arborer un large sourire. « Hé, merci, dit-il sans le moindre sarcasme, avec autant de sincérité que s'ils lui avaient réservé la meilleure place. J'avais peur d'avoir à *demander* la couchette inférieure près de la porte. »

Il s'assit, puis regarda dans le casier ouvert qui se trouvait au pied de la couchette. Une notice avait été fixée sur l'intérieur de la porte.

PLACEZ VOTRE MAIN SUR LE SCANNER
À L'AVANT DE LA COUCHETTE
ET PRONONCEZ DEUX FOIS VOTRE NOM.

Ender trouva ledit scanner, une feuille de plastique opaque. Il posa la main gauche dessus et dit : « Ender Wiggin. Ender Wiggin. »

L'appareil émit une brève lueur verte. Ender ferma le casier et essaya de le rouvrir. Sans succès. Puis il reposa sa paume sur le scanner en disant : « Ender Wiggin. » Le placard se déverrouilla, de même que trois autres compartiments.

L'un deux contenait quatre combinaisons de saut semblables à celle qu'il portait, ainsi qu'une blanche. Un autre accueillait un petit bureau, en tout point identique à ceux de l'école. Ils n'en avaient donc pas encore fini avec les études.

Mais le gros lot se trouvait dans le plus grand. Ça ressemblait à une combinaison spatiale intégrale au premier coup d'œil, avec casque et gants. Sauf qu'elle n'avait pas de joints hermétiques. Elle lui recouvrirait néanmoins efficacement la totalité du corps. Ender parcourut des doigts son rembourrage épais, un peu raide.

Et il y avait un pistolet avec. Un pistolet laser, au premier abord – avec une extrémité en verre transparent à haute densité. Mais ils ne laisseraient quand même pas des enfants jouer avec des armes mortelles.

« Pas un laser », dit quelqu'un. Ender leva la tête. C'était la première fois qu'il le voyait. Un jeune homme d'apparence affable. « Mais il projette un rayon assez mince. Très précis. Tu peux faire un cercle de lumière de cinq centimètres sur un mur situé à cent mètres de ta position.

— Ça sert à quoi ? s'enquit Ender.

— À un des jeux auquel nous jouons pendant les récréations. Quelqu'un d'autre a-t-il ouvert son casier ? (L'homme regarda autour de lui.) Je veux dire, avez-vous suivi les instructions et codé votre voix et votre main ? Vous ne pouvez pas utiliser vos casiers avant de l'avoir fait. Cette pièce sera votre foyer pendant votre première année à l'École de Guerre, donc je vous conseillerais bien de prendre la couchette située près de la porte si elle n'avait manifestement pas déjà été attribuée. On ne peut pas recoder les casiers pour l'instant, alors faites votre choix judicieusement. Dîner dans sept minutes. Suivez les points lumineux du sol. Votre code couleur est rouge jaune jaune. Chaque fois qu'on vous donnera un chemin à suivre – il sera indiqué en rouge jaune jaune, trois points côte à côte –, allez là où ces lumières vous guident. Quelles sont vos couleurs, messieurs ?

— Rouge, jaune, jaune.

— Très bien. Je m'appelle Dap. Je serai votre maman dans les quelques mois qui viennent. »

Les enfants s'esclaffèrent.

« Riez autant que vous voudrez, mais gardez ça en tête. Si jamais vous vous perdez dans l'école, ce qui n'est pas à l'abri d'arriver, ne vous avisez pas d'ouvrir des portes. Certaines donnent sur l'extérieur. » Nouveaux rires. « Contentez-vous d'aller dire à quelqu'un que Dap est votre maman, et on m'appellera. Ou bien indiquez-lui vos couleurs, et il vous éclairera un itinéraire pour vous permettre de revenir ici. Si vous avez un problème, venez m'en parler. N'oubliez pas, je suis la seule personne ici payée pour être gentille avec vous. Mais pas trop gentille. Faites-moi une crasse et je vous démolis le portrait. Compris ? »

Ils rirent de plus belle. Dap avait gagné l'amitié de la pièce tout entière. Des enfants effrayés sont si faciles à conquérir.

« Quelqu'un peut-il me dire dans quelle direction se trouve le bas ? »

Ils s'exécutèrent.

« D'accord, bonne réponse. Mais cette direction conduit vers l'*extérieur*. Le vaisseau tourne sur lui-même, c'est ce qui vous donne une impression de bas. En fait, le plancher s'incurve dans *cette* direction. Marchez suffisamment longtemps dans cette direction, et vous reviendrez à l'endroit d'où vous êtes parti. Sauf que je ne vous conseille pas d'essayer. Parce que par là se trouvent les quartiers des professeurs, et encore plus loin ceux des grands. Et les grands n'apprécient guère que des Bleus viennent s'immiscer dans leurs affaires. Vous risqueriez de vous faire bousculer. En fait, vous vous *feriez* bousculer. Auquel cas ne venez pas pleurnicher dans mes robes. Compris ? C'est une école de guerre, ici, pas un jardin d'enfants.

— Qu'est-ce qu'on est censés faire, alors ? demanda le jeune Noir vraiment petit qui occupait une couchette supérieure à proximité de celle d'Ender.

— Si vous n'aimez pas être bousculés, débrouillez-vous pour gérer ça par vous-mêmes. Mais je vous avertis – le meurtre est strictement contraire au règlement. Tout comme les blessures délibérées. J'ai cru comprendre qu'il y avait eu une tentative de meurtre pendant le vol. Un bras cassé. Qu'une telle chose se reproduise et quelqu'un finira au frigo. Compris ?

— Au frigo ? s'enquit le garçon au bras emprisonné dans une attelle.

— Glacé. Projeté dans le froid. Renvoyé sur Terre. Viré de l'École de Guerre. »

Personne ne regarda Ender.

« Aussi, jeunes gens, si l'un d'entre vous a envie de jouer les fauteurs de troubles, qu'il fasse au moins ça intelligemment, d'accord ? »

Et il s'en fut. Ender était toujours invisible à leurs yeux.

Il sentait la peur envahir son ventre. Le garçon à qui il avait cassé le bras – Ender ne s'apitoyait pas sur son sort. C'était un autre Stilson. Et tout comme Stilson, il était déjà en train de rassembler une bande. Un petit groupe de gosses, dont plusieurs des plus grands. Ils s'esclaffaient à l'autre bout de la pièce ; de temps en temps, l'un d'eux se retournait pour regarder Ender.

Il voulait rentrer chez lui, de tout son cœur. Qu'est-ce que tout ça avait à voir avec le fait de sauver le monde ? Il n'avait plus de moniteur à présent. Voilà qu'il se retrouvait à nouveau seul contre toute une bande, sauf qu'elle se trouvait dans sa chambre cette fois. À nouveau Peter, mais sans Valentine.

La peur ne le quitta pas du dîner, personne ne s'asseyant à côté de lui dans la salle du réfectoire. Les garçons parlaient de choses et d'autres – de l'immense tableau d'affichage qui prenait tout un mur, de la nourriture, des grands. Ender, dans son isolement, ne pouvait que regarder.

Le tableau indiquait le classement des équipes. Victoires, défaites, avec les scores les plus récents, sur lesquels certains des plus âgés avaient apparemment fait des paris. Deux équipes, les Manticores et les Aspics, n'en avaient pas – les emplacements de leur nom clignotaient. Ender supposa qu'elles devaient être en train de jouer.

Il remarqua que les plus grands étaient divisés en groupes, chacun affublé d'un uniforme spécifique. Certains parlaient ensemble malgré leur accoutrement différent, mais dans l'ensemble chaque coterie restait dans sa propre zone. Les Bleus – son groupe, plus les deux ou trois autres un peu plus âgés – avaient tous un uniforme bleu uni. Mais les plus vieux, ceux qui faisaient partie d'équipes, portaient des vêtements beaucoup plus flamboyants. Ender tenta de deviner à quels noms ils correspondaient. C'était facile pour les Scorpions et les Araignées. Tout comme pour les Flammes et les Vagues.

Un grand vint s'asseoir à côté de lui. Pas juste *un peu* plus grand – il semblait avoir douze ou treize ans. Il commençait à approcher sa taille d'adulte.

« Salut, fit-il.

— Salut, dit Ender.

— Je m'appelle Mick.

— Ender.

— C'est ton nom ?

— Depuis que je suis tout petit. C'est comme ça que m'appelait ma sœur.

— Pas mal. Ender. Finisseur. Hé.

— J'espère bien.

— Ender, c'est toi le doryphore de ton lancement ? »

Le jeune Wiggin haussa les épaules.

« J'ai remarqué que tu mangeais tout seul. Chaque groupe en a un comme ça. Un gosse que personne n'arrive à sentir. Je me dis parfois que les professeurs le font exprès. Ils ne sont pas très gentils, tu vas vite t'en rendre compte.

— Ouais.

— Donc c'est toi le doryphore ?

— Je suppose que oui.

— Hé. Pas de quoi pleurer, tu sais ? » Il donna son petit pain à Ender, et prit son pudding. « Mange des trucs nourrissants. Ça te donnera des forces. » Et d'attaquer le pudding.

« Et toi ? s'enquit Ender.

— Moi ? Je ne suis rien. Guère plus qu'un pet dans la climatisation. Je suis toujours dans le coin, mais la plupart du temps personne ne s'en aperçoit. »

Ender eut un sourire timide.

« Ouais, c'est marrant, mais ça n'a rien d'une blague. Je n'arrive à rien ici. Et je commence à me faire vieux. Ils ne vont pas tarder à m'envoyer à l'école suivante. Et je n'ai aucune chance d'espérer la Tactique. Je n'ai jamais été chef, tu comprends. Seuls ceux qui l'ont été peuvent tenter le coup.

— Comment on fait pour devenir un chef ?

— Hé, si je le savais, tu crois que j'en serais là ? Combien de types de ma taille as-tu vus ici ? »

Très peu. Mais Ender se garda bien de le dire.

« Pas beaucoup. Je ne suis pas la seule chair à canon pour doryphore à moitié congelée. Les autres… ils sont tous commandants. Tous les gars de mon groupe d'arrivée ont leur propre équipe à présent. Pas moi. »

Ender hocha la tête.

« Écoute, gamin, je vais te faire une fleur. Fais-toi des amis. Deviens un leader. Embrasse des culs s'il le faut, quand bien même les autres te méprisent – tu vois ce que je veux dire ? »

Ender acquiesça de plus belle.

« Non, tu ne vois rien. Les Bleus sont vraiment tous les mêmes. Vous ne pigez rien à rien. La cervelle aussi vide que l'espace. Sans rien dedans. Vous vous effondrez au moindre petit coup. Écoute, quand tu te retrouveras dans ma situation, n'oublie pas que quelqu'un t'avait prévenu. C'est la dernière chose gentille que quiconque va faire pour toi ici.

— Alors pourquoi m'as-tu dit tout ça ?

— Pour qui tu te prends ? Un petit malin ? Ferme-la et mange. »

Ender s'exécuta. Mick ne lui plaisait pas. Et il ne comptait certainement pas tourner comme lui. C'était peut-être ce que les professeurs avaient prévu, mais il n'avait aucune intention de se conformer à leurs projets.

Je ne serai pas le doryphore de mon groupe, se dit-il. *Je n'ai pas quitté Valentine, Maman et Papa juste pour finir gelé ici.*

Alors qu'il portait la fourchette à sa bouche, il pouvait sentir sa famille autour de lui, comme elle l'avait toujours été. Il savait précisément de quel côté tourner la tête pour voir Mère, s'efforçant d'empêcher Valentine de faire du bruit en buvant. Il savait exactement ce que Père ferait, lire les nouvelles sur la table tout en prétendant prendre part à la conversation. Peter, feignant de sortir un petit pois écrasé de son nez – même Peter pouvait être drôle à ses heures.

C'était une erreur de penser à eux. Ender ravala le sanglot qu'il sentait monter dans sa gorge ; il n'arrivait même plus à voir son assiette.

Il ne pouvait pas se permettre de pleurer – il n'avait aucune chance d'être traité avec compassion. Dap n'était pas Mère. Le moindre signe de faiblesse de sa part laisserait entendre aux Stilson et aux Peter qu'on pouvait le briser. Ender fit ce qu'il faisait toujours lorsque Peter le tourmentait. Il se mit à compter les doubles. Un, deux, quatre, huit, seize, trente-deux, soixante-quatre. Et ainsi de suite, aussi loin qu'il pouvait calculer mentalement : 128, 256, 512, 1 024, 2 048, 4 096, 8 192, 16 384, 32 768, 65 536, 131 072, 262 144. À 67 108 864, il commença à hésiter – avait-il sauté un chiffre ? En était-il aux dizaines de millions, aux centaines de millions ou seulement aux millions ? Il essaya de reprendre ses multiplications, sans succès. 1 342 quelque chose. 16 ? Ou 17 738 ? Ça lui avait échappé. Repartir de zéro. Calculer autant de doublements que possible. La douleur finit par disparaître. Pas de larmes. Il n'allait pas pleurer.

Pas avant le soir, quand les lumières se réduisirent et qu'autour de lui il entendit plusieurs élèves geindre après leur mère, leur père ou leur chien. Il ne put alors s'en empêcher : ses lèvres formèrent le nom de Valentine. Il percevait son rire au loin, au bout du couloir. Il voyait Mère passer devant sa porte, jeter un œil à l'intérieur pour vérifier que tout allait bien. Il pouvait entendre Père s'esclaffer devant les vidéos. Tout lui semblait si net – et ça ne serait plus *jamais* comme ça. *Je serai vieux quand je pourrai enfin les retrouver, minimum douze ans. Pourquoi ai-je accepté ? Pourquoi me suis-je montré aussi stupide ?* À côté de ça, aller à l'école tous les jours aurait été une partie de plaisir. Y croiser Stilson. Et Peter. C'était un pisseur, Ender n'avait pas peur de lui.

« Je veux rentrer à la maison », murmura-t-il.

Mais son murmure était celui auquel il avait recours pour éviter de hurler de douleur quand Peter le tourmentait.

Le son ne voyageait pas plus loin que ses propres oreilles ; parfois même il ne les atteignait pas.

Et ses larmes pouvaient bien tomber malgré lui sur son oreiller, ses sanglots étaient si discrets qu'ils ne secouaient même pas le lit, trop silencieux pour être audibles. Mais la douleur était bien là, lui contractant la gorge, lui brûlant la poitrine et les yeux. *Je veux rentrer à la maison.*

Dap vint les voir cette nuit-là, passant sans bruit entre les couchettes, touchant ici une main, là un front. Il n'y avait pas moins de chagrin là où il allait, bien au contraire. Ce témoignage de gentillesse en ce lieu effrayant suffisait à certains pour fondre en larmes. Pas Ender. Ses pleurs avaient déjà cessé quand Dap arriva à son niveau, son visage était sec. C'était le visage trompeur qu'il présentait à Mère et Père lorsque Peter s'était montré cruel avec lui et qu'il n'osait pas le laisser voir. *Merci, Peter. Pour les yeux secs et les sanglots silencieux. Tu m'as appris comment cacher tout ce que je ressens. J'en ai besoin plus que jamais désormais.*

C'était l'école. Des heures de cours chaque jour. Lecture. Calcul. Histoire. Des vidéos de batailles spatiales sanglantes, de Marines repeignant de leurs tripes les parois des vaisseaux doryphores. Des holos des guerres propres de la flotte, des croiseurs se transformant en bouffées de lumière à mesure que les engins se détruisaient les uns les autres dans les profondeurs de l'espace. Tant de choses à apprendre. Ender ne travaillait pas moins dur que quiconque ; chacun d'entre eux faisait pour la première fois de sa vie l'expérience de la compétition, car ils devaient à présent rivaliser avec des camarades de classe au moins aussi brillants qu'eux.

Mais les jeux – ils étaient devenus leur raison de vivre. Ils accaparaient leurs journées entre le réveil et le coucher.

Dap leur avait montré la salle de jeux le lendemain de leur arrivée. Elle se trouvait en haut, bien au-dessus des niveaux où les enfants vivaient et travaillaient. Ils gravirent des échelles jusqu'à ce que la pesanteur faiblisse – pour enfin pénétrer dans une caverne illuminée des mille feux des jeux.

Quelques-uns ne leur étaient pas inconnus ; certains avaient même fait partie de leur quotidien chez eux. Des simples, des difficiles. Ender passa devant les jeux vidéo en deux dimensions et commença à étudier ceux auxquels jouaient les plus âgés, des systèmes holographiques avec des objets qui flottaient dans les airs. Il était le seul Bleu dans ce secteur de la salle, et de temps à autre un des grands le poussait hors de sa route. *Qu'est-ce que tu fais ici ? Dégage. Du vent.* Et avec la pesanteur réduite c'était de fait comme si une bourrasque le soulevait alors du sol, le faisant voler jusqu'à ce qu'il rentre dans quelque chose ou quelqu'un.

Chaque fois, cependant, il revenait à la charge, peut-être à un endroit différent, histoire d'avoir une perspective nouvelle sur le jeu. Il était trop petit pour voir les commandes, comment on y jouait effectivement. Peu importait. Il lui suffisait de suivre les mouvements des joueurs. La façon dont l'un d'eux creusait des tunnels dans l'obscurité, des tunnels de lumière que l'ennemi parcourait impitoyablement jusqu'à enfin attraper le vaisseau concurrent. Il était possible de tendre des pièges : des mines, des rafales de bombes, des loopings qui forçaient l'opposant à tourner indéfiniment en rond. Certains se montraient adroits. D'autres perdaient rapidement.

Ender préférait cependant quand deux joueurs s'affrontaient. Chacun devait alors utiliser les tunnels de son adversaire, ce qui avait tôt fait de mettre en valeur le meilleur stratège des deux.

Au bout d'une heure environ, ça commençait à devenir lassant. Ender avait depuis longtemps compris les régularités du jeu, les règles que suivait l'ordinateur, de sorte qu'il se savait capable, une fois qu'il aurait maîtrisé les commandes, de déborder l'ennemi en toutes circonstances. Effectuer une spirale quand celui-ci était dans telle position ; un looping lorsqu'il se trouvait dans telle autre. Rester tapi à proximité d'un piège. En tendre sept pour le forcer à s'approcher de telle façon. Ainsi donc tout ceci ne représentait aucun défi, il fallait juste tenir jusqu'à ce que l'ordinateur finisse par aller trop vite pour des réflexes humains. Il n'y avait rien d'amusant là-dedans. C'était contre les garçons qu'il voulait jouer. Des garçons à ce point rompus à ce jeu qu'ils essayaient tous d'imiter son intelligence artificielle même lorsqu'ils se mesuraient les uns aux autres. De penser comme une machine et non comme un enfant.

Je pourrais les battre comme ça. Ou comme ça.

« J'aimerais me mesurer à toi, dit-il au garçon qui venait de gagner.

— Doux Jésus, fit le garçon, qu'est-ce que c'est que ça ? Une punaise ou un doryphore ?

— Un nouveau troupeau de nains vient d'arriver à bord, expliqua un autre.

— Mais ce machin *parle*. Tu savais qu'ils pouvaient parler ?

— Je vois, dit Ender. Tu as peur de jouer contre moi en deux manches gagnantes.

— Te battre, fit le garçon, me demanderait autant d'efforts que de pisser sous la douche.

— Et pour moitié moins de plaisir, ajouta un autre.

— Je m'appelle Ender Wiggin.

— Écoute, tête de gland. T'es personne. *Personne*, pigé ? Et tu le resteras jusqu'à ta première mise à mort. Pigé ? »

L'argot des grands avait son rythme propre. Ender prit le pli assez rapidement. « Si je suis personne, comment ça se fait que tu aies peur de jouer contre moi en deux manches gagnantes ? »

Les autres commençaient à s'impatienter. « Dépêche-toi de tuer ce petit morveux, qu'on puisse passer à autre chose. »

Ender prit donc place devant les commandes inconnues. Ses doigts étaient petits, mais elles semblaient relativement simples. Quelques expérimentations succinctes lui suffirent pour découvrir quels boutons utiliser pour activer les diverses armes. Un joystick standard contrôlait les déplacements. Ses réflexes étaient lents au début. L'autre garçon, dont il ignorait toujours le nom, prenait rapidement de l'avance. Mais Ender se débrouillait déjà bien mieux le temps que la partie prenne fin.

« Satisfait, bleusaille ?

— Deux manches gagnantes.

— Ce n'est pas comme ça qu'on joue.

— Tu m'as battu à un jeu auquel je n'ai jamais joué, fit Ender. Si tu n'y arrives pas deux fois, autant dire que tu ne peux pas le faire du tout. »

Ils se lancèrent dans une nouvelle partie, mais cette fois il se montra assez habile pour réussir quelques manœuvres que son adversaire n'avait manifestement jamais vues. Ses schémas de jeu ne pouvaient rivaliser avec les siens. Ce ne fut pas facile, mais Ender finit par gagner.

Les grands cessèrent de rire et de plaisanter. La troisième se déroula dans un silence absolu. Ender l'emporta promptement.

Une fois la partie terminée, un des grands proféra : « Ça s'rait temps qu'ils remplacent cette machine. N'importe quel demeuré arrive à la battre, désormais. »

Pas un mot de félicitations. Seul un silence pesant accompagna le départ d'Ender.

Qui n'alla pas loin. Il resta à proximité pour regarder les joueurs suivants essayer de se servir de ce qu'il leur avait montré. N'importe quel demeuré ? Ender sourit intérieurement. *Ils ne m'oublieront pas.*

Il se sentait bien. Il avait remporté une victoire, et contre des garçons plus âgés. Sans doute pas la crème de la crème, mais il ne ressentait plus cette peur panique d'être dépassé, de ne pas pouvoir supporter l'École de Guerre. Tout ce qu'il avait à faire, c'était d'étudier le jeu, d'en comprendre les règles, pour ensuite pouvoir se servir du système et même y exceller.

C'étaient l'attente et la vigilance qui lui coûtaient le plus. Car pendant ce temps il devait faire le dos rond. Le garçon à qui il avait cassé le bras cherchait à se venger. Son nom, comme Ender ne tarda pas à l'apprendre, était Bernard. Il le prononçait avec un accent français – les Français, dans leur Séparatisme arrogant, tenaient à ce que l'enseignement du Standard ne commence pas avant l'âge de quatre ans, quand les structures de leur langue étaient déjà en place. Cet accent le rendait exotique, intéressant ; son bras cassé en faisait un martyr ; son sadisme, un point de convergence naturel pour tous ceux qui aimaient faire du mal à d'autres.

Ender devint leur ennemi.

De petites choses. Des coups de pied dans son lit chaque fois qu'ils entraient ou sortaient du dortoir. Une bousculade quand il portait son plateau-repas. Un croche-pied sur les échelles. Ender eut tôt fait d'apprendre à ne rien laisser en dehors de ses placards ; et aussi à marcher vite, à se dissimuler. Un jour, Bernard le traita de « Maladroit[1] », et le surnom lui resta.

Il y avait des moments où Ender avait du mal à contenir sa colère. Avec Bernard, bien sûr, la colère n'aurait rien donné. À cause du genre de personne qu'il était – un persécuteur. Ce qui mettait Ender en rage, c'était de voir avec quelle diligence les autres se rangeaient à ses côtés. Ils avaient forcément conscience du caractère

1. En français dans le texte. *(N.d.T.)*

injuste de la vengeance de Bernard. Ils savaient forcément qu'il avait frappé Ender en premier dans la navette, que le jeune Wiggin n'avait fait que répondre à la violence. Mais s'ils le savaient, ils agissaient comme s'ils l'ignoraient ; et si tel n'était pas le cas, le comportement de Bernard aurait dû suffire à les convaincre qu'il n'était qu'un serpent.

Après tout, Ender n'était pas son unique cible. Bernard fondait peu à peu son petit royaume.

Le cadet des Wiggin scrutait en périphérie du groupe la façon dont Bernard établissait la hiérarchie. Les garçons qui lui étaient utiles, il les flattait outrageusement. Certains le servaient de leur plein gré, faisant tout ce qu'il voulait quand bien même il les traitait avec mépris.

Mais quelques-uns rechignaient manifestement à accepter son autorité.

À force d'observations d'Ender identifia ceux qui n'appréciaient pas Bernard. Shen était petit, ambitieux, et s'emportait facilement. Bernard, qui s'en était rapidement aperçu, avait commencé à l'appeler Ver. « Parce qu'il est si *petit*, disait-il, et parce qu'il se *tortille*. Regardez comme il remue son cul en marchant. »

Shen était parti en fulminant, ce qui les avait incités à rire plus fort encore. « Non mais regardez son cul. À plus, petit Ver ! »

Ender ne dit rien à Shen – ç'aurait été par trop évident, à ce moment-là, qu'il commençait à fédérer une bande concurrente. Il se contenta de rester assis, son bureau sur les genoux, l'air aussi studieux que possible.

Il n'étudiait pas. Il donnait l'ordre à son bureau d'envoyer sans interruption un message toutes les trente secondes. Bref et précis, celui-ci était adressé à tout le monde. Ce qui rendait la chose difficile était de trouver comment en dissimuler l'expéditeur, à la manière des professeurs. Le nom des élèves était automatiquement inséré dans chacune de leurs correspondances. Ender n'ayant pas encore craqué le système de sécurité des professeurs, il ne pouvait se faire passer pour l'un d'entre eux. Mais il savait comment créer une identité d'élève imaginaire, qu'il appela malicieusement *Dieu*.

Il ne se risqua à attirer l'attention de Shen que lorsque le message fut prêt. Comme tous les autres, celui-ci regardait Bernard et ses copains rire et plaisanter, se moquer du prof de maths, lequel s'interrompait souvent au milieu d'une phrase pour jeter un œil autour de lui comme s'il avait raté son arrêt de bus et ignorait où il se trouvait.

Shen, cependant, finit par lorgner autour de lui. Ender lui adressa un signe de tête, montra son bureau et sourit. Shen semblait perplexe. Wiggin le souleva légèrement pour l'inciter à sortir le sien, puis lui envoya le message. Shen le vit presque aussitôt. Et éclata de rire. Il regarda Ender comme pour lui dire : *C'est toi qui as fait ça ?* En réponse, le jeune Wiggin eut un haussement d'épaules signifiant : *Certainement pas, et j'ignore qui c'est.*

Shen se mit à s'esclaffer de plus belle. Plusieurs des garçons extérieurs à la bande de Bernard sortirent leur propre bureau. Le message apparaissait sur chacun d'eux toutes les trente secondes, défilait rapidement sur l'écran puis disparaissait. Dans l'hilarité générale.

« Qu'est-ce qu'il y a de si drôle ? » demanda Bernard. Ender s'arrangea pour ne pas sourire lorsqu'il fit le tour de la salle des yeux, allant même jusqu'à mimer la crainte que tant d'autres éprouvaient. Shen, bien entendu, arborait sa plus belle expression de défi. Un ange passa ; puis Bernard ordonna à l'un de ses sbires d'aller chercher un bureau.

SURVEILLE TES ARRIÈRES.
BERNARD EST À LA VIGIE.
DIEU

Le visage de Bernard devint rouge de colère. « Qui a fait ça ? hurla-t-il.

— Dieu, répondit Shen.

— Ce n'était sûrement pas *toi.* Ça demanderait trop de *cervelle* à un *ver.* »

Le message d'Ender s'effaça cinq minutes plus tard. Au bout d'un moment, une réponse de Bernard apparut sur son bureau.

JE SAIS QUE C'ÉTAIT TOI.
BERNARD

Ender se garda bien de lever la tête. En fait, il agit comme s'il n'avait pas lu le message. *Bernard veut seulement voir si j'ai l'air coupable. Il ne sait rien.*

Bien sûr, qu'il le sache ou non n'avait aucune importance. Bernard le punirait d'autant plus qu'il lui fallait à présent reconstruire sa position. La seule chose qu'il ne pouvait supporter, c'était que les autres garçons se moquent de lui. Il *devait* réaffirmer son autorité. Ender fut donc bel et bien agressé dans les douches ce matin-là. Feignant de trébucher sur lui, un des acolytes de son adversaire en profita pour lui planter un genou dans le ventre. Ender encaissa en silence. Il était encore en phase d'observation dans la guerre ouverte qui l'opposait à Bernard. Il n'allait pas réagir.

Mais dans l'autre guerre, celle des bureaux, il avait déjà ajusté son attaque suivante. À son retour des douches, il tomba sur un Bernard fou de rage, en train de rouer les lits de coups de pied et de hurler sur les garçons. « Je n'ai pas écrit ça ! Fermez-la ! »

Sur le bureau de chacun des élèves défilait sans cesse ce message :

J'AIME TON CUL. LAISSE-MOI L'EMBRASSER.
BERNARD

« Je n'ai pas écrit ce message ! » s'égosilla Bernard. Après que les éclats de voix eurent duré un certain temps, Dap apparut sur le seuil. « C'est quoi ce bordel ?

— Quelqu'un écrit des messages en utilisant mon nom ! » s'exclama Bernard d'un ton maussade.

« Quel message ?

— On s'en fout du message !

— Parle pour toi. » Dap s'installa au bureau le plus proche, qui s'avéra appartenir au voisin de couchette d'Ender. Dap le lut, sourit imperceptiblement, puis lui rendit son bureau. « Intéressant.

— Vous comptez chercher qui a fait ça ? s'enquit Bernard.

— Oh, je sais qui c'est », fit Dap.

Oui, se dit Ender. *Le système était trop facile à forcer. Ils* veulent *que nous le forcions, du moins jusqu'à un certain point. Ils savent que c'était moi.*

« Qui ça, alors ? cria Bernard.

— Tu n'es quand même pas en train de me hurler dessus, soldat ? » lui demanda Dap d'une voix parfaitement égale.

L'ambiance de la pièce se modifia aussitôt. Tant la fureur des amis proches de Bernard que l'hilarité à peine contenue des autres, tout se mua en gravité. L'autorité était sur le point de s'exprimer.

« Non, monsieur, répondit Bernard.

— Tout le monde sait que le système insère automatiquement le nom de l'expéditeur.

— Je n'ai pas écrit ça ! maugréa Bernard.

— Tu hausses encore le ton ?

— Hier, quelqu'un a envoyé un message signé *DIEU*, expliqua Bernard.

— Vraiment ? J'ignorais qu'il était inscrit dans le système. » Dap pivota sur lui-même et s'en alla ; la pièce s'emplit aussitôt d'éclats de rire.

La tentative de Bernard pour prendre le contrôle des lieux avait vécu – rares étaient ceux qui restaient avec lui à présent. Mais il s'agissait des pires. Et Ender savait que ça irait mal pour lui pour peu qu'il baisse un instant la garde. Quand bien même, le bidouillage du système avait rempli son office. Bernard était contenu, et tous les garçons un minimum intéressants avaient été libérés de son emprise. Et par-dessus tout, Ender avait réussi son coup sans l'envoyer à l'hôpital. C'était beaucoup mieux ainsi.

Puis il s'attela à la tâche complexe de concevoir un système de sécurité pour son propre bureau – à l'évidence, les pare-feu intégrés se révélaient insuffisants. Si un enfant de six ans pouvait les enfoncer, ils n'avaient guère plus de valeur qu'un jouet. *C'est juste un nouveau jeu que les professeurs nous lancent dans les pattes. Mais celui-là, je le maîtrise.*

« Comment tu as fait ça ? » lui demanda Shen au petit déjeuner.

Ender nota intérieurement que c'était la première fois qu'un Bleu s'asseyait près de lui pour manger. « Fait quoi ?

— Envoyer un message sous un faux nom. Et celui de Bernard ! C'était génial. On l'appelle le Surveillant des Culs à présent. Juste *Surveillant* devant les profs, mais tout le monde sait ce qu'il surveille.

— Pauvre Bernard, murmura Ender. Un garçon si sensible.

— Allez, Ender. Tu as forcé le système. Comment tu t'y es pris ? »

Tout sourire, le jeune Wiggin secoua la tête. « Merci de me croire assez malin pour faire un truc pareil. C'est juste que j'ai été le premier à comprendre, ni plus ni moins.

— D'accord, tu n'es pas obligé de m'expliquer, fit Shen. Mais c'était quand même génial. » Ils poursuivirent un instant leur repas en silence. « Est-ce que je tortille vraiment du cul en marchant ?

— Naan, fit Ender. Rien qu'un peu. Essaye de faire des pas moins grands, c'est tout. »

Shen hocha la tête.

« Bernard était la seule personne à l'avoir remarqué.

— C'est un porc », dit Shen.

Ender haussa les épaules. « Les porcs sont plutôt moins pires, dans l'ensemble. »

Shen éclata de rire. « Tu as raison. C'était injuste pour les porcs. »

Deux autres garçons se joignirent bientôt au joyeux duo. L'isolement d'Ender avait pris fin. La guerre ne faisait que commencer.

6

Le Verre du Géant

« Nous avons eu des déceptions par le passé ; nous avons attendu pendant des années, espérant qu'ils s'en sortiraient, pour finalement les voir échouer les uns après les autres. La chose plaisante avec Ender, c'est qu'il semble déterminé à finir au frigo avant six mois. »

« Ah ? »

« Vous ne comprenez donc pas ce qui se passe ici ? Il est bloqué au Verre du Géant dans le jeu virtuel. Ce gosse est-il suicidaire ? Vous n'avez jamais mentionné cela. »

« Tout le monde finit par atteindre le Géant un jour ou l'autre. »

« Mais Ender n'abandonnera pas. Comme Pinaul. »

« Tout le monde ressemble à Pinaul à un moment ou un autre. Mais c'est le seul qui se soit suicidé. Je doute que ça ait quoi que ce soit à voir avec le Verre du Géant. »

« C'est ma vie que vous pariez là-dessus. Et regardez ce qu'il a fait avec son groupe de Bleus. »

« Ce n'est pas sa faute, vous le savez. »

« Ça m'est égal. Qu'il soit ou non responsable, il contamine ce groupe. Alors qu'ils sont censés s'attacher les uns aux autres, il y a un abîme d'un kilomètre de large qui se creuse partout où il se tient. »

« De toute façon, je n'ai aucune intention de le laisser là-bas très longtemps. »

« Eh bien, vous feriez mieux de reconsidérer votre position. Ce groupe est malade, et c'est ce gosse la cause de la maladie. Il restera jusqu'à sa complète guérison. »

« C'est moi *la cause de la maladie. J'ai isolé Ender, et ça a fonctionné. »*

« Laissez-lui du temps. Histoire de voir ce qu'il en fera. »

« Le temps nous manque pour ça. »

« Le temps nous manque pour pousser à bout un enfant qui a autant de chances de devenir un monstre qu'un génie militaire. »

« Est-ce un ordre ? »

« Notre conversation est enregistrée, comme toujours ; votre cul est couvert, allez vous faire foutre. »

« Si c'est un ordre, eh bien je... »

« C'est un ordre. Ne le transférez pas avant que nous ayons vu comment il prend les choses en main dans son groupe de Bleus. Graff, vous me donnez des ulcères. »

« Vous n'en auriez pas si vous m'aviez laissé l'école pour vous occuper exclusivement de la flotte. »

« La flotte est à la recherche d'un commandant. Ça me laisse désœuvré tant que vous ne m'en aurez pas fourni un. »

Ils pénétrèrent en file dans la salle de combat, gauchement, comme des enfants allant pour la première fois à la piscine, en s'accrochant aux poignées fixées le long des murs. L'apesanteur était effrayante, déroutante ; ils eurent tôt fait de découvrir que le fait de ne pas utiliser du tout leurs pieds leur facilitait les choses.

Pire encore, les combinaisons limitaient leurs déplacements. Elles les rendaient plus ardus, moins précis, du fait qu'elles se pliaient avec un léger retard, résistaient un peu plus que les vêtements qu'ils avaient eu l'habitude de porter.

Ender agrippa la poignée et fléchit les genoux. Pour constater que, outre la lenteur, elle avait pour effet d'amplifier les mouvements. Il était difficile de les initier, mais alors les jambes de la combinaison continuaient de bouger, et fortement, après que ses muscles eurent cessé pour leur part de le faire. *Elle multiple par deux la puissance de n'importe quelle impulsion. Ça va me prendre un moment pour la maîtriser. Autant commencer.*

Sa main toujours dans la poignée, il poussa donc fortement avec les pieds.

Et effectua aussitôt un roulé-boulé involontaire, pour atterrir à plat dos contre la paroi. Le rebond fut cette fois plus fort, lui sembla-t-il, et ses mains lâchèrent prise. Il s'envola à travers la salle de combat en faisant d'incessantes culbutes.

L'estomac au bord des lèvres, il tenta un moment de conserver son orientation haut-bas habituelle, son corps s'efforçant de se redresser, en quête d'une pesanteur qui n'existait pas. Puis il se força à changer de point de vue. Il était en train de foncer en direction d'un mur. *Disons que c'est le bas*. Il reprit aussitôt le contrôle de lui-même. Il ne volait pas, il *tombait*. C'était un plongeon. Il pouvait choisir de quelle manière il allait heurter la surface.

Je vais trop vite pour attraper une poignée et m'immobiliser, mais je peux amortir l'impact et repartir de biais en utilisant mes pieds...

Ça ne marcha pas du tout comme il l'avait prévu. Il partit effectivement de biais, mais pas selon l'angle qu'il avait prédit. Et le temps lui manquait pour réfléchir. Il heurta un nouveau mur, trop tôt pour s'y être préparé. Mais tout à fait par hasard il découvrit un moyen de faire usage de ses pieds pour contrôler l'angle du rebond. Il volait à nouveau dans la salle à présent, en direction des autres garçons toujours accrochés à la paroi. Cette fois, cependant, il avait suffisamment ralenti pour pouvoir saisir un barreau. Il était positionné selon un angle saugrenu par rapport à ses camarades, mais une fois encore son sens de l'orientation s'était adapté, et pour autant qu'il puisse en juger ils se trouvaient tous couchés par terre, pas suspendus à un mur. Et il n'était pas plus à l'envers qu'eux.

« Qu'est-ce que tu essaies de faire ? Te tuer ? lui demanda Shen.

— Vas-y, toi, fit Ender. La combinaison te protège de toute blessure, et tu peux contrôler le rebond avec tes pieds – comme ça. » Il refit approximativement le même mouvement.

Shen secoua la tête – il ne comptait certainement pas s'essayer à ce genre d'acrobatie stupide. Un garçon se décida alors à y aller – pas aussi rapidement qu'Ender, vu qu'il n'avait pas donné d'impulsion initiale, mais tout de même assez vite. Le jeune Wiggin n'avait même pas besoin de voir son visage pour savoir qu'il s'agissait de Bernard. Puis, juste derrière lui, celui de son meilleur ami, Alai.

Ender les regarda traverser l'immense salle, Bernard se démenant pour s'orienter dans la direction qu'il considérait comme le sol, Alai s'abandonnant au mouvement et se préparant à rebondir contre le mur. *Pas étonnant que Bernard se soit cassé le bras dans la navette,* se dit Ender. *Il se crispe lorsqu'il est en vol. Il panique.* Ender nota mentalement l'information pour référence ultérieure.

Ainsi qu'une autre. Alai ne s'était pas élancé dans la même direction que Bernard. Il visait manifestement un coin de la salle. Leur trajectoire divergea de plus en plus, et alors que Bernard allait maladroitement s'écraser sur sa paroi avant de repartir de plus belle, Alai effectua près du coin un triple rebond oblique qui lui permit de conserver l'essentiel de sa vitesse et de se propulser selon un angle surprenant. Alai poussa un cri de triomphe, de même que les élèves qui le regardaient. Certains d'entre eux en oublièrent leur absence de poids et lâchèrent le mur pour applaudir. Pour aussitôt se mettre à dériver paresseusement dans toutes les directions en battant des bras.

Voilà un vrai problème, se dit Ender. *Que faire lorsqu'on se retrouve à la dérive ? Quand on n'a plus le moindre point d'appui ?*

Il fut tenté de se laisser partir au hasard, histoire de résoudre la question par tâtonnements. Mais il voyait les vains efforts des autres pour contrôler leur trajectoire, et ne pouvait s'imaginer faire autre chose qu'eux.

Se tenant d'une main au plancher, il tripotait négligemment le pistolet attaché sur le devant de sa combinaison, juste sous l'épaule. Puis il se souvint des fusées à main que les Marines utilisaient parfois au moment de l'abordage d'une station ennemie. Il tira son arme pour l'examiner. Il avait appuyé sur le moindre de ses boutons dans le dortoir, mais le pistolet demeurait inerte là-bas. Peut-être qu'ici, en salle de combat, se déciderait-il à fonctionner. Il n'y avait aucune instruction à ce propos. Aucune étiquette sur les commandes. La détente ne posait pas question – comme tous les enfants, Ender avait joué avec de fausses armes à feu pratiquement au biberon. Le dispositif comprenait deux boutons auxquels son pouce pouvait aisément accéder, et plusieurs autres à la racine du canon pratiquement inatteignables sans se servir des deux mains. De toute évidence, les deux boutons localisés à proximité du pouce avaient vocation à être instantanément utilisables.

Il dirigea le pistolet vers le sol et appuya sur la détente. Sentit l'arme chauffer illico entre ses doigts ; pour refroidir dès qu'il relâcha la gâchette. Un minuscule cercle de lumière était apparu par terre là où il avait visé.

Du pouce, il pressa le bouton rouge situé sur le dessus et tira à nouveau. Même chose.

Puis il appuya sur le blanc. Un vif éclair illumina aussitôt une large zone, mais pas aussi intensément. Cette fois, l'arme était restée parfaitement froide.

Le bouton rouge en fait une sorte de laser – mais ce n'en est pas un, s'il faut en croire Dap – alors que le blanc le transforme en lampe. Aucun des deux ne va être d'une grande utilité pour manœuvrer.

Donc tout dépend de la poussée et de la trajectoire initiales. Ça veut dire qu'il faut contrôler parfaitement son lancement et ses rebonds pour éviter de se retrouver à dériver au milieu de nulle part. Ender regarda autour de lui.

Quelques garçons flottaient à proximité des murs, battant des bras pour essayer de saisir une poignée. La plupart se percutaient les uns les autres avec force rires ; quelques-uns décrivaient des cercles en se tenant par la main. Rares étaient ceux qui, à l'instar de lui, se cramponnaient calmement à la paroi pour observer.

L'un d'entre eux, remarqua-t-il, était Alai. Il avait échoué sur un autre mur pas très loin d'Ender. Sur un coup de tête, celui-ci poussa sur ses jambes dans sa direction. Une fois dans les airs, il se demanda ce qu'il allait lui dire. Alai était l'ami de Bernard. De quoi allaient-ils bien pouvoir parler ?

Mais il était trop tard pour changer de trajectoire désormais. Aussi regarda-t-il droit devant lui, s'entraînant à faire de petits mouvements de jambes et de bras pour contrôler sa dérive. Il se rendit compte, après coup, de l'excellence de sa manœuvre. Il n'allait pas atterrir à *proximité* d'Alai – il allait lui rentrer dedans.

« Là, accroche-toi à ma main ! » lui cria Alai.

Ender tendit la sienne. Alai prit l'essentiel de l'impact et aida Ender à se poser en douceur contre la paroi.

« C'est bien, dit Ender. Nous devrions nous entraîner à faire ce genre de choses.

— L'idée m'a traversé l'esprit, fit Alai, sauf que tout le monde est en train de se liquéfier là-dedans. Qu'est-ce qui se passerait si nous sortions en même temps ? On devrait pouvoir se pousser dans des directions opposées.

— Ouais.

— D'accord ? »

Ça revenait à reconnaître que tout n'allait pas forcément pour le mieux entre eux. *Est-ce une bonne chose qu'on fasse quelque chose ensemble ?* En guise de réponse, Ender attrapa Alai par le poignet et se prépara à sauter.

« Prêt ? fit Alai. C'est parti. »

Ils se mirent aussitôt à tourner l'un autour de l'autre, ne s'étant pas élancés avec la même puissance. Ender fit quelques petits mouvements de mains, puis remua une jambe. Ce qui les fit ralentir. Il recommença. Ils cessèrent d'orbiter, pour esquisser une paisible dérive.

« Ender le petit génie, dit Alai. (C'était un vrai compliment.) Filons avant de leur rentrer dedans.

— Et on se retrouve dans ce coin là-bas. » Ender ne voulait pas perdre cette tête de pont dans le camp adverse.

« Le dernier arrivé enferme ses pets dans une bouteille de lait », fit Alai.

Puis, lentement, régulièrement, ils se murent de manière à se retrouver face à face, les membres écartés collés les uns contre les autres.

« Et après, on se contente d'attendre de s'écraser ? demanda Alai.

— Moi non plus, je n'ai jamais fait ça », répliqua Ender.

Leur poussée les propulsa plus vite qu'ils ne l'avaient prévu. Ender percuta deux garçons et termina sa course dans un mur bien éloigné de sa cible initiale. Se réorienter pour localiser le coin où lui et Alai devaient se retrouver lui prit quelques instants. Son partenaire se dirigeait déjà vers lui. Il détermina une trajectoire incluant deux rebonds, pour éviter la majeure partie des troupes.

Quand Ender atteignit le coin, Alai avait passé les bras dans deux poignées contiguës et faisait semblant de somnoler.

« Tu as gagné.

— Je veux voir ta collection de pets, dit Alai.

— J'en ai entreposé dans ton placard. Tu n'as rien remarqué ?

— Je croyais que c'étaient mes chaussettes.

— Nous ne portons plus de chaussettes.

— Ah, ouais. » Un rappel du fait qu'ils se trouvaient tous deux loin de chez eux. Ce qui gâcha en partie leur joie d'avoir maîtrisé un semblant de navigation.

Ender prit son pistolet et fit la démonstration de ce qu'il avait appris à propos des deux boutons de pouce.

« Qu'est-ce qui se passe quand on tire sur quelqu'un avec ? s'enquit Alai.

— Je ne sais pas.

— Et si on essayait ? »

Ender secoua la tête. « On risque de blesser quelqu'un.

— Je veux dire, pourquoi ne pas nous tirer mutuellement dans le pied, par exemple ? Je ne suis pas Bernard, je ne me suis jamais amusé à torturer des chats.

— Ah.

— Ça ne peut pas être dangereux ; ils ne donneraient pas des vrais pistolets à des gosses.

— Nous sommes des soldats à présent.

— Tire-moi dans le pied.

— Non, toi.

— Allons-y en même temps. »

Ils tirèrent. Ender sentit aussitôt la jambe de la combinaison se raidir jusqu'au genou.

« Paralysée ? lui demanda Alai.

— Aussi raide qu'une planche.

— Allons en congeler quelques-uns. Allons livrer notre première guerre. Eux contre nous. »

Ils sourirent de toutes leurs dents. Puis Ender dit : « On ferait mieux de convier Bernard. »

Alai haussa les sourcils. « Ah ?

— Et Shen.

— Ce petit tortilleur de cul ? »

Il devait plaisanter, supposa Ender. « Le tien se tortillerait aussi si tu ne le serrais pas autant.

— Allons chercher Bernard et Shen, dit Alai dans un rictus, et congelons ces doryphores. »

En vingt minutes, tous les présents avaient été congelés, à l'exception d'Ender, de Bernard, de Shen et d'Alai. Les quatre compères restèrent assis ensemble, à rire et à pousser des cris, jusqu'à l'arrivée de Dap.

« Je vois que vous avez compris comment utiliser votre équipement », fit-il. Puis il manipula la commande qu'il tenait à la main. Tout le monde se mit aussitôt à lentement dériver en direction du mur contre lequel il se trouvait. Il passa parmi les élèves flashés pour décongeler leur combinaison en les touchant. Un brouhaha de protestation s'éleva immédiatement contre l'action déloyale de Bernard et d'Alai, qui leur avaient tiré dessus alors qu'ils n'étaient pas prêts.

« Pourquoi n'étiez-vous pas prêts ? s'enquit Dap. Vous avez eu vos combinaisons aussi longtemps qu'eux. Vous avez passé autant de temps qu'eux à battre des ailes comme des canards éméchés. Arrêtez de vous plaindre. Nous allons commencer. »

Dap, remarqua Ender, semblait accepter le présupposé que c'était Bernard et Alai qui avaient mené la bataille. Eh bien, pas de problème. Bernard savait qu'Alai et le jeune Wiggin avaient appris ensemble à utiliser leurs pistolets. Et Ender et Alai étaient amis. Certains allaient peut-être croire que Wiggin avait rejoint sa bande. À tort. Ender avait rejoint un nouveau groupe. Celui d'Alai. Tout comme Bernard.

Ce n'était pas évident pour tout le monde ; Bernard continuait à fanfaronner, à envoyer ses acolytes en mission. Mais Alai se déplaçait en toute liberté dans la pièce à présent, et lorsque Bernard partait en vrille il pouvait se permettre de plaisanter un peu pour le calmer. Quand vint le moment de choisir leur chef, Alai obtint pratiquement l'unanimité. Bernard bouda quelques jours avant de se faire à cette idée, puis tout le monde s'accommoda de ce nouveau schéma. Leur groupe n'était plus divisé en deux, avec d'un côté la bande de Bernard et de l'autre les parias d'Ender. Alai avait jeté un pont entre eux.

Ender était assis sur son lit avec son bureau sur les genoux. C'était une période d'étude personnelle, qu'il consacrait au Jeu Libre. C'était un jeu capricieux, un peu fou, dans lequel l'ordinateur de l'école ne cessait d'introduire des éléments nouveaux, d'élaborer tout un labyrinthe à explorer. On pouvait revenir à ses passages préférés, pour un temps ; si on l'abandonnait un peu trop longtemps, celui-ci disparaissait et quelque chose d'autre prenait sa place.

On y trouvait parfois des choses amusantes. D'autres supposaient d'être rapide si l'on voulait rester en vie. Ender avait péri à de multiples reprises, mais peu importait, les jeux étaient ainsi faits – il fallait beaucoup mourir avant de réussir à se mettre dans le bain.

Son personnage avait commencé par prendre les traits d'un petit garçon. Pour se transformer pendant quelque temps en ours. Et c'était une grosse souris à présent, avec de longues mains délicates. Il la faisait courir sous les nombreux meubles gigantesques représentés à l'écran. Il avait beaucoup joué avec le chat, mais c'était devenu ennuyeux – trop facile de lui échapper maintenant qu'il connaissait par cœur la disposition des lieux.

Pas par le trou de souris cette fois, se dit-il. *Je n'en peux plus du Géant. C'est un jeu idiot, impossible à remporter. Je n'arrive jamais à faire le bon choix.*

Il passa néanmoins par le trou, puis sur le petit pont du jardin. Il évita les canards et les moustiques-bombardiers – il avait essayé de jouer avec ces derniers, mais les vaincre avait quelque chose d'enfantin, et s'il s'amusait trop longtemps avec les canards il finissait par se transformer en poisson, ce qu'il n'appréciait guère. Ça lui rappelait bien trop la sensation d'être congelé en salle de combat, le corps entièrement raide, à attendre la fin de l'entraînement pour que Dap le décongèle. Aussi, comme d'habitude, se retrouva-t-il à escalader les collines onduleuses.

Les éboulements se déclenchèrent. Il s'était fait prendre encore en encore dans un premier temps, écrasé sous un flot de sang démesuré qui jaillissait d'une pile de rochers. À présent, cependant, il savait gravir la pente en courant en zigzag pour éviter les pierres, toujours plus haut.

Et, comme toujours, les éboulis finirent par se transformer en autre chose qu'un enchevêtrement de rocs. Le flanc de la colline se fendit et l'argile fit place à du pain blanc dont la pâte leva tandis que sa croûte se brisait et tombait. Il était mou et spongieux, ce qui contraignit le personnage d'Ender à ralentir sa progression. Il en sauta donc, pour se retrouver debout sur une table. Pain géant derrière lui ; plaque de beurre géante devant lui. Et le Géant en personne, le menton posé sur ses mains, qui le regardait. Sa tête était presque aussi haute que l'avatar du jeune garçon.

« Je crois que je vais t'arracher la tête d'un coup de dents », menaça le Géant, comme il le faisait toujours.

Cette fois, plutôt que de fuir ou de rester immobile, Ender fit marcher son personnage jusqu'à son visage et lui donna un coup de pied au menton.

Le Géant tira la langue et Ender tomba par terre.

« Que dirais-tu d'une devinette ? » s'enquit le monstre. Ainsi donc ça ne faisait aucune différence – le Géant ne savait jouer qu'aux devinettes. Saloperie d'ordinateur. Des millions de scénarios possibles dans sa mémoire, et il ne pouvait lui proposer que ce jeu idiot.

Comme à son habitude, le Géant posa sur la table deux énormes verres, qui s'élevaient jusqu'aux genoux d'Ender. Et, comme toujours, tous deux étaient remplis de liquides dissemblables. L'ordinateur se débrouillait assez bien pour lui soumettre des liquides toujours différents, pour peu qu'il puisse se les rappeler. Cette fois, l'une en contenait un épais, d'apparence crémeuse, l'autre sifflait et moussait.

« L'un d'eux contient du poison, l'autre pas, dit le Géant. Devine juste et je t'emmène au Royaume des Fées. »

Ça impliquait de plonger la tête dans l'un des verres pour en boire le contenu. Jamais Ender n'avait deviné juste. Parfois, il finissait le crâne dissous. Parfois il prenait feu. Parfois, il tombait dedans et se noyait. Ou s'effondrait, verdissait et commençait à pourrir. C'était toujours épouvantable ; et toujours le Géant riait.

Ender savait que, quel que soit son choix, il allait mourir. Le jeu était truqué. Après sa première mort, son personnage allait réapparaître sur la table du Géant, prêt à rejouer. Après la deuxième, il reviendrait aux éboulements. Puis au pont du jardin. Puis au trou de souris. Et, enfin, s'il se retrouvait encore une fois devant le Géant, jouait encore et perdait à nouveau, son bureau s'obscurcirait, l'inscription « Jeu Libre Terminé » défilerait dessus et Ender se renverserait sur son lit, tremblant jusqu'à ce qu'il finisse par s'endormir. Le jeu était truqué, mais ça n'empêchait pas le Géant de parler du Royaume des Fées, d'un Royaume absurde et infantile destiné aux enfants de trois ans, qui accueillait probablement quelque stupide Mère L'Oye, Pac-Man ou Peter Pan ; rien qui vaille le déplacement a priori, mais Ender devait quand même trouver un moyen de battre le Géant pour s'y rendre.

Il choisit le liquide crémeux. Pour aussitôt se mettre à gonfler et s'envoler comme un ballon. Le Géant éclata de rire. Ender avait de nouveau échoué.

Il lança une nouvelle partie ; cette fois, le liquide prit comme du ciment et lui immobilisa la tête, tandis que le Géant l'ouvrait le long de la colonne vertébrale, le désossait comme un poisson et commençait à le manger avant même que ses bras et jambes n'aient cessé de trembler.

Ender décida de ne pas continuer lorsqu'il réapparut aux éboulements, allant jusqu'à les laisser le recouvrir. Malgré la sueur qui lui glaçait le dos, il entreprit de faire encore une fois gravir les collines à sa nouvelle apparition, jusqu'à ce qu'elles se transforment en pain et qu'il se retrouve debout sur la table du Géant, avec les deux verres posés devant lui.

Il fixa les deux liquides. Celui qui moussait, l'autre avec des vagues qui évoquaient la mer. Il tenta de deviner quel genre de mort chacun d'entre eux contenait. *Un poisson va sans doute sortir de l'océan et me dévorer. Le moussant va probablement m'asphyxier. Je déteste ce jeu. Il n'est pas juste. Il est stupide. Il est pourri.*

Et plutôt que de plonger la tête dans un des deux verres, il les renversa l'un après l'autre d'un coup de pied, puis esquiva les mains énormes du Géant qui était en train de crier : « Tricheur ! Tricheur ! » Il bondit sur son visage, gravit tant bien que mal ses lèvres et son nez, puis entreprit de labourer ses yeux. La matière se détachait comme s'il s'était agi de fromage blanc, et sous les hurlements du Géant le personnage d'Ender s'enfonça droit dans son œil, creusant de plus en plus profondément.

Le monstre bascula en arrière. Le paysage se transforma pendant sa chute ; des arbres distordus, enchevêtrés, avaient déjà poussé tout autour de lui lorsqu'il s'immobilisa par terre. Une chauve-souris vint alors se poser sur son nez. Ender fit sortir son personnage de l'œil du Géant.

« Comment as-tu fait pour arriver ici ? lui demanda l'animal. Personne n'arrive jamais jusqu'ici. »

Bien entendu, Ender ne savait que répondre. Aussi se baissa-t-il pour prendre une poignée de la matière oculaire du Géant et l'offrir à la chauve-souris.

Le chiroptère l'accepta, puis s'envola en hurlant : « Bienvenue au Royaume des Fées ! »

Le jeune Wiggin avait réussi. Il aurait dû en profiter pour explorer les lieux. Pour descendre du visage du Géant et apprécier ce qu'il avait fini par accomplir.

Au lieu de quoi il quitta le jeu, rangea son bureau dans son placard, ôta ses vêtements et s'enfouit sous sa couverture. Il n'avait pas eu l'intention de tuer le Géant. C'était censé n'être qu'un jeu. Pas un choix entre sa propre mort dans d'horribles circonstances et un meurtre pire encore. *Je suis un meurtrier, même quand je joue. Peter serait fier de moi.*

7

SALAMANDRE

« N'est-il pas agréable de voir Ender accomplir l'impossible ? »

« Les morts dans le jeu ont toujours été écœurantes. Je pensais que le Verre du Géant était la partie la plus perverse de tout le jeu virtuel, mais s'en prendre ainsi aux yeux – c'est vraiment lui que nous voulons mettre à la tête de notre flotte ? »

« La seule chose qui compte, c'est qu'il a remporté une partie impossible à gagner. »

« Je suppose que vous allez le transférer à présent. »

« Nous attendions de voir comment il allait s'y prendre avec Bernard. Il s'en est parfaitement sorti. »

« Si je comprends bien, dès qu'il vient à bout d'une situation, vous lui en présentez une autre à laquelle il ne peut pas faire face. Vous ne le laissez jamais se reposer ? »

« Il aura un mois ou deux, peut-être trois, avec son groupe de Bleus. Ce n'est pas rien dans la vie d'un enfant. »

« Vous n'avez jamais l'impression que ces garçons ne sont pas des enfants ? Je regarde ce qu'ils font, leur façon de parler, et ils ne ressemblent pas à des enfants. »

« Ce sont les enfants les plus brillants du monde, chacun à sa manière. »

« Mais ne devraient-ils pas quand même agir comme des enfants ? Ils ne sont pas normaux. *Ils agissent*

comme... des personnages historiques. Napoléon et Wellington. César et Brutus. »

« Nous essayons de sauver le monde, pas de soigner des cœurs brisés. Vous êtes trop compatissant. »

« Le Général Levy n'a de pitié pour personne. Toutes les vidéos vont dans ce sens. Mais ne faites pas de mal à ce gosse. »

« Vous plaisantez ? »

« Je veux dire, pas plus que nécessaire. »

Alai dînait en face d'Ender. « J'ai enfin compris comment tu as envoyé ce message. Avec le nom de Bernard.

— Moi ?

— Allez, qui d'autre ? Ce n'était certainement pas lui. Et Shen n'est pas vraiment un crack en informatique. Et je sais que ce n'était pas moi. Qui d'autre ? Enfin bon, peu importe. J'ai compris comment on pouvait créer une fausse entrée d'élève. Tu t'es contenté d'en créer un nommé Bernard avec des espaces, B E R N A R D, ce qui fait que l'ordinateur ne l'a pas rejeté comme un doublon.

— Ça m'a l'air de pouvoir marcher, fit Ender.

— D'accord. D'accord. *Ça* marche. Mais tu l'as fait quasiment le premier jour.

— Moi ou quelqu'un d'autre – Dap, peut-être, pour empêcher Bernard de prendre trop de pouvoir.

— Et j'ai découvert autre chose. Je ne peux pas le faire avec ton nom.

— Ah ?

— Tout ce qui contient *Ender* est rejeté. Et je ne peux pas non plus pénétrer dans tes dossiers. Tu as fabriqué ton propre système de sécurité.

— Peut-être. »

Alai eut un large sourire. « Je viens d'effacer les dossiers de quelqu'un. Il ne va pas tarder à me rattraper dans le système. J'ai besoin de protection, Ender. J'ai besoin de ton système.

— Si je te le donne, tu sauras comment je m'y prends et ce sera *moi* que tu effaceras.

— *Moi ?* s'exclama Alai. Tu n'as pas de meilleur ami que moi ! »

Ender éclata de rire. « Je vais t'en créer un.

— Maintenant ?

— Je peux finir de manger ?

— Tu ne finis jamais ton repas. »

C'était la vérité. Il restait toujours de la nourriture sur son plateau. Ender considéra son assiette. « D'accord, allons-y. »

Lorsqu'ils furent arrivés au dortoir, Ender s'installa à croupetons contre son lit. « Va me chercher ton bureau. Je vais te montrer comment faire. » Mais il n'avait pas bougé d'un pouce au retour d'Alai ; ses casiers demeuraient obstinément fermés.

« Un problème ? » s'enquit Alai.

Pour toute réponse, Ender posa sa paume sur le scanner. *Tentative d'accès non autorisée*, indiqua-t-il. Le casier resta clos.

« Quelqu'un t'a dansé sur la tête, ma vieille, dit Alai. On t'a bien eu.

— Tu es sûr de toujours vouloir de mon système de sécurité ? » Le jeune Wiggin se leva, puis s'éloigna du lit.

« Ender », fit Alai.

Il se retourna. Alai tenait un petit morceau de papier.

« Qu'est-ce que c'est ? »

Alai leva les yeux sur lui. « Tu ne sais pas ? C'était sur ton lit. Tu as dû t'asseoir dessus. »

Ender le lui prit des mains.

ENDER WIGGIN
AFFECTÉ ARMÉE DE LA SALAMANDRE
COMMANDANT, BONZO MADRID
EFFET IMMÉDIAT
CODE VERT VERT MARRON
PAS D'EFFET TRANSFÉRABLE

« Tu es malin, Ender, mais tu ne te débrouilles pas mieux que moi en salle de combat. »

Ender secoua la tête. Il ne pouvait rien imaginer de plus stupide que de le transférer maintenant. Personne n'obtenait de promotion avant ses huit ans. Ender n'en avait même pas encore sept. Et les Bleus passaient généralement dans les armées ensemble, la plupart d'entre elles réceptionnant un nouveau gosse simultanément. Aucun autre lit n'accueillait de feuille de transfert.

Juste quand les choses finissaient par s'arranger. Quand Bernard commençait à bien s'entendre avec tout le monde, même Ender. Juste quand le jeune Wiggin se liait d'une véritable amitié avec Alai. Quand sa vie devenait enfin vivable.

Ender descendit de la couchette pour aussitôt en extirper Alai.

« Remarque, les Salamandres sont plutôt bien placés dans la compétition », fit observer celui-ci.

Ender trouvait ce transfert tellement injuste que des larmes lui montèrent aux yeux. *Ne pas pleurer*, se dit-il.

Alai s'en rendit compte, mais eut la délicatesse de n'en rien dire. « Quelle bande de connards. Ils ne te laissent même pas emporter ce qui *t'appartient.* »

Ender parvint d'un sourire à repousser ses larmes. « Tu crois que je devrais me déshabiller et y aller à poil ? »

Alai pouffa à son tour.

Sur un coup de tête, Ender l'enlaça de toutes ses forces, presque comme s'il s'était agi de Valentine. Le souvenir de sa sœur vint même chatouiller son esprit, ce qui lui donna envie de rentrer chez lui. « Je ne veux pas partir. »

Alai lui rendit son étreinte. « Je les comprends, Ender. Tu *es* le meilleur d'entre nous. Ils sont peut-être pressés de tout t'apprendre.

— Ils ne veulent pas *tout* m'apprendre, fit Ender. Je voulais savoir ce que ça faisait d'avoir un ami. »

Alai hocha sobrement la tête. « Mon ami pour toujours, mon meilleur ami à jamais. (Il sourit.) Va débiter les doryphores en rondelles.

— Ouais. » Ender lui rendit son sourire.

Alai l'embrassa soudain sur la joue et lui souffla à l'oreille : « *Salaam.* » Pour aussitôt se détourner, le visage écarlate, et marcher jusqu'à son propre lit au fond du dortoir. Ender supposa que ce qu'ils avaient partagé était plus ou moins interdit pour son ami. Un interdit religieux, peut-être. À moins que ce mot ait quelque signification intime, puissante, uniquement pour Alai. Quoi qu'il en soit, il le savait sacré à ses yeux ; Alai s'était livré à Ender comme sa mère l'avait fait, quand il était tout petit, avant qu'on ne lui implante le moniteur dans le cou. Elle avait posé ses mains sur sa tête alors qu'elle le croyait endormi, et s'était mise à prier. Ender n'en avait jamais parlé à quiconque, pas même à Mère, mais il gardait ce souvenir comme un objet saint, cette façon dont sa mère l'aimait lorsqu'elle pensait que personne, pas même lui, ne pouvait la voir ou l'entendre. C'était ce qu'Alai lui avait donné ; un cadeau si sacré qu'Ender lui-même n'avait pas le droit de savoir ce qu'il signifiait.

Il n'y avait rien à ajouter après ça. Alai rejoignit son lit et se tourna vers Ender. Leurs yeux se croisèrent un instant, emplis d'une compréhension mutuelle. Puis le jeune Wiggin partit.

Il n'allait pas y avoir de vert vert marron dans cette partie de l'école ; Ender allait devoir repérer les couleurs dans une des zones publiques. Les autres ne tarderaient pas à finir de dîner ; il n'avait aucune envie de s'approcher du réfectoire. La salle de jeux serait pratiquement vide.

Aucun des jeux ne l'attirait dans son présent état d'esprit. Aussi se rendit-il aux bureaux collectifs situés au fond de la salle pour se connecter à son propre jeu. Il se hâta de gagner le Royaume des Fées. Le Géant était mort à son arrivée, désormais ; Ender devait descendre avec précaution de la table, sauter sur un des pieds de la chaise renversée, puis alors seulement effectuer un bond jusqu'au sol. Des rats avaient rongé le corps sans vie pendant quelque temps, mais ils l'avaient laissé tranquille après qu'Ender en eut tué un avec une épingle provenant de la chemise déchirée du Géant.

Le cadavre avait presque fini de se décomposer. Tout ce qui pouvait être arraché par les petits charognards l'avait été ; les vers avaient rempli leur office sur les organes. Il se résumait désormais à une momie desséchée, creusée, au ricanement fixe, ses orbites vides et ses doigts racornis. Ender se revit en train de s'enfoncer dans son œil alors qu'il était encore en vie, plein de malice et d'intelligence. Furieux et frustré comme il l'était, Ender ne demandait qu'à réitérer pareille violence. Mais le Géant était devenu partie prenante du paysage à présent, à l'abri de son ire.

Ender était toujours passé par le pont conduisant au château de la Reine de Cœur, où il y avait des jeux en quantité pour lui ; mais aucun d'eux ne l'intéressait encore. Il contourna le cadavre du Géant et remonta le cours du ruisseau jusqu'à l'endroit où il sortait de la forêt. Une aire de jeux se trouvait là, avec des toboggans, des cages à poules, des jeux de bascule et des manèges. Une dizaine d'enfants étaient en train d'en profiter joyeusement. À son arrivée, Ender découvrit que le programme lui avait choisi cette fois un avatar d'enfant – d'ordinaire, son personnage était adulte. En fait, il se retrouvait même plus petit que les autres.

Il se mit dans la queue pour le toboggan. Tous l'ignorèrent. Il gravit au sommet, regarda le garçon devant lui tourbillonner jusqu'au sol. Puis il s'assit et se laissa glisser.

Il venait à peine de s'élancer quand il passa sans crier gare à travers le toboggan et atterrit sous l'échelle. La glissière ne le retenait pas.

Pas plus que la cage à poules. Il pouvait grimper quelques échelons, mais à un moment donné une barre semblait soudain perdre toute substance et il tombait. Il pouvait rester assis sur le jeu à bascule jusqu'à en atteindre le sommet ; pour aussitôt en dégringoler. Lorsque le manège prenait de la vitesse, il n'arrivait plus à s'agripper aux barres et la force centrifuge finissait par le projeter par terre.

Et les autres enfants... leurs rires étaient gras, insultants. Ils se mirent à tourner autour de lui en le montrant du doigt ; leurs moqueries lui parurent durer une éternité avant qu'ils ne se décident à retourner à leurs jeux.

Ender avait envie de les frapper, de les jeter dans le ruisseau. Au lieu de quoi il pénétra dans la forêt. Il trouva un chemin, qui se transforma bientôt en une antique route de brique envahie par les mauvaises herbes mais toujours praticable. Il y avait des propositions de jeux de part et d'autre de la voie, mais Ender n'en suivit aucune. Il voulait voir où elle conduisait.

Elle le mena à une clairière, au centre de laquelle se trouvait un puits ainsi qu'une pancarte disant : « Bois, Voyageur ». Ender avança jusqu'au puits. Presque aussitôt, un grondement s'éleva de la forêt, d'où émergea une douzaine de loups à visage humain, la bave aux lèvres. Il n'eut aucun mal à les reconnaître – il s'agissait des enfants de l'aire de jeux. Sauf qu'à présent leurs dents pouvaient le mettre en pièces ; Ender, désarmé, fut rapidement dévoré.

Le personnage qui lui succéda se manifesta au même endroit, et fut englouti de plus belle malgré les efforts d'Ender pour descendre dans le puits.

Son apparition suivante, cependant, se produisit sur l'aire de jeux. À nouveau les enfants se moquèrent de lui. *Riez tout votre saoul*, se dit Ender. *Je sais ce que vous êtes*. Il força une petite fille récalcitrante à le suivre en haut du toboggan. Il passa au travers, comme attendu, mais cette fois il fut accompagné dans sa chute par la fillette, qui se trouvait juste derrière lui. Elle se transforma en loup en heurtant le sol, où elle demeura, morte ou assommée.

Ender les entraîna l'un après l'autre dans un piège. Mais avant même qu'il n'en ait terminé avec le dernier, les loups commencèrent à ressusciter sans pour autant redevenir des enfants. Et entreprirent de le déchiqueter une fois encore.

Tout tremblant, couvert de sueur, le personnage d'Ender revint à la vie sur la table du Géant. *Je devrais arrêter*, se dit-il. *Je devrais rejoindre ma nouvelle armée*.

Au lieu de quoi il fit sauter son avatar de la table, puis contourna le cadavre du Géant pour se diriger vers l'aire de jeux.

Cette fois, dès qu'un enfant touchait le sol et se transformait en loup, Ender traînait son corps jusqu'au ruisseau pour le jeter dedans. Chacun d'eux crépitait alors comme si l'eau était acide ; le loup se consumait, puis un nuage de fumée noire allait se disperser dans les airs. En finir avec les enfants ne lui demanda aucun effort, quand bien même ils se mirent à le suivre par groupes de deux ou trois. Aucun loup ne l'attendait dans la clairière, aussi descendit-il dans le puits en utilisant la corde du seau.

La lumière était faible dans la caverne, mais suffisante pour lui permettre de voir les tas de pierres précieuses. Il passa à côté sans s'arrêter, ayant remarqué que des yeux luisaient parmi les gemmes derrière lui. La table couverte de nourriture n'éveilla pas son intérêt. Il se fraya un chemin entre les cages suspendues au plafond, chacune garnie d'une créature exotique d'aspect amical. *Je jouerai avec vous plus tard*, se dit Ender. En fin de compte, il arriva devant une porte sur laquelle des émeraudes étincelantes formaient ces mots :

LE BOUT DU MONDE

Sans même hésiter, il ouvrit la porte et entra.

Il se retrouva sur un étroit rebord, une espèce de plate-forme au flanc d'une falaise dominant un paysage de forêt, mélange de verts profonds et vifs avec des pointes de couleurs automnales, et, çà et là, des taches de terrain dégagé – de petits villages ou des charrues tirées par des bœufs, au loin un château sur une éminence, des nuages chevauchant les courants d'air. Le ciel se révéla le plafond d'une immense caverne, avec des cristaux suspendus telles de brillantes stalactites.

La porte se referma derrière lui ; Ender étudia attentivement la scène. Compte tenu de sa beauté, il se souciait moins de sa survie que d'ordinaire. Peu lui importait, en cet instant, de savoir dans quel jeu il se trouvait. Il avait déniché ce lieu, et le contempler suffisait à son bonheur. Aussi, sans même penser aux conséquences, se décida-t-il à sauter.

Il plongeait à présent en direction d'une rivière bouillonnante entourée de rochers redoutables ; mais dans sa chute un nuage vint s'intercaler entre lui et le sol, le rattrapa et l'emporta au loin. Pour le mener jusqu'à la tour du château et l'y faire entrer par une fenêtre ouverte. Puis il le laissa là, dans une pièce sans porte apparente, avec des baies qui donnaient sur un vide certainement fatal.

Il s'était négligemment jeté d'une saillie quelques instants plus tôt ; cette fois, il hésitait.

La petite carpette étendue devant la cheminée se transforma alors en un long et mince serpent aux dents mauvaises.

« Je suis ta seule échappatoire, fit-il. La mort est ton unique échappatoire. »

Ender était en train de scruter la pièce en quête d'une arme quand l'écran s'obscurcit soudainement. Des mots se mirent à clignoter sur le pourtour du bureau :

PRÉSENTEZ-VOUS IMMÉDIATEMENT
CHEZ VOTRE COMMANDANT.
VOUS ÊTES EN RETARD
VERT VERT MARRON

Furieux, Ender referma son bureau et se rendit au mur des couleurs, où il trouva le ruban vert vert marron. Après l'avoir touché, il suivit les lumières correspondantes qui s'allumaient progressivement devant lui. Les couleurs lui évoquaient celles d'un début d'automne dans le royaume qu'il avait découvert dans le jeu. *Je dois y retourner*, se dit-il. *Le serpent est comme une longue corde ; je peux me laisser descendre le long du mur de la tour et me frayer un chemin à travers cet endroit. On l'appelle peut-être le Bout du Monde parce qu'il représente la fin des jeux, parce que je peux me rendre dans un des villages et y devenir un petit garçon comme les autres, qui travaille, qui s'amuse, sans rien à tuer ni rien pour* me *tuer, en me contentant d'y vivre.*

Alors même que cette idée lui traversait l'esprit, il ne pouvait imaginer en quoi « se contenter de vivre » pouvait bien consister. De toute son existence il ne l'avait jamais fait. Ce qui ne l'empêchait pas de le désirer.

Les armées étaient plus grandes que les groupes de Bleus, de même que leurs casernes. Celles-ci étaient longues et étroites, avec des couchettes des deux côtés ; tellement longues, en fait, qu'on pouvait distinguer la courbure du sol à l'autre extrémité – la roue de l'École de Guerre.

Ender se tenait sur le seuil. Les quelques garçons présents à proximité de la porte lui jetèrent un coup d'œil, mais ils étaient plus vieux, et firent comme s'ils ne l'avaient pas vu. Ils poursuivaient leurs conversations, allongés ou appuyés contre les couchettes. Ils discutaient des batailles, comme de bien entendu – les grands ne parlaient que de ça. Tous dépassaient aisément Ender en taille. Il se sentait minuscule à côté de ces petits hommes de dix ou onze ans ; même les plus jeunes avaient au moins huit ans, et le cadet des Wiggin n'était pas grand pour son âge.

Il tenta d'identifier leur commandant, mais la plupart portaient quelque chose entre la combinaison flash et ce que les soldats appelaient leur uniforme de nuit – de la peau de la tête aux pieds. Beaucoup avaient sorti leur bureau, mais rares étaient ceux qui étudiaient.

Ender fit un pas dans la salle. Tous les yeux se braquèrent aussitôt sur lui.

« Qu'est-ce que tu veux ? » lui demanda le garçon de la couchette supérieure la plus proche de la porte. C'était le plus grand de tous. Ender l'avait déjà remarqué, un jeune géant affublé de quelques poils épars au menton. « Tu n'es pas une Salamandre.

— Je crois que si, fit Ender. Vert vert marron, c'est bien ça ? J'ai été transféré. » Il lui montra son papier, présumant qu'il s'agissait du gardien de la porte.

Celui-ci tendit la main. Ender le retira juste hors de sa portée. « Je suis censé le donner à Bonzo Madrid. »

Un autre garçon se joignit alors à la conversation, plus petit mais toujours plus grand qu'Ender. « Pas bahn-zou, tête de nœud. C'est un nom espagnol. Bonzo Madrid. *Aquí hablamos español, Señor Gran Fedor.*

— Tu dois donc être Bonzo. » Ender avait pris soin de prononcer le nom correctement.

« Non, rien qu'une polyglotte extrêmement talentueuse. Petra Arkanian. La seule fille de l'Armée de la Salamandre. Avec plus de couilles que quiconque dans cette pièce.

— Maman Petra n'arrête pas de parler, fit un des garçons. Elle parle, elle parle, elle n'arrête jamais. »

Un autre suivit le mouvement : « Pour dire des conneries, des conneries, des conneries ! »

Rire quasi général.

« Juste entre toi et moi, fit Petra, si quelqu'un faisait don d'une poire à lavement à l'École de Guerre, il lui collerait dessus une étiquette vert vert marron. »

Ender désespérait. Il n'avait déjà rien pour lui – terriblement sous-entraîné, petit, inexpérimenté, condamné à s'attirer le ressentiment en raison de son avancement précoce. Et voilà que, par le plus grand des hasards, il s'était lié d'amitié avec la pire des personnes possibles dans sa situation. Au ban des Salamandres, Petra venait de lui être associée dans l'esprit du reste de l'armée. Il n'avait pas perdu sa journée. L'espace d'un instant, alors qu'il observait les visages moqueurs autour de lui, Ender s'imagina leurs corps recouverts de poils, leurs dents pointues prêtes à déchiqueter tout ce qui passerait à leur portée. *Est-ce que je suis le seul être humain dans le coin ? Les autres sont-ils donc tous des animaux n'attendant qu'une chose, dévorer leurs congénères ?*

Puis il se souvint d'Alai. Dans chaque armée, il y avait forcément au moins une personne qui valait la peine d'être connue.

Soudain, bien que personne dans le groupe n'ait demandé le calme, les rires cessèrent et tout le monde se tut. Ender se tourna vers la porte. Un garçon se tenait là, grand et mince, avec de beaux yeux noirs et des lèvres fines qui suggéraient le raffinement. *Je n'aurais aucun mal à suivre un type aussi charismatique*, se dit Ender. *Je verrais ce que voient ces yeux.*

« Ton nom ? lui demanda le garçon d'une voix égale.

— Ender Wiggin, Commandant. Bleu réaffecté à l'Armée de la Salamandre. » Il tendit ses ordres.

Le garçon prit le papier d'un geste assuré, sans toucher la main d'Ender. « Quel âge as-tu, Wiggin ?

— Presque sept ans. »

— Je t'ai demandé quel âge tu as, pas l'âge que tu as presque, lui fit remarquer l'officier toujours aussi calmement.

— J'ai six ans, neuf mois et douze jours.

— Depuis combien de temps t'exerces-tu en salle de combat ?

— Quelques mois. Mon tir s'améliore.

— Un minimum d'entraînement aux manœuvres ? Tu as déjà fait partie d'une cohorte ? Participé à un exercice commun ? »

Ender n'avait jamais entendu parler de pareilles choses. Il secoua la tête.

Madrid le regarda droit dans les yeux. « Je vois. Tu ne vas pas tarder à t'en rendre compte, les officiers en charge de cette école, le Major Anderson surtout – c'est lui qui gère le jeu –, adorent nous faire des niches. L'Armée de la Salamandre commence à peine à sortir d'une période d'obscurité scandaleuse. Nous avons remporté douze de nos vingt dernières parties. Nous avons vaincu les Rats, les Scorpions et les Chiens, et nous allons bientôt pouvoir viser la tête du classement. Et voilà qu'on me donne un spécimen de sous-développement inutile et sans entraînement. Une nullité comme toi. Classique. »

D'une voix tranquille, Petra intervint : « Il n'est pas ravi de faire ta connaissance.

— La ferme, Arkanian, fit Madrid. Comme si un seul problème ne nous suffisait pas. Mais peu importent les obstacles que nos officiers jugent bon de placer en travers de notre route, nous sommes toujours…

— Les Salamandres ! » hurlèrent les soldats d'une seule voix.

La perception qu'avait Ender de ces événements se transforma instinctivement. Il y avait là une structure, un rituel. Madrid ne cherchait pas à le blesser, seulement à garder prise sur un épisode inattendu – tout en profitant de lui pour renforcer son contrôle sur son armée.

« Nous sommes le feu qui va les consumer, ventre et tripes, tête et cœur ; maintes flammes nous sommes, mais un seul feu.

— Salamandres ! hurlèrent-ils de plus belle.

— Même celui-là ne faiblira pas. »

Ender se laissa un instant aller à espérer. « Je travaillerai dur et j'apprendrai vite.

— Je ne t'ai pas donné la permission de parler, lui répondit Madrid. J'ai l'intention de t'échanger aussi vite que possible. Ça m'obligera sans doute à abandonner quelqu'un de valable en même temps que toi, mais vu ton âge tu es pire qu'inutile. Un congelé de plus dans chaque bataille, c'est tout ce que tu seras inévitablement, alors que nous n'en sommes pas au point où chaque soldat perdu fait une différence au classement. Rien de personnel, Wiggin, mais je suis sûr que tu peux t'entraîner aux dépens de quelqu'un d'autre.

— Il a un cœur d'or », dit Petra.

Madrid s'approcha de la fille et lui gifla le visage du dos de la main. Un coup presque silencieux, car seuls ses ongles l'avaient touchée. Mais quatre traînées rouges zébraient sa joue à présent, et de petits aiguillons de sang marquaient l'endroit où le bout des doigts avait frappé.

« Voilà tes instructions, Wiggin. J'espère que c'est la dernière fois que j'aurai à t'adresser la parole. Tu resteras à l'écart quand nous nous entraînerons en salle de combat. Ta présence est requise, bien entendu, mais tu n'appartiendras à aucune cohorte et tu ne prendras pas part à la moindre manœuvre. Quand on nous appellera pour une bataille, tu t'habilleras aussi vite que les autres et tu te présenteras à la porte avec eux. Mais tu attendras quatre minutes de combat avant de la passer ; ensuite, tu resteras à la porte, sans dégainer ton arme, le temps que la partie prenne fin. »

Ender hocha la tête. Ainsi donc il serait un moins que rien. Il espérait que l'échange ne tarderait pas.

Il avait aussi remarqué que Petra n'avait pas poussé le moindre cri de douleur, ou même touché sa joue, alors qu'une goutte de sang avait perlé et coulé jusqu'à sa mâchoire. Peut-être était-elle un paria, mais, comme Bonzo Madrid n'allait de toute façon pas devenir l'ami d'Ender, il avait tout intérêt à fraterniser avec elle.

On lui assigna une couchette au fin fond de la pièce. Une couchette supérieure, de sorte qu'il ne pouvait même pas voir la porte lorsqu'il était allongé – la courbe du plafond la dissimulait à ses yeux. Il y avait d'autres garçons près de lui, l'air triste, fatigué – les moins appréciés. Aucun n'eut le moindre mot pour lui souhaiter la bienvenue.

Il essaya d'ouvrir son casier, mais rien ne se produisit. Il se rendit alors compte que les placards n'étaient pas sécurisés. Chacun comportait un anneau pour tirer sur sa porte. Ender ne bénéficierait donc plus d'une once d'intimité maintenant qu'il se trouvait dans une armée.

Il y avait un uniforme dans le placard. Non pas vert pâle comme celui des Bleus, mais vert foncé bordé d'orange – les couleurs de l'Armée de la Salamandre. Il ne lui allait pas bien. Mais bon, ils n'avaient sans doute jamais eu à équiper un enfant aussi jeune.

Il commençait à l'enlever quand il remarqua que Petra descendait l'allée en direction de sa couchette. Il se laissa glisser sur le sol pour l'accueillir.

« Détends-toi, dit-elle. Je ne suis pas un officier.

— Tu es chef de cohorte, n'est-ce pas ? »

Quelqu'un pouffa de rire à proximité.

« D'où sors-tu une idée pareille, Wiggin ?

— Tu as une couchette à l'avant.

— J'ai une couchette à l'avant parce que je suis la meilleure tireuse d'élite de l'Armée de la Salamandre, et parce que Bonzo a peur que je déclenche une révolution si les chefs de cohorte ne gardent pas un œil sur moi. Comme si je pouvais déclencher quoi que ce soit avec des garçons comme *ceux-là*. » D'un coup de menton, elle désigna les visages tristes des couchettes voisines.

Que cherchait-elle à faire ? Empirer une situation déjà pénible ? « Tout le monde me surpasse, dit Ender dans l'espoir de se dissocier du mépris qu'elle manifestait à l'égard des garçons qui, après tout, allaient être ses camarades de chambrée.

— Je suis une fille, fit-elle, et toi un pisseur de six ans. Nous avons tellement en commun, pourquoi ne pas devenir amis ?

— Ne compte pas sur moi pour faire tes devoirs », dit-il.

Elle mit quelques instants à comprendre qu'il s'agissait d'une plaisanterie. « Ha, fit-elle. Tout est si *militaire* quand on est dans le jeu. L'école ne veut pas dire pour nous la même chose que pour les Bleus. Histoire, stratégie, tactique, doryphores, maths, étoiles, tout ce dont on aura besoin pour piloter ou commander. Tu verras.

— Donc tu es mon amie. Ça me rapporte quelque chose ? » Ender imitait volontairement l'assurance de son phrasé, comme si tout était égal aux yeux de la jeune fille.

« Bonzo ne va pas te laisser t'entraîner. Il va t'obliger à emporter ton bureau dans la salle de combat pour étudier. Il a raison, dans un sens – il ne va pas laisser un gosse complètement inexpérimenté foutre en l'air ses manœuvres de précision. (Elle passa alors au giria, l'argot qui imitait le mauvais anglais des gens sans éducation.) Bonzo, lui pré-*cis*. Lui si *soigneux* qu'y pisse dans une assiette sans jamais faire d'éclaboussures. »

Ender sourit.

« La salle de combat reste ouverte tout le temps. Si tu veux, je t'y emmènerai en dehors des heures d'ouverture et je te montrerai quelques-uns de mes tours. Je ne suis peut-être pas un grand soldat, mais je ne me débrouille pas si mal que ça – mieux que toi, en tout cas.

— Si tu veux, acquiesça Ender.

— On commence demain matin, après le petit déjeuner.

— Et si quelqu'un se sert de la salle ? Mon groupe y allait toujours juste après le petit déjeuner.

— Aucun problème. En réalité, il y a neuf salles de combat.

— J'ignorais qu'il y en avait d'autres.

— Elles ont toutes la même entrée. Tout le centre de l'école, le moyeu de la roue, accueille des salles de combat. Elles ne tournent pas avec le reste de la station. C'est comme ça qu'ils créent l'apesanteur. Pas de rotation, pas de bas. Mais ils peuvent faire en sorte que chacune d'entre elles donne sur le couloir d'entrée de celle que nous utilisons tous. Une fois qu'on se trouve à l'intérieur, ils font avancer l'ensemble pour mettre une autre salle en position.

— Ah.

— Je te l'ai dit. Juste après le petit déjeuner.

— Parfait. »

La jeune fille commença à s'éloigner.

« Petra », fit-il.

Elle se retourna.

« Merci. »

Sans rien répondre, elle fit de nouveau demi-tour et descendit l'allée.

Ender remonta dans sa couchette et termina d'ôter son uniforme. Étendu sur son lit dans le plus simple appareil, il se mit à griffonner sur son nouveau bureau pour voir si on avait touché à ses codes d'accès. Comme de bien entendu, son système de sécurité avait été supprimé. Il ne pouvait posséder quoi que ce soit ici, pas même son bureau.

Les lumières baissèrent légèrement. L'heure du coucher approchait. Ender ignorait quelle salle de bains utiliser.

« Prends à gauche après la porte, lui dit son voisin de chambrée. Nous la partageons avec les Rats, les Condors et les Écureuils. »

Après l'avoir remercié, Ender commença à s'éloigner.

« Hé ! fit le garçon. Tu ne peux pas y aller comme ça. L'uniforme est constamment requis à l'extérieur de cette salle.

— Même pour aller aux toilettes ?

— *Surtout* pour aller aux toilettes. Et tu n'as pas le droit de parler à quiconque des autres armées. Pendant les repas ou aux toilettes. On peut parfois se rendre en salle de jeux avec, et bien sûr chaque fois les profs t'ordonnent de le mettre. Mais si Bonzo t'attrape, t'es mort, OK ?

— Merci.

— Et, euh, Bonzo ne supporte pas qu'on se déshabille devant Petra.

— Elle était nue quand je suis arrivé, non ?

— Elle fait ce qu'elle veut, mais toi tu gardes tes fringues. Ordres de Bonzo. »

C'était stupide. Petra ressemblait de toute façon à un garçon. Ça la tenait à l'écart, la rendait différente, ça créait un schisme dans l'armée. Stupide, stupide. Comment Bonzo avait-il fait pour être nommé commandant avec aussi peu de jugeote ? Alai l'aurait surpassé haut la main. Il savait comment maintenir la cohésion d'un groupe.

Et moi aussi je sais le faire, se dit Ender. *Je deviendrai peut-être commandant un de ces jours.*

Il était en train de se laver les mains dans la salle de bains quand quelqu'un lui adressa la parole : « Hé, on fait porter des uniformes de Salamandres à des bébés maintenant ? »

Ender ne répondit pas. Il se concentra sur le séchage de ses mains.

« Hé, regardez ! Les Salamandres les prennent tous bébés maintenant ! Regardez-moi ça ! Il pourrait me passer entre les jambes sans même me toucher les couilles !

— Pasque t'en as pas, Dink, voilà pourquoi », fit un autre.

Alors qu'il sortait de la pièce, Ender entendit quelqu'un dire : « C'est Wiggin. Vous savez, le petit bêcheur de la salle de jeux. »

Il descendit le couloir un sourire aux lèvres. Il était peut-être petit, mais ils connaissaient son nom. À cause de ses exploits en salle de jeux, bien sûr, de sorte que ça n'avait guère d'importance. Mais ils allaient voir. Lui aussi deviendrait un bon soldat. Tous ne tarderaient pas à connaître son nom. Peut-être pas immédiatement au sein de l'Armée de la Salamandre, mais ça viendrait.

Petra l'attendait dans le couloir qui menait à la salle de combat. « Attends une minute. L'Armée du Lapin vient d'entrer, et ça prend quelques minutes pour passer à la suivante. »

Ender s'assit auprès d'elle. « Les salles de combats ne se résument pas au simple fait de passer de l'une à l'autre, dit-il. Par exemple, pourquoi y a-t-il de la pesanteur dans le couloir juste avant l'entrée ? »

Petra ferma les yeux. « Et si les salles de combat sont vraiment en apesanteur, qu'est-ce qui se passe quand l'une est connectée ? Pourquoi ne suit-elle pas la rotation de l'école ? »

Ender hocha la tête.

« Ça fait partie des mystères, soupira la jeune fille. N'essaie pas d'y mettre ton nez. Un truc horrible est arrivé au dernier soldat qui s'y est essayé. On l'a découvert pendu par les pieds au plafond d'une salle de bains, la tête enfoncée dans une cuvette. »

Elle plaisantait, bien évidemment, mais le message était clair. « Je ne suis donc pas le premier à poser la question.

— Rappelle-toi bien ce que je vais te dire, gamin. » Sa façon de prononcer *gamin* avait eu quelque chose d'amical, sans le moindre mépris. « Ils ne te disent jamais plus de vérité que nécessaire. Mais le premier gosse venu avec un minimum de cervelle sait que la science a fait des progrès depuis l'époque de Mazer Rackham et de la Flotte Victorieuse. À l'évidence, on sait à présent contrôler la pesanteur. La créer et la supprimer, changer son orientation, peut-être même la renvoyer… j'ai pensé à plein de trucs super à faire avec des armes ou des vaisseaux conçus pour l'utiliser. Et imagine à quel point ça faciliterait la navigation à proximité d'une planète. Sans compter qu'on arriverait peut-être à en arracher de gros morceaux en retournant sa propre gravité contre elle-même, en la concentrant sur un point plus petit. Mais personne n'en parle jamais. »

Ender comprenait ses sous-entendus. Manipuler la pesanteur était une chose ; les duperies des officiers en étaient une autre ; mais le message le plus important était ceci : ce sont les adultes nos ennemis, pas les autres armées. Ils ne nous disent pas la vérité.

« Suis-moi, gamin. La salle de combat est parée. Les mains de Petra sont assurées. L'ennemi est meurtrier. (Elle gloussa.) On m'appelle Petra la poétesse.

— On dit aussi que tu es plus cinglée qu'un pygargue.

— Mieux vaux les croire, petit cul. » Elle avait dix ballons-cibles dans un sac. Ender tenait sa combinaison d'une main et la paroi de l'autre, pour la stabiliser tandis qu'elle les lançait vigoureusement dans diverses directions. L'apesanteur les faisait rebondir au hasard. « Lâche-moi », dit-elle avant d'aussitôt filer en tournant délibérément sur elle-même ; quelques mouvements habiles lui permirent de consolider sa position, après quoi elle se mit à soigneusement viser une balle après l'autre. Leur couleur passait du blanc au rouge lorsqu'elles étaient touchées. Ender savait que ce changement durait moins de deux minutes. Une seule était redevenue blanche quand Petra eut atteint la dernière.

Elle rebondit avec précision sur un mur, pour revenir à pleine vitesse vers Ender. Celui-ci la rattrapa pour l'empêcher de repartir – une des premières techniques qu'on apprenait aux Bleus.

« Tu es douée, fit-il.

— Y a pas meilleur. Et je compte bien t'enseigner la méthode. »

Petra lui apprit à tenir le bras droit afin qu'il s'en serve en totalité pour viser. « Ce que presque aucun soldat ne comprend, c'est que plus on se trouve loin de la cible, plus longtemps il faut maintenir le rayon dans un cercle de deux centimètres. Ça fait une différence d'un dixième à une demi-seconde, mais c'est loin d'être négligeable au combat. Beaucoup de soldats croient avoir manqué leur coup alors qu'ils tiraient droit sur la cible – juste pas assez longtemps. On ne peut donc pas utiliser un pistolet comme une épée, hop hop on-les-coupe-en-deux. Il faut viser. » Elle utilisa le ramasseur de balles pour ramener les cibles, puis entreprit de les lancer lentement, une par une. Ender essaya de leur tirer dessus. Il les manqua toutes. « Bien, fit-elle. Tu n'as pas eu le temps de prendre de mauvaises habitudes.

— Je n'en ai pas non plus pris de bonnes, lui fit-il remarquer.

— J'en fais mon affaire. »

Cette première matinée ne fut pas très productive. Elle consista principalement en discussions. Comment réfléchir tout en visant. Comment garder à l'esprit tant ses propres mouvements que ceux de l'adversaire au moment du tir. Comment maintenir le bras tendu et viser avec le corps pour pouvoir continuer à faire feu si jamais on se retrouve à moitié congelé. Comment maîtriser le jeu de la détente pour gagner du temps entre chaque tir. Comment conserver le corps décontracté, éviter toute crispation qui fasse trembler.

Ce fut le seul entraînement qu'Ender reçut ce jour-là. Pour l'instruction militaire de l'après-midi, on lui ordonna d'emporter son bureau et de faire ses devoirs, assis dans un coin de la salle de combat. Bonzo devait y emmener tous ses hommes, mais rien ne l'obligeait à les faire participer.

Ender ne fit pourtant pas ses devoirs. Si on l'empêchait de s'exercer comme un soldat, il pouvait toujours étudier les qualités de tacticien de Bonzo. L'Armée de la Salamandre suivait l'organisation standard, quatre cohortes de dix soldats chacune. Certains commandants agençaient les leurs de telle manière que la cohorte A se compose des meilleurs garçons et la D, des pires. Bonzo avait préféré panacher, pour que chacune accueille de bons et de moins bons soldats.

Sauf que la cohorte B ne comprenait que neuf hommes. Ender se demanda qui avait été transféré pour lui faire une place. Pour vite se rendre compte que le chef de la B était nouveau. Pas étonnant que Bonzo soit à ce point dégoûté – il avait perdu un chef de cohorte pour l'admettre.

Et Bonzo avait raison sur un second point. Ender n'était pas prêt. Tout l'entraînement fut consacré à la maîtrise des manœuvres. Indépendamment les unes des autres, les cohortes s'exerçaient à accomplir des opérations de précision selon un chronométrage rigoureux ; à s'appuyer sur les autres pour effectuer de brusques changements de direction sans rompre leur formation. Tous les soldats tenaient pour acquises des compétences qu'Ender ne possédait pas. L'aptitude à atterrir en douceur en absorbant l'essentiel du choc. À conserver une trajectoire parfaite. À la modifier en utilisant les garçons congelés qui flottaient au hasard dans la salle. Tonneaux, vrilles, esquives. Glissade le long des murs – une manœuvre extrêmement difficile, mais des plus précieuse puisqu'elle empêchait l'ennemi de vous prendre à revers.

Alors même qu'Ender prenait conscience de tout ce qu'il ignorait, il voyait aussi des choses qu'il pouvait améliorer. Répéter trop souvent les formations lui semblait être une erreur. Ça permettait aux soldats d'obéir instantanément aux ordres, mais ça les rendait également prévisibles. Et ne laissait que fort peu de place aux initiatives personnelles. Une fois le schéma établi, ils le suivaient jusqu'au bout. Sans pouvoir s'adapter aux actions de l'ennemi contre la formation. Ender étudiait celles de Bonzo comme l'aurait fait un commandant hostile, à l'affût de manières de les désorganiser.

Pendant leur temps libre, ce soir-là, Ender alla proposer à Petra de s'entraîner avec lui.

« Non, lui répondit-elle. Si je veux devenir un jour commandant, il faut que je me montre en salle de jeux. » L'idée était largement répandue que les professeurs enregistraient les parties pour repérer des commandants potentiels. Ender en doutait, cependant. Les chefs de cohorte avaient de meilleures chances de montrer de quoi ils étaient capables que n'importe quel joueur.

Mais il garda ses réflexions pour lui. L'entraînement d'après petit déjeuner lui semblait déjà suffisamment généreux. Quand bien même, il devait s'exercer. Et il ne pouvait le faire seul, à part pour quelques techniques de base. Presque toutes les choses compliquées requéraient des partenaires ou des équipes. Si seulement il avait encore eu Alai ou Shen à ses côtés.

Eh bien, *qu'est-ce* qui l'empêchait de s'entraîner avec eux ? Si Ender n'avait jamais entendu parler de soldats s'exerçant avec des Bleus, il n'existait aucune règle qui l'interdisait. Ça ne se faisait pas, voilà tout ; les Bleus étaient tenus en piètre estime. Mais de toute façon on n'avait jamais cessé de le traiter comme tel. Il avait besoin de gens pour s'entraîner avec lui, et en échange il pourrait les aider à apprendre certaines des choses qu'il voyait les grands réaliser.

« Hé, le grand soldat est de retour ! » s'exclama Bernard. Ender se tenait sur le seuil de son ancien dortoir. Il ne l'avait quitté que la veille, mais l'endroit lui paraissait déjà étranger, tout comme le groupe qui était arrivé avec lui. Il faillit faire demi-tour. Mais il y avait Alai, qui avait fait de leur amitié quelque chose de sacré. Alai n'était pas un étranger.

Ender ne fit aucun effort pour lui dissimuler de quelle manière on le traitait au sein l'Armée de la Salamandre. « Et ils ont raison. Je suis à peu près aussi utile qu'un éternuement dans une combinaison spatiale. » Alai éclata de rire, ce qui incita d'autres Bleus à se rassembler autour d'eux. Ender fit sa proposition : un entraînement supplémentaire chaque jour en salle de combat, sous sa direction. Ils apprendraient des batailles qu'Ender allait livrer avec son armée ; il tirerait de sa propre pratique les enseignements nécessaires pour développer leurs aptitudes au combat. « Nous nous préparerons ensemble. »

Beaucoup de garçons voulaient aussi venir. « Bien sûr, dit Ender. Si vous venez pour travailler. Si c'est juste pour glander, je vous vire. Je n'ai pas de temps à perdre. »

Et ils n'en perdirent pas. Ender ne se révéla pas très doué pour leur décrire ce qu'il avait vu et mettre au point des méthodes pour le reproduire. Mais ça ne les empêcha pas pour autant d'accomplir quelques progrès avant la fin du temps libre. Ils étaient fatigués, mais ils prenaient le tour de main pour exécuter certaines techniques.

« Où étais-tu ? » lui demanda Bonzo.

Ender se tenait raide devant la couchette de son commandant. « Je m'entraînais dans la salle de combat.

— J'ai entendu dire que tu avais des Bleus de ton ancien groupe avec toi.

— Je ne pouvais pas m'entraîner seul.

— Je ne laisserai pas les soldats de l'Armée de la Salamandre traîner avec des Bleus. Tu es un soldat à présent. »

Ender l'observa sans mot dire.

« Tu m'as bien compris, Wiggin ?

— Oui, Commandant.

— Plus d'entraînement avec ces petits glandeurs.

— Puis-je vous parler à titre privé ? » lui demanda Ender.

C'était une requête à laquelle les commandants étaient enjoints d'accéder. Le visage de Bonzo s'empourpra de colère tandis qu'il entraînait Ender dans le couloir. « Écoute, Wiggin, je ne veux pas de toi, j'essaie de me *débarrasser* de toi. Ne me pose pas de problèmes ou je t'écrase contre un mur. »

Un bon commandant n'a pas besoin d'en passer par des menaces stupides, se dit Ender.

Son silence agaçait de plus en plus Bonzo. « Bon, tu m'as demandé de te suivre, alors parle maintenant.

— Commandant, vous aviez raison de ne pas me mettre dans une cohorte. Je ne sais rien faire du tout.

— Je n'ai pas besoin de toi pour me dire quand j'ai raison.

— Mais je vais devenir un bon soldat. Je ne bousillerai pas vos manœuvres, seulement je compte bien m'entraîner malgré tout, et je vais le faire avec les seules personnes qui acceptent de se joindre à moi – à savoir mon groupe de Bleus.

— Tu feras ce que je te dis de faire, espèce de petit connard.

— Tout à fait, Commandant. J'exécuterai tous les ordres que vous êtes autorisé à me donner. Mais le temps libre est *libre*. Aucun ordre ne peut y être donné. Aucun. De quiconque. »

Il pouvait voir la colère de Bonzo se transformer en fureur. Et la fureur était mauvaise conseillère. Ender maîtrisait la sienne de manière à pouvoir l'utiliser. Bonzo ne faisait que la *subir*.

« Commandant, je dois aussi penser à ma propre carrière. Je ne me mêlerai ni de vos exercices ni de vos batailles, mais il faut bien que j'apprenne quelque chose. Je n'ai pas demandé à faire partie de votre armée, vous allez essayer de m'échanger aussi rapidement que possible. Mais personne ne me prendra si je ne sais rien faire, pas vrai ? Me laisser faire vous débarrasserait d'autant plus vite de moi, sans compter que ça vous ajouterait un soldat vraiment utilisable. »

Bonzo n'était pas stupide au point de laisser la colère l'empêcher de reconnaître du bon sens quand celui-ci lui parvenait aux oreilles. Mais il ne pouvait y renoncer si facilement. « Tu m'obéiras aussi longtemps que tu resteras dans l'Armée de la Salamandre.

— Si vous tentez de contrôler mon temps libre, je peux vous faire congeler. »

Ce n'était sans doute pas vrai. Mais ça restait possible. Si Ender commençait à faire des histoires à ce sujet, une intrusion dans le temps libre pouvait théoriquement coûter à Bonzo son poste de commandant. Sans compter le fait que les officiers voyaient manifestement quelque potentiel en Ender, puisqu'ils l'avaient promu. Peut-être *avait-il* suffisamment d'influence sur les professeurs pour faire mettre quelqu'un au frigo. « Espèce de salaud, fit Bonzo.

— Ce n'est pas ma faute si vous m'avez donné cet ordre devant tout le monde, contra Ender. Mais si vous voulez, je leur laisserai entendre que vous avez eu le dernier mot. Comme ça, vous pourrez me dire que vous avez changé d'avis demain matin.

— Je n'ai pas besoin de toi pour savoir ce que j'ai à faire.

— Je ne veux pas que les autres pensent que vous êtes revenu sur votre position. Ça saperait une partie de votre autorité. »

Bonzo le haïssait pour ça, pour sa gentillesse. Ender avait du mal à comprendre pourquoi. Peut-être parce que ça lui donnait l'impression que le jeune Wiggin lui accordait son commandement comme une faveur. Mais il ne pouvait s'en prendre qu'à lui-même, *il* avait donné à Ender un ordre déraisonnable. Quand bien même, tout ce qu'il retiendrait c'était que Wiggin l'avait battu, et qu'il retournait le couteau dans la plaie en se montrant magnanime.

« Un de ces jours, Ender, je me paierai ton cul, fit Bonzo.

— Probablement. » La sonnerie de l'extinction des feux retentit alors. Ender regagna le dortoir en arborant un air abattu. Vaincu. Furieux. Les autres en tirèrent l'évidente conclusion.

Et, au matin, alors qu'Ender partait prendre son petit déjeuner, Bonzo fit en sorte de se trouver sur son chemin. « J'ai changé d'avis, moustique, lui dit-il d'une voix forte. Peut-être qu'en t'entraînant avec tes Bleus tu vas finir par apprendre quelque chose, ce qui me permettra de t'échanger plus facilement. Tout est bon pour me débarrasser de toi plus rapidement.

— Merci, Commandant, dit Ender.

— N'importe quoi, murmura Bonzo. J'espère que tu seras congelé. »

Ender lui adressa un sourire reconnaissant et quitta la pièce. Il retourna s'entraîner avec Petra après le petit déjeuner. Tout l'après-midi, il observa les manœuvres de Bonzo en imaginant des moyens d'anéantir son armée. Pendant le temps libre, son propre groupe s'exerça jusqu'à l'épuisement. *Je peux y arriver*, se disait-il allongé sur son lit, tandis que ses muscles palpitants se dénouaient. *Je peux le faire.*

L'Armée de la Salamandre livra une bataille quatre jours plus tard. Ender resta en retrait des vrais soldats qui arpentaient au petit trot les couloirs menant à la salle de combat. Il y avait deux rubans le long des murs, le vert vert marron des Salamandres et le noir blanc noir des Condors. Le couloir se divisa lorsqu'ils atteignirent l'emplacement habituel de la salle, le vert vert marron continuant à gauche et le noir blanc noir à droite. Encore une ultime courbe à droite, puis l'armée s'immobilisa devant un mur vierge.

Les cohortes se formèrent en silence. Ender restait derrière eux. Bonzo était en train de leur donner ses instructions : « A prend les poignées pour monter. B à gauche, C à droite, D en bas. » Après s'être assuré de la bonne orientation des cohortes, il ajouta : « Quant à toi, moustique, tu vas attendre quatre minutes avant de franchir la porte – et ne pas t'en éloigner. Ne te donne pas la peine de sortir ton pistolet de ta combinaison. »

Ender hocha la tête. Le mur derrière Bonzo devint soudain transparent. Il ne s'agissait donc pas d'une paroi, mais d'un champ de force. La salle de combat était différente, elle aussi. D'énormes caisses marron étaient suspendues dans les airs, leur bouchant partiellement la vue. Voilà donc à quoi ressemblaient les obstacles qu'on appelait des *étoiles*. On les avait apparemment réparties au hasard. Bonzo ne paraissait pas se soucier de leur disposition. Les soldats semblaient déjà savoir comment s'y prendre avec elles.

Mais Ender eut tôt fait de comprendre, assis comme il l'était à regarder la bataille depuis le couloir, qu'il n'en était rien. Ils savaient effectivement se poser en douceur dessus et s'en servir pour se couvrir – la tactique standard d'abordage d'une étoile tenue par l'ennemi. Mais ils ne faisaient montre d'aucune clairvoyance quant à celles qui comptaient *vraiment*. Ils persistaient à en prendre d'assaut certaines qu'ils auraient pu contourner en glissant contre la paroi pour poursuivre leur progression.

L'autre commandant était en train de tirer profit de la négligence stratégique de Bonzo. L'Armée du Condor forçait les Salamandres à effectuer des attaques coûteuses. De moins en moins de camarades d'Ender restaient en état de se lancer à l'assaut de l'étoile suivante. Au bout d'à peine quatre minutes, il était clair que les Salamandres ne parviendraient pas à vaincre l'ennemi ainsi.

Ender fit un pas à travers l'entrée, et se mit aussitôt à doucement flotter vers le bas. Les salles de combat dans lesquelles il s'était entraîné avaient toujours leur porte au niveau du sol. Pour les batailles véritables, toutefois, elle était positionnée au milieu de la paroi, à égale distance entre le plafond et le plancher.

Brusquement il sentit qu'il se réorientait, comme il l'avait fait dans la navette. Le bas devint le haut, puis le côté. En apesanteur, rester comme on l'était dans le couloir n'avait plus aucune signification. Rien ne venait indiquer, en regardant les portes parfaitement carrées, dans quelle direction s'était trouvé le haut. Et ça n'avait aucune importance. Car Ender avait eu tôt de s'inventer une orientation qui faisait sens. L'entrée ennemie était en bas. L'objectif du jeu consistait à descendre jusque-là.

Ender effectua des mouvements pour infléchir sa trajectoire. Plutôt que d'avoir les membres écartés, ce qui aurait offert la totalité de son corps au feu ennemi, c'étaient à présent uniquement ses jambes qu'il pointait devant lui. Ce qui faisait de lui une cible beaucoup plus petite.

Quelqu'un le vit – après tout, il dérivait sans but à découvert. Au moment même où il remontait instinctivement les jambes, un tir l'atteignit et il sentit la partie inférieure de sa combinaison se figer dans cette position. Ses bras restaient libres, car si on ne flashait pas directement le corps, seuls les membres touchés congelaient. Il lui vint à l'esprit que s'il avait présenté ses jambes à l'ennemi, ç'aurait bel et bien été son corps qu'ils auraient eu. Et il se serait retrouvé immobilisé.

Vu que Bonzo lui avait ordonné de ne pas sortir son arme, il continua de dériver parfaitement figé, comme si lui aussi avait été congelé. L'ennemi l'ignora, pour concentrer ses tirs sur les soldats qui faisaient feu sur eux. Les combats battaient leur plein, acharnés. Surpassée en nombre désormais, l'Armée de la Salamandre cédait parcimonieusement du terrain. La bataille finit par dégénérer en une douzaine de duels individuels. La discipline de Bonzo se révélait payante, car chaque Salamandre congelé emportait au moins un adversaire avec lui. Personne ne prenait la fuite, personne ne paniquait, tout le monde restait et visait soigneusement.

Petra, en particulier. S'en apercevant, l'Armée du Condor concentra une bonne partie de ses efforts pour la mettre hors de combat. Ils lui flashèrent d'abord son bras de tir, et sa bordée de jurons ne s'interrompit que lorsqu'ils l'eurent complètement congelée et que son casque lui bâillonna la bouche. En quelques minutes, tout fut terminé. L'Armée de la Salamandre n'offrait plus la moindre résistance.

Ender nota avec plaisir que les Condors pouvaient tout juste réunir le minimum de cinq soldats nécessaires à l'obtention de la victoire. Quatre d'entre eux placèrent leur casque contre les points lumineux situés aux quatre coins de la porte des Salamandres, tandis qu'un cinquième passait à travers le champ de force. Ce qui mettait un terme à la partie. Les lumières revinrent à leur intensité maximale, et Anderson émergea de l'entrée des professeurs.

J'aurais pu dégainer, se dit Ender tandis que l'ennemi approchait de la porte. *Si j'avais sorti mon pistolet pour en congeler ne serait-ce qu'un seul, ils n'auraient pas été assez nombreux. On aurait obtenu un match nul. Sans quatre hommes pour toucher les quatre coins et un cinquième pour franchir la porte, les Condors ne l'auraient pas emporté. Bonzo, espèce d'imbécile, j'aurais pu t'éviter cette défaite. Et peut-être même la transformer en victoire, vu qu'ils faisaient des cibles faciles assis là-bas comme ils l'étaient ; il leur aurait été impossible de comprendre tout de suite d'où les rayons provenaient. Je suis assez bon tireur pour ça.*

Mais les ordres étaient les ordres, et Ender avait promis d'obéir. Il retira cependant quelque satisfaction du fait que dans le résultat officiel, l'Armée de la Salamandre comptait non pas quarante et un soldats hors de combat ou éliminés, mais quarante éliminés et un blessé. Bonzo n'en comprit la raison qu'après avoir consulté le livre d'Anderson, qui indiquait de qui il s'agissait. *J'ai seulement été blessé, Bonzo. Je pouvais encore tirer.*

Il s'attendait à ce que Bonzo vienne lui dire : « La prochaine fois, quand ça se passe comme ça, n'hésite pas à tirer. » Mais celui-ci se garda bien de lui parler avant le lendemain matin, après le petit déjeuner. Bonzo prenait ses repas au mess des commandants, comme de bien entendu, mais Ender ne doutait guère que ce résultat bizarre avait dû y faire autant de bruit que dans le réfectoire des soldats. Dans n'importe quelle partie qui ne se terminait pas en nul, tous les membres de l'équipe perdante étaient soit éliminés – totalement congelés –, soit mis hors de combat, ce qui signifiait qu'une fraction de leur corps restait libre, mais qu'ils étaient incapables de tirer ou d'infliger des dommages à l'adversaire. La Salamandre était la seule équipe vaincue avec un homme dans la catégorie « Blessés mais Actifs ».

Ender ne fournit aucune explication, mais les autres Salamandres ne manquèrent pas de faire savoir ce qui s'était passé. Et quand les autres garçons lui demandaient pourquoi il n'avait pas désobéi aux ordres et tiré, il répondait calmement : « J'exécute les ordres. »

Bonzo vint le trouver après le petit déjeuner. « L'ordre tient toujours, Ender. Ne t'avise pas de l'oublier. »

Tu vas le regretter, espèce d'imbécile. Je ne suis peut-être pas un bon soldat, mais je peux quand même me rendre utile et il n'y a aucune raison que tu m'en empêches.

Ender se garda bien de dire quoi que ce soit.

Un effet secondaire intéressant de la bataille fut qu'Ender passa en tête du classement par efficacité des soldats. N'ayant pas effectué le moindre tir, il avait un score parfait en la matière – aucune cible manquée. Et comme il n'avait jamais été éliminé ou mis hors de combat, son pourcentage était excellent. Personne ne s'en approchait – au grand amusement de pas mal de garçons, à la grande colère d'autres. Toujours était-il qu'Ender occupait cette première place tant convoitée.

Il continua d'assister en spectateur aux sessions d'entraînement, et de travailler dur, avec Petra le matin et ses amis en soirée. Il y avait toujours plus de Bleus qui venaient se joindre à eux, et pas pour rigoler, mais – car ils pouvaient en voir les résultats sur leurs aptitudes – ils s'amélioraient constamment. Ender et Alai, toutefois, gardaient de l'avance sur eux. En partie parce qu'Alai ne cessait d'expérimenter de nouvelles choses, ce qui forçait Ender à imaginer des tactiques inédites pour y faire face. En partie parce qu'ils commettaient encore des erreurs stupides, qui leur suggéraient des solutions qu'aucun soldat qui se respecte n'aurait osé essayer. Nombre de leurs tentatives se révélaient en fin de compte inutiles. Mais c'était toujours drôle, toujours excitant, et il y en avait suffisamment qui fonctionnaient pour les encourager à continuer. La soirée était le moment le plus agréable de la journée.

Les Salamandres n'eurent aucun mal à remporter les deux batailles suivantes ; Ender attendit ses quatre minutes avant d'entrer et n'essuya aucun tir de l'ennemi vaincu. Il commença alors à comprendre à quel point l'Armée du Condor, qui les avait battus, était inhabituellement bonne ; les Salamandres, malgré toutes les faiblesses de Bonzo en matière de stratégie, comptaient parmi les meilleures équipes, montant régulièrement au classement, disputant la quatrième position à l'Armée du Rat.

Ender eut sept ans. Il n'y avait guère de place pour les calendriers à l'École de Guerre, mais il avait découvert comment faire apparaître la date sur son bureau et marqué le jour de son anniversaire. L'école s'en rendit compte elle aussi ; on vint prendre ses mesures pour lui fournir un nouvel uniforme de Salamandre, ainsi qu'une nouvelle combinaison flash. Il se sentait bizarre dedans en regagnant les dortoirs ; il les trouvait trop amples, comme si sa propre peau ne lui allait plus correctement.

Il faillit s'arrêter à la couchette de Petra pour lui parler de sa maison, de la manière dont ses anniversaires avaient coutume de se passer ; pour lui dire, tout simplement, que c'était son anniversaire, et pour qu'elle le lui souhaite. Mais personne n'évoquait jamais son propre anniversaire. C'était puéril. Une habitude de rampant.

Rien qu'une tradition stupide. Valentine lui avait fait un gâteau pour ses six ans. Il était retombé, et s'était révélé presque immangeable. Personne ne savait plus faire la cuisine à présent, mais c'était le genre de folie dont Valentine était capable. Tout le monde avait taquiné Valentine à ce sujet, mais Ender en avait préservé un minuscule morceau dans son placard. Puis on lui avait retiré son moniteur et il était parti – pour ce qu'il en savait, un petit tas de poussière jaunâtre et grasse devait toujours s'y trouver. Personne parmi les soldats ne parlait jamais de son foyer ; leur vie *débutait* à l'École de Guerre. Personne ne recevait de lettres, personne n'en écrivait. Chacun faisait comme s'il s'en fichait.

Mais moi je ne m'en fiche pas, songea Ender. *La seule raison de ma présence ici, c'est d'empêcher les doryphores de faire sauter les yeux de Valentine hors de leurs orbites, de lui exploser la tête comme les soldats, dans les vidéos des premières batailles. De lui fendre le crâne avec un rayon tellement brûlant que sa cervelle le fera éclater en gonflant comme de la pâte à pain, comme dans mes pires cauchemars, pendant mes nuits les plus horribles, quand je me réveille tout tremblant mais que je dois garder le silence, sans quoi ils m'entendraient et comprendraient à quel point ma famille me manque. Je veux rentrer chez moi.*

Il se sentait mieux au matin. Le souvenir de son foyer se résumait à une douleur sourde au fin fond de sa mémoire. À une certaine lassitude dans les yeux. Bonzo fit son entrée pendant que les garçons étaient en train de s'habiller. « Combinaisons flash ! » cria-t-il. C'était une bataille. La quatrième partie d'Ender.

L'ennemi était l'Armée du Léopard. Une proie facile. De formation récente – elle n'existait que depuis six mois –, elle restait obstinément dans le dernier quart du classement. Pol Slattery se trouvait à sa tête. Ender passa sa nouvelle combinaison flash et prit sa place dans la file ; Bonzo l'en poussa brutalement et le força à se mettre derrière. *Tu n'étais pas obligé de faire ça*, lui dit mentalement Ender. *Tu aurais pu me laisser tranquille*.

Ender observait la scène depuis le couloir. Pol Slattery était jeune, mais il avait l'esprit vif et plein d'idées neuves. Ses soldats ne cessaient de se mouvoir, filant d'une étoile à l'autre, glissant le long des parois pour contourner ses Salamandres qui demeuraient impassibles. Ender sourit. Pas plus Bonzo que ses hommes ne savaient où poser les yeux, tant les Léopards semblaient s'être multipliés. La bataille n'était toutefois pas aussi inégale qu'il y paraissait. Ender remarqua que l'Armée du Léopard perdait pareillement de nombreux soldats – leur tactique imprudente les exposait énormément. Il n'en restait pas moins que les Salamandres *se sentaient* battus, c'était bien ce qui comptait le plus. L'initiative leur avait totalement échappé. Alors qu'ils faisaient pratiquement jeu égal avec l'ennemi, ils se blottissaient les uns contre les autres comme les derniers survivants de quelque massacre, comme s'ils espéraient que leurs adversaires les oublieraient dans le carnage.

Ender se glissa lentement par la porte, s'orienta de manière à placer l'entrée ennemie vers le bas et se mit à doucement partir vers l'est, en direction d'un coin où personne ne le remarquerait. Il alla même jusqu'à flasher ses propres jambes pour les maintenir dans la position fléchie qui lui offrait le plus de protection. Pour quiconque ne l'aurait pas regardé de près, il ressemblait à n'importe lequel des soldats congelés ayant inexorablement dérivé en dehors de la bataille.

L'Armée de la Salamandre attendait prosaïquement sa destruction, et les Léopards ne se firent pas prier pour la satisfaire. Il leur restait neuf soldats quand leurs adversaires eurent cessé de tirer. Après s'être rassemblés, ils s'apprêtèrent à ouvrir l'entrée des Salamandres.

Ender visa soigneusement, bras tendu comme Petra le lui avait enseigné. Avant que quiconque n'ait compris ce qui se passait, il avait congelé trois des soldats qui étaient sur le point de poser leur casque contre les coins éclairés de la porte. Puis il se fit localiser – mais dans un premier temps les tirs ennemis n'atteignirent que ses jambes déjà congelées. Ça lui donna suffisamment de temps pour éliminer les deux derniers hommes à l'entrée. Le Léopard n'en avait plus que quatre encore actifs quand Ender fut finalement touché au bras et mis hors de combat. La partie se terminait sur un match nul ; quant à lui, personne n'avait réussi à le flasher au corps.

Pol Slattery était furieux, mais il n'y avait rien eu d'irrégulier. Tout le monde dans l'Armée du Léopard supposa que Bonzo avait eu pour stratégie de garder un homme en réserve jusqu'à la dernière minute. Il ne leur vint pas un instant à l'esprit qu'Ender avait pu agir contre les ordres. Mais l'Armée de la Salamandre savait. Bonzo savait, et le jeune Wiggin pouvait dire à la façon dont son commandant le regardait qu'il le haïssait pour lui avoir évité une défaite totale. *Je m'en fiche*, songea Ender. *Cela va faciliter mon transfert, et en attendant tu ne descendras pas trop bas au classement. Échange-moi. J'ai appris tout ce que* tu *seras jamais en mesure de m'enseigner. Comment échouer avec style, c'est tout ce que tu sais faire, Bonzo.*

Qu'est-ce que j'ai *appris jusqu'ici ?* Ender en fit mentalement la liste pendant qu'il se déshabillait à côté de sa couchette. *L'entrée ennemie se trouve en bas. Utiliser mes jambes comme un bouclier au combat. Une petite troupe de réserve peut se révéler cruciale en fin de partie. Et les soldats peuvent parfois prendre des décisions plus intelligentes que les ordres qu'on leur a donnés.*

Il était sur le point de gagner son lit, dans le plus simple appareil, quand il vit Bonzo s'approcher de lui, le visage dur, fermé. *J'ai déjà vu Peter ainsi*, se dit Ender. *Mutique, avec du meurtre plein les yeux. Mais Bonzo n'est pas Peter. Bonzo connaît bien mieux la peur.*

« Wiggin, j'ai fini par t'échanger. J'ai réussi à persuader l'Armée du Rat que ta position incroyable dans la liste d'efficacité n'était pas due au hasard. Tu pars demain matin.

— Merci, Commandant », fit Ender.

Peut-être le ton de sa voix parut-il exagérément reconnaissant. Toujours fut-il que Bonzo lui décocha alors sans crier gare un coup dans la mâchoire du plat de la main. Le choc projeta Ender sur le côté, contre sa couchette, ce qui eut pour effet de le déséquilibrer. Une seconde frappe en plein dans l'estomac le fit tomber à genoux.

« Tu m'as désobéi », dit Bonzo. Haut et fort, pour que tous puissent l'entendre. « Un bon soldat ne désobéit jamais. »

Malgré ses larmes de douleur, Ender ne pouvait s'empêcher de prendre un plaisir vengeur à entendre les murmures qui s'élevaient dans le dortoir. *Tu n'es qu'un imbécile, Bonzo. Au lieu de faire respecter la discipline, tu la détruis. Ils savent que j'ai transformé la défaite en match nul. Et maintenant ils voient comment tu m'en récompenses. Tu n'as eu besoin de personne pour passer pour un idiot devant tout le monde. Qu'est-ce que vaut ta discipline désormais ?*

Le lendemain, Ender alla dire à Petra que pour son propre bien leur séance matinale de tir devait cesser. Bonzo n'était pour l'heure pas prêt à supporter quoi que ce soit qui ressemblait à un acte de défi, aussi ferait-elle mieux de se tenir à l'écart d'Ender pendant quelque temps. Elle comprit parfaitement. « De toute façon, fit-elle, tu es à ça d'être un tireur d'élite. »

Il laissa son bureau et sa combinaison flash dans le casier. Il allait porter l'uniforme des Salamandres jusqu'à ce qu'il puisse passer à l'intendance pour l'échanger contre le marron et noir des Rats. Il n'avait apporté aucun objet personnel ; il n'en emportait aucun. Qu'importe – tout ce qui avait de la valeur se trouvait dans l'ordinateur de l'école, dans sa propre tête ou dans ses mains.

Il utilisa un des bureaux publics de la salle de jeux pour s'inscrire à un cours de corps à corps en pesanteur terrestre ayant lieu durant l'heure qui suivait immédiatement le petit déjeuner. Il ne projetait pas de se venger des coups de Bonzo. Mais il comptait bien se débrouiller pour que personne ne puisse lui refaire une chose pareille.

8

Rat

« Colonel Graff, les jeux ont toujours été gérés équitablement auparavant. Distribution aléatoire ou symétrique des étoiles. »

« L'équité est un attribut merveilleux, Major Anderson. Mais elle n'a rien à voir avec la guerre. »

« Le jeu sera compromis. Les classements ne vont plus avoir la moindre valeur. »

« Hélas. »

« Ça va prendre des mois, des années *pour développer les nouvelles salles de combat et faire fonctionner les simulations. »*

« C'est pour ça que je vous le demande maintenant. Pour que vous vous y mettiez. Soyez créatif. Envisagez tous les arrangements d'étoiles fallacieux, impossibles, injustes qui vous viendront à l'esprit. Envisagez d'autres façons de transgresser les règles. Notification tardive. Forces inégales. Puis faites tourner les simulateurs pour les classer par ordre de difficulté. C'est d'une progression intelligente que nous avons besoin ici. D'une stimulation progressive. »

« Quand comptez-vous le nommer commandant ? Quand il aura huit ans ? »

« Bien sûr que non. Je n'ai même pas encore réuni son armée. »

« Oh, donc vous jouez là-dessus également ? »

« Prenez du recul par rapport au jeu, Anderson. N'oubliez pas que c'est juste un exercice d'entraînement. »

« C'est aussi un statut, une identité, un objectif, un nom ; tout ce qui fait de ces enfants ce qu'ils sont provient de ce jeu. Lorsque sera connu le fait qu'il est possible de manipuler le jeu, de l'altérer, de tricher, c'est toute l'organisation de l'école qui s'effondrera. Je n'exagère pas. »

« Je sais. »

« Eh bien, j'espère qu'Ender Wiggin est vraiment le bon, parce que vous aurez ruiné l'efficacité de nos méthodes d'entraînement pour longtemps. »

« Dans le cas contraire, si l'apogée de sa maestria militaire ne coïncide pas avec l'arrivée de notre flotte à proximité des planètes d'origine des doryphores, leur efficacité n'aura plus guère d'importance. »

« J'espère que vous me pardonnerez, Colonel Graff, mais il est, je crois, de mon devoir de rapporter vos ordres, ainsi que mon opinion sur leurs conséquences, au Strategos et à l'Hégémon. »

« Pourquoi pas à notre cher Polémarque ? »

« Tout le monde sait que vous l'avez dans votre poche. »

« Quelle hostilité, Major Anderson. Moi qui croyais que nous étions amis. »

« Nous le sommes. Et je pense que vous avez peut-être raison à propos d'Ender. C'est juste que j'ai du mal à me faire à l'idée que vous soyez seul à décider du destin du monde. »

« Je ne crois même pas qu'il soit juste que je décide du destin d'Ender Wiggin. »

« Donc ça ne vous dérangera pas si je le leur notifie ? »

« Bien sûr que si, espèce de fouineur ! Cette décision doit revenir à des gens qui savent ce qu'ils font, pas à ces politiciens effrayés qui doivent leur poste à leur influence politique dans leur pays d'origine. »

« Mais vous comprenez pourquoi je le fais. »

« Parce que vous êtes un tel connard bureaucratique sans la moindre vision que vous pensez avoir besoin de vous couvrir au cas où les choses tourneraient mal. Eh *bien, si les choses tournent mal, nous servirons tous de nourriture pour les doryphores. Alors faites-moi confiance, Anderson, et ne me collez pas toute cette fichue Hégémonie sur le dos. Ma mission est déjà suffisamment difficile comme ça. »*

« Oh, quelle injustice. Vous trouvez qu'on vous manipule ? Vous pouvez jouer avec ce gosse, mais vous ne supportez pas qu'on fasse pareil avec vous, c'est ça ? »

« Ender Wiggin est dix fois plus fort et intelligent que moi. Ce que je lui inflige va faire ressortir son génie. Je serais moi-même bien incapable d'endurer ce qu'on lui fait subir. Major Anderson, je sais que je fous le jeu en l'air, et je sais que vous le préférez à n'importe lequel des enfants qui y jouent. Haïssez-moi si vous voulez, mais ne m'arrêtez pas. »

« Je me réserve le droit d'en référer à tout moment à l'Hégémonie et au Strategos. Mais dans l'immédiat faites ce que vous voulez. »

« Comme c'est gentil de votre part. »

« Ender Wiggin, le petit morveux en tête du classement, quel plaisir de t'avoir avec nous. » Le commandant de l'Armée du Rat était vautré sur une couchette inférieure, ne portant pour tout vêtement que son bureau. « Avec toi dans le coin, comment même la pire des armées pourrait-elle perdre ? » Plusieurs des garçons à proximité éclatèrent de rire.

Il n'aurait pu y avoir en ces lieux deux armées plus différentes que la Salamandre et le Rat. La pièce était sens dessus dessous, bruyante. Après Bonzo, Ender avait pensé accueillir avec soulagement une certaine dose d'indiscipline. Au lieu de quoi il découvrait qu'il avait fini par aspirer au silence et à l'ordre ; la désorganisation le mettait mal à l'aise.

« On se débrouille bien, Ender le Der. Moi c'est Ray le Nez, Juif hors du commun, et toi rien d'autre qu'un petit goy, un moustique. T'avise pas de l'oublier. »

Depuis la création de la F.I., le Strategos des forces militaires avait toujours été un Juif. Un mythe voulait qu'un général juif ne perdait jamais de guerre. Et ça restait vrai jusqu'à présent. Aussi tous les Juifs de l'École rêvaient-ils de devenir un jour Strategos, car cela leur conférait un certain prestige dès leur arrivée. Ça éveillait également les jalousies. On surnommait souvent l'Armée du Rat les Forces Youpines – mi par éloge, mi pour parodier celles de Mazer Rackham. Il y en avait beaucoup pour aimer rappeler que pendant la Deuxième Invasion, alors même qu'un Juif américain était Hégémon de l'alliance, qu'un Juif israélien était le Strategos en charge de toute la défense de la F.I., et qu'un Juif russe était Polémarque de la flotte, la flotte des doryphores avait été arrêtée et finalement détruite aux alentours de Saturne par la force de frappe dudit Mazer Rackham, un Néo-Zélandais presque inconnu, un métis maori passé deux fois devant une cour martiale.

Si Mazer Rackham pouvait sauver le monde, qu'on soit ou non juif n'avait pas la moindre importance, avaient coutume de dire les gens.

Mais c'était faux, et Ray le Nez ne l'ignorait pas. Il se moquait de lui-même pour devancer tout commentaire antisémite – presque tous ceux dont il triomphait au combat ne s'en privaient pas, au moins pendant un temps – mais il s'assurait également que personne ne méconnaisse son ascendance. Son armée se trouvait en deuxième position, et lorgnait la première.

« Je t'ai pris, petit goy, parce que je refuse de laisser les gens penser que je gagne uniquement parce que j'ai des bons soldats. Je veux qu'ils sachent que même un soldaillon comme toi ne m'empêche pas de l'emporter. On n'a que trois règles ici : faire ce que je dis et ne pas pisser au lit. »

Ender hocha la tête. Il savait que Ray voulait le forcer à demander en quoi consistait la troisième règle. Ce qu'il fit.

« *C'étaient* les trois règles. On n'est pas très fort en maths, dans le coin. »

Le message était clair. Gagner avait davantage d'importance que quoi que ce soit d'autre.

« Tes séances d'entraînement avec les demi-portions de Bleus sont terminées, Wiggin. Finies. Tu es dans une armée de grands garçons à présent. Je t'assigne à la cohorte de Dink Meeker. À partir de maintenant, Dink Meeker est Dieu pour ce qui te concerne.

— Et qui es-tu dans ce cas ?

— L'officier recruteur qui L'a engagé. » Ray sourit de toutes ses dents. « Et je t'interdis d'utiliser ton bureau avant d'avoir réussi à congeler deux soldats ennemis dans une même bataille. Cet ordre a avant tout vocation à *me* protéger. J'ai entendu dire que tu étais un petit génie de la programmation. Je ne veux pas que tu glandouilles à proximité de mon bureau. »

Tout le monde éclata de rire. Ender mit un moment à comprendre pourquoi. Ray avait programmé son bureau pour qu'il affiche une image plus grande que nature d'organes sexuels masculins, qui s'agitaient d'avant en arrière sur ses cuisses nues. *C'est exactement le genre de commandant avec qui Bonzo m'échangerait*, songea Ender. *Comment un garçon qui perd son temps à de telles bêtises arrive-t-il à remporter des batailles ?*

Il trouva Dink Meeker dans la salle de jeux, occupé à ne rien faire assis dans un coin. « Un type m'a indiqué qui tu étais. Je m'appelle Ender Wiggin.

— Je sais, fit Meeker.

— Je suis dans ta cohorte.

— Je sais, répéta-t-il.

— Je n'ai pas beaucoup d'expérience. »

Dink leva les yeux sur lui. « Écoute, Wiggin, je sais tout ça. Pourquoi crois-tu que j'aie demandé à Ray de t'enrôler ? »

Ender n'avait donc pas été bazardé, il avait été *choisi*, demandé. Meeker le voulait. « Pourquoi ?

— J'ai regardé tes séances d'entraînement avec les Bleus. Je crois que tu as du potentiel. Bonzo est un crétin, et je voulais que tu reçoives un meilleur entraînement que celui que Petra pourrait te prodiguer. Elle ne sait rien faire d'autre que tirer.

— J'avais besoin de faire des progrès en la matière.

— Tu te déplaces encore comme si tu avais peur de pisser dans ton froc.

— Eh bien, apprenez-moi.

— Eh bien, apprends.

— Je ne compte pas m'arrêter de m'entraîner pendant mon temps libre.

— Je ne te l'ai pas demandé.

— Pas vous, mais Ray le Nez l'a fait.

— Ray le Nez ne peut pas t'en empêcher. Tout comme il ne peut pas t'empêcher d'utiliser ton bureau.

— Alors pourquoi me l'a-t-il ordonné ?

— Écoute, Ender, les commandants n'ont pas plus d'autorité que celle que tu leur laisses. Plus tu leur obéis, plus ils ont de pouvoir sur toi.

— Que faire pour les empêcher de me faire du mal ? » Ender se rappelait encore le coup de Bonzo.

« Ce n'est pas pour ça que tu prends des cours de combat à mains nues ?

— Vous m'avez vraiment espionné, pas vrai ? »

Dink ne répondit rien.

« Je ne veux pas que Ray se fâche contre moi. C'est maintenant que je veux participer aux batailles ; je n'en peux plus d'attendre sans rien faire qu'elles soient finies.

— Ton classement va en prendre un coup. »

Cette fois, ce fut le jeune Wiggin qui demeura silencieux.

« Écoute, Ender, aussi longtemps que tu feras partie de ma cohorte, tu participeras aux batailles. »

Wiggin comprit bientôt pourquoi. Dink menait sa cohorte indépendamment du reste de l'Armée du Rat, avec discipline et vigueur ; Ray et lui ne se consultaient jamais, et il était rare que l'intégralité de l'armée manœuvre ensemble. C'était comme si Ray commandait une armée et Dink en dirigeait une autre beaucoup plus petite qui s'avérait s'entraîner en même temps dans la même salle de combat.

Dink entama le premier exercice en demandant à Ender de faire la démonstration de sa position d'attaque les pieds en avant. Ce qui ne plut guère aux autres garçons. « Comment peut-on attaquer couchés sur le dos ? »

À la grande surprise d'Ender, Dink ne les reprit pas, il ne dit pas : « Vous n'attaquez pas sur le dos, vous sautez vers le bas en direction de l'ennemi. » Il avait vu ce que le jeune Wiggin faisait, mais n'avait pas saisi l'orientation que cela impliquait. Ender eut tôt fait de comprendre que, malgré toutes les qualités dont Dink faisait montre, sa persistance à s'en tenir à la même orientation que dans le couloir, plutôt que de décider arbitrairement que l'entrée ennemie se trouvait en bas, imposait des limites à son discernement.

Ils s'exercèrent à attaquer une étoile défendue par l'ennemi. Avant d'essayer la méthode d'Ender, ils l'avaient toujours fait le corps droit, au risque d'en faire une cible facile. Même alors, cependant, ils n'abordaient leurs adversaires que d'un seul côté après avoir atteint l'étoile. « Passez par-dessus ! » leur hurla Dink, ce qu'ils firent aussitôt. À son crédit, néanmoins, lorsqu'il leur fit recommencer cet exercice, il leur cria : « La tête en bas cette fois ! », mais, en raison de leur obstination à s'appuyer sur une pesanteur qui n'existait pas, ça les rendit plus maladroits qu'autre chose, comme s'ils avaient été pris de vertige.

Ils détestaient l'attaque les pieds devant. Dink insistait pour qu'ils l'utilisent. En conséquence de quoi ils détestaient Ender. « Un Bleu ne va quand même pas nous apprendre à combattre ? marmonna l'un d'entre eux, en s'assurant qu'Ender l'entende.

— Si », répondit Dink. Ils se remirent à l'ouvrage.

Et finirent par maîtriser le mouvement. Lors d'escarmouches simulées, ils commencèrent à comprendre à quel point ce genre d'attaque rendait tout tir difficile. Dès qu'ils en furent enfin convaincus, ils s'exercèrent d'autant plus volontiers à cette manœuvre.

Pour la première fois ce soir-là, Ender avait pris part à l'une de ses séances supplémentaires après tout un après-midi de travail. Il était fatigué.

« Tu appartiens à une vraie armée désormais, lui dit Alai. Tu n'as plus à continuer l'entraînement avec nous.

— Tu peux m'enseigner des choses que personne ne sait.

— Dink Meeker est le meilleur. J'ai entendu dire que c'était ton chef de cohorte.

— Alors mettons-nous-y. Je vais vous apprendre ce qu'il m'a montré aujourd'hui. »

Il fit exécuter à une bonne vingtaine de ses camarades, y compris Alai, les mêmes exercices qui l'avaient épuisé tout l'après-midi. Mais en leur apportant sa touche personnelle, les forçant à tester les manœuvres avec une, puis deux jambes congelées, ou bien en se servant de garçons flashés comme points d'appui pour changer de direction.

En plein milieu de l'entraînement, Ender remarqua que Petra et Dink les observaient depuis le seuil de la porte. Ils avaient disparu lorsqu'il regarda de nouveau un peu plus tard.

Alors comme ça, ils me surveillent, ils savent ce que nous faisons ici. Il ignorait si Dink était son ami ; il pensait que Petra l'était, mais rien ne lui permettait d'en jurer. Ils lui reprochaient peut-être de faire ce qui revenait aux seuls commandants et chefs de cohorte – entraîner des soldats. Peut-être s'offusquaient-ils qu'un soldat entretienne des relations aussi étroites avec des Bleus. Ça le mettait mal à l'aise, de se retrouver sous la surveillance de grands.

« Je croyais t'avoir dit de ne pas utiliser ton bureau. » Ray le Nez se tenait devant la couchette d'Ender.

Ender ne leva pas les yeux. « Je finis mon devoir de trigonométrie pour demain. »

Ray donna un coup de genou dans son bureau. « Je t'ai dit de ne pas l'utiliser. »

Ender le posa sur sa couchette et se redressa. « J'ai plus besoin de trigonométrie que de toi. »

Ray mesurait au moins quarante centimètres de plus que lui. Mais ça ne l'inquiétait pas outre mesure. Ça n'en viendrait certainement pas jusqu'à la violence physique – et, dans le cas contraire, Ender pensait pouvoir retenir ses propres coups. Ray était paresseux, il n'y connaissait rien au corps à corps.

« Tu es en train de descendre au classement, mon garçon, fit Ray.

— Je m'y attendais. J'étais en tête uniquement à cause de la façon stupide qu'avait l'Armée de la Salamandre de m'utiliser.

— Stupide ? La stratégie de Bonzo a fait ses preuves lors de quelques jeux clés.

— Elle ne lui permettrait même pas de remporter un combat de salades. Je violais les ordres chaque fois que j'ai fait feu. »

Ray n'en avait rien su. Cela le mit en colère. « Donc tout ce que Bonzo disait à propos de toi était faux. Tu ne te contentes pas d'être petit et incompétent, tu es insubordonné par-dessus le marché.

— Mais j'ai changé une défaite en nul à moi tout seul.

— On verra bien ce que tu feras tout seul la prochaine fois. » Et Ray s'en fut.

Un des camarades de cohorte d'Ender secoua la tête. « Espèce de tête de pioche. »

Le jeune Wiggin se tourna vers Dink, qui griffonnait distraitement sur son bureau. Se rendant compte qu'on l'observait, celui-ci leva la tête et le gratifia d'un regard vide. Sans la moindre expression. *D'accord*, se dit Ender, *je peux m'occuper de moi tout seul.*

Ils livrèrent bataille deux jours plus tard. C'était le premier combat d'Ender comme membre d'une cohorte, ce qui le rendait nerveux. Celle de Dink s'aligna contre le mur de droite ; Ender prenait bien garde à ne pas se pencher, à ne pas laisser son poids l'emporter d'un côté ou de l'autre. À garder l'équilibre.

« Wiggin ! » hurla Ray le Nez.

Ender sentit la terreur s'insinuer en lui depuis la gorge jusqu'au bas-ventre, un picotement de peur qui le fit trembler. Ray s'en aperçut aussitôt.

« On frissonne ? On tremble ? Ne mouille pas ton froc, petit Bleu. » Ray prit la crosse de l'arme d'Ender par un doigt et tira le garçon jusqu'au champ de force qui leur dissimulait la salle de combat. « On va voir de quoi tu es capable *tout de suite*, Ender. Dès que la porte s'ouvre, tu sautes et tu files droit sur la porte ennemie. »

Suicide. Autodestruction inutile, dénuée de sens. Mais il devait exécuter les ordres à présent, c'était une bataille, pas l'école. Un instant durant Ender enragea en silence ; puis il se fit violence pour se calmer. « Excellent, Commandant. Comme ça, mes tirs seront dirigés sur leur contingent principal. »

Ray éclata de rire. « Tu n'auras pas le temps de tirer, moustique. »

La paroi s'effaça. Ender bondit dans les airs, saisit les poignées du plafond et se propulsa vers le bas, en direction de l'entrée ennemie.

C'étaient les Mille-Pattes, qui commençaient à peine à émerger de leur porte quand Ender atteignit le milieu de la salle de combat. Beaucoup d'entre eux parvinrent à se mettre rapidement à couvert derrière des étoiles, mais Ender avait replié les jambes et, son arme coincée entre ses cuisses, en congelait la plupart à mesure qu'ils sortaient.

Ils lui flashèrent les jambes, mais il disposait de trois précieuses secondes avant qu'ils ne puissent toucher son corps et le mettre hors de combat. Il en congela quelques-uns de plus, puis écarta les bras en croix. La main qui tenait le pistolet était pointée en direction du gros des forces des Mille-Pattes. Il eut le temps de faire feu dans la masse compacte de ses adversaires avant qu'ils ne réussissent à s'en défaire.

Une seconde plus tard, il s'écrasait contre le champ de force de la porte ennemie et rebondissait en une folle vrille. Pour atterrir en plein milieu d'un groupe de soldats adverses qui s'étaient postés à couvert derrière une étoile ; quand ceux-ci le repoussèrent, il se mit à tournoyer plus rapidement encore. Il passa le reste de la bataille à rebondir hors de tout contrôle, malgré la friction de l'air qui le ralentissait peu à peu. Il n'avait aucun moyen de déterminer combien d'hommes il avait flashés avant de lui-même succomber, mais le tableau général lui donnait l'impression que l'Armée du Rat était encore en passe de l'emporter, comme d'habitude.

Ray ne lui adressa pas la parole après la bataille. Ender demeurait en tête du classement, puisqu'il avait congelé trois adversaires, en avait mis deux hors de combat et blessé sept. Dès lors, il ne fut plus question d'insubordination, ou du fait de savoir si Ender pouvait utiliser son bureau. Ray restait dans ses quartiers et le laissait tranquille.

Dink Meeker entreprit de s'habituer à émerger presque instantanément du couloir – l'attaque d'Ender sur un ennemi encore en train de sortir de leur porte avait été dévastatrice. « Si un seul homme peut faire autant de dégâts, imagine ce que peut faire une cohorte. » Il obtint du major Anderson qu'une porte demeure ouverte au milieu d'une paroi, même pendant les entraînements, afin qu'ils puissent s'exercer au lancé en conditions de combat. La nouvelle s'ébruita. Dès lors, plus personne ne s'autorisa à prendre cinq, dix ou quinze secondes de réflexion dans le couloir avant de sauter. Le jeu avait changé.

Toujours plus de batailles. Et Ender en était partie prenante désormais, intégré à une cohorte. Il commit des erreurs. Perdit certaines escarmouches. Il passa de la première à la deuxième place au classement, puis à la quatrième. Pour ensuite commencer à moins faire de fautes, à mieux se sentir dans l'organisation de la cohorte, de sorte qu'il remonta progressivement jusqu'à la première.

Un après-midi, Ender resta dans la salle de combat après l'entraînement. Ayant remarqué que Dink Meeker avait l'habitude d'arriver tardivement au dîner, il supposait qu'il en profitait pour s'offrir une séance supplémentaire. Ender n'avait pas très faim, et il voulait voir à quoi Dink passait son temps lorsqu'il n'y avait personne avec lui.

Mais Dink ne s'entraînait pas. Il se tenait près de la porte, à regarder Ender.

Celui-ci resta de l'autre côté de la salle, à le fixer.

Aucun des deux ne parlait. De toute évidence, Dink espérait qu'Ender s'en aille. Et tout aussi évident qu'Ender s'y refusait.

Dink lui tourna le dos, retira méthodiquement sa combinaison flash puis décolla tranquillement du sol. Il dériva lentement vers le centre de la salle, très lentement, son corps presque complètement détendu, au point que ses membres semblaient à la merci de courants d'air pourtant presque inexistants dans la salle.

Après l'intensité et la tension de l'entraînement, l'épuisement, la vigilance, le simple fait de le regarder flotter avait quelque chose de reposant. Son vol dura une bonne dizaine de minutes avant qu'il n'atteigne un autre mur. Dont il se repoussa assez brutalement, pour bientôt retrouver sa combinaison et l'enfiler.

« Suis-moi », dit-il à Ender.

Le dortoir était vide – tous les garçons étaient en train de dîner. Chacun regagna sa couchette pour passer son uniforme. Plus rapide, Ender alla rejoindre Dink le temps que celui-ci ait terminé de se changer.

« Pourquoi as-tu attendu ? s'enquit Dink.

— Pas faim.

— Eh bien, à présent tu sais pourquoi je ne suis pas commandant. »

Ender s'était effectivement posé la question.

« En fait, on m'a promu deux fois, et j'ai refusé.

— Refusé ?

— La seconde, ils ont emporté mon vieux casier, ma couchette, mon bureau, ils m'ont attribué une cabine de commandant et ils m'ont confié une armée. Je suis resté dans la cabine jusqu'à ce qu'ils laissent tomber et me recollent dans l'armée de quelqu'un d'autre.

— Pourquoi ?

— Parce que je refuse de les laisser me faire une chose pareille. Je n'arrive pas à croire que tu te laisses encore duper par toute cette merde, Ender. Mais tu dois être encore trop jeune, je suppose. Les autres armées, ce ne sont pas elles, l'ennemi. Ce sont les professeurs. Ils nous forcent à nous combattre, à nous haïr. Il n'y a plus que le jeu. Gagner, gagner, gagner. Tout ça ne rime à rien. Nous nous entretuons, nous devenons fous à force d'essayer de se vaincre, et pendant ce temps ces vieux salopards nous surveillent, nous étudient, ils découvrent nos points faibles, décident si nous sommes *assez bons* ou pas. Merde, assez bons pour quoi ? J'avais six ans quand on m'a amené ici. Je ne connaissais rien à rien. *Ils* ont estimé que je convenais au programme, mais personne ne m'a jamais demandé si le programme me convenait.

— Pourquoi ne rentres-tu pas chez toi, dans ce cas ? »

Dink sourit du coin des lèvres. « Parce que je n'arrive pas à renoncer au jeu. » Il tira sur le tissu de la combinaison flash étendue sur le lit à ses côtés. « Parce que j'adore ça.

— Alors pourquoi ne pas devenir commandant ? »

Dink secoua la tête. « Jamais. Regarde l'effet que ça a sur Ray. Ce type est fou. Ray le Nez. Il préfère dormir avec nous ici plutôt que dans sa cabine. Pourquoi ? Parce qu'il a peur de se retrouver seul, Ender. Il a peur du noir.

— Ray ?

— Mais ils l'ont nommé commandant, ce qui l'oblige à agir comme tel. Il ne sait pas ce qu'il fait. Il remporte des batailles, mais ça le terrifie d'autant plus qu'il ne sait pas *pourquoi* il gagne – il ne se rend même pas compte que j'y suis pour quelque chose. À tout moment, quelqu'un peut découvrir que Ray n'est pas une espèce de général israélien magique capable de gagner en toutes circonstances. Il ignore ce qui nous vaut la victoire ou la défaire. Personne ne le sait.

— Ça ne fait pas de lui un fou, Dink.

— Je sais, ça fait un an que tu es là, tu crois encore que ces gens sont normaux. Eh bien, ils ne le sont pas. Pas plus que *nous*. Je consulte la bibliothèque, je télécharge des livres dans mon bureau. Des vieux, vu qu'ils ne nous laissent rien lire de nouveau, mais j'ai une assez bonne idée de ce qu'est un enfant, et nous n'en sommes pas. Les enfants peuvent perdre parfois, et personne ne s'en inquiète. Les enfants n'appartiennent pas à des armées, ils ne sont pas *commandants*, ils ne règnent pas sur quarante autres gosses ; c'est plus que quiconque puisse en supporter sans devenir fou. »

Ender tenta de se souvenir à quoi ressemblaient ses anciens camarades d'école, sur Terre. Mais seul Stilson lui venait à l'esprit.

« J'avais un frère. Un type tout ce qu'il y avait de normal. Rien ne l'intéressait à part les filles. Et voler. Il voulait voler. Il jouait souvent au ballon avec les autres gosses. Un jeu improvisé – faire passer un ballon par un anneau, dribbler avec dans les couloirs jusqu'à ce que des agents viennent le confisquer. On s'est bien amusés. Il m'apprenait à dribbler quand j'ai été pris. »

Ender se rappela son propre frère ; un souvenir qui n'avait rien d'agréable.

Dink comprit de travers l'expression du visage d'Ender. « Hé, je sais, personne n'est censé parler de son foyer. Mais nous venons de *quelque part*. Ce n'est pas l'École de Guerre qui nous a créés, tu sais. L'École de Guerre ne crée *rien*. Elle se contente de détruire. Et nous avons tous des souvenirs de chez nous. Pas forcément des choses agréables, mais nous nous en souvenons, et c'est là qu'on se met à mentir, à faire semblant que... Écoute, Ender, comment expliques-tu que *personne* ne parle de son foyer, *jamais* ? N'est-ce pas un signe de l'importance que ça doit avoir ? Que personne ne reconnaisse que... Oh, merde.

— Non, c'est bon. C'est juste que je pensais à Valentine. Ma sœur.

— Je ne voulais pas te contrarier.

— Ça va. Je ne pense pas très souvent à elle – ça me fait toujours... cet effet.

— C'est vrai. Nous ne pleurons jamais. Je n'y avais jamais réfléchi. Personne ne pleure ici. Nous essayons vraiment d'être des adultes. De ressembler à nos pères. Je parie que le tien était comme toi. Je parie qu'il restait tranquille, qu'il prenait sur lui, puis qu'il explosait et...

— Je ne suis pas comme mon père.

— Alors peut-être que je me trompe. Mais regarde Bonzo, ton ancien commandant. Un cas avancé d'honneur espagnol. Il ne s'autorise pas la moindre faiblesse. Il prend comme une insulte le fait d'être meilleur que lui. Le surpasser, à ses yeux, c'est comme lui couper les couilles. C'est pour ça qu'il te déteste, parce que tu n'as pas réagi quand il a essayé de te punir. Il te hait pour ça, il a *vraiment* envie de te tuer. Il est fou. Ils sont tous fous.

— Et pas toi ?

— Bien sûr que si, mon petit pote, mais moi au moins, quand j'ai une crise, je pars flotter tout seul dans l'espace – et la folie, elle s'extirpe de moi, elle s'insinue dans les murs et n'en ressort que pendant les batailles, quand des petits garçons l'en font jaillir en se cognant contre les parois. »

Ender sourit.

« Et toi aussi tu deviendras fou, fit Dink. Viens, allons manger.

— On n'est peut-être obligé de l'être pour devenir commandant. Le fait d'être conscient de cette folie suffit peut-être à l'éviter.

— Je ne vais pas laisser ces salauds me contrôler, Ender. Toi aussi ils t'ont à l'œil, et ils n'ont manifestement aucune intention d'être gentils avec toi. Regarde tout ce qu'ils t'ont déjà fait subir.

— Ils n'ont rien fait à part me promouvoir.

— Et ça te rend la vie super facile, hein ? »

Le jeune Wiggin secoua la tête en riant. « Tu as peut-être raison.

— Ils croient qu'ils te tiennent. Ne les laisse pas faire.

— Mais c'est pour ça que je suis là, fit Ender. Pour qu'ils me transforment en outil. Pour sauver le monde.

— J'hallucine que tu y croies encore.

— À quoi ?

— À la menace des doryphores. Au fait de sauver le monde. Écoute, Ender, si les doryphores avaient voulu revenir nous attaquer, ils seraient *déjà là*. Il n'y a pas de nouvelle invasion. On les a battus, et ils sont partis.

— Mais les vidéos…

— Elles datent toutes de la Première ou de la Deuxième Invasion. Tes grands-parents n'étaient même pas encore nés quand Mazer Rackham les a anéantis. Regarde-les bien. Tout est truqué. Il n'y a *pas* de guerre, on leur sert juste de passe-temps.

— Mais pourquoi ?

— Parce que tant que les gens ont peur des doryphores, la F.I. peut se maintenir au pouvoir, et que tant que c'est le cas, certains pays peuvent préserver leur hégémonie. Mais n'arrête surtout pas de regarder les vidéos, Ender. Les gens ne vont pas tarder à s'apercevoir de ce petit jeu, et il y aura une guerre civile, une guerre qui mettra fin à toutes les autres. *Voilà* la vraie menace, Ender. Oublie les doryphores. Et quand *cette* guerre éclatera, toi et moi ne serons pas amis. Parce que tu es américain, tout comme nos chers professeurs. Et pas *moi.* »

Tous deux se rendirent au réfectoire, où ils prirent leur repas sans revenir sur le sujet. Mais Ender ne pouvait s'arrêter de penser à ce que Dink avait dit. L'École de Guerre vivait dans une telle autarcie, le jeu prenait tant d'importance aux yeux des enfants, qu'il avait fini par oublier l'existence d'un monde à l'extérieur. Honneur espagnol. Guerre civile. Politique. L'École de Guerre était vraiment un endroit minuscule, n'est-ce pas ?

Mais Ender ne partageait pas les conclusions de Dink. Les doryphores existaient bel et bien. La menace était réelle. La F.I. supervisait beaucoup de choses, mais pas les vidéos et les réseaux. Pas là où Ender avait grandi. Dans le pays d'origine de Dink, les Pays-Bas, trois générations d'hégémonie russe avaient peut-être fini par tout mettre sous contrôle, mais Ender savait qu'un mensonge ne pouvait tenir longtemps en Amérique. Du moins le croyait-il.

Mais la graine du doute avait été semée, et de temps à autre elle produisait une petite racine. Et cela changeait tout. Ça forçait Ender à prêter davantage attention à ce que les gens voulaient dire, plutôt qu'à ce qu'ils disaient. Ça lui apportait la sagesse.

Il n'y avait pas autant de garçons à l'entraînement du soir, même pas la moitié.

« Où est Bernard ? » s'enquit Ender.

Alai grimaça. Shen ferma les yeux et se réfugia dans une expression de méditation béate.

« Tu n'es pas au courant ? fit un autre garçon, un Bleu d'un groupe plus récent. Le bruit court que ceux qui viennent à tes séances d'entraînement se feront sacquer dans n'importe quelle armée. Il paraît que les commandants ne veulent pas de soldats déglingués par ton entraînement. »

Ender hocha la tête.

« Mais moi, vu comme je vois les choses, poursuivit le Bleu, j'vais devenir le meilleur soldat possible, et y aura bien un commandant un tant soit peu valable pour me prendre. Nan ?

— Mouais », fit Ender, sur un ton sans réplique.

Ils continuèrent l'entraînement. Au bout d'environ une demi-heure, alors qu'ils s'exerçaient à profiter des collisions avec des soldats congelés, plusieurs commandants en divers uniformes firent leur entrée. Et notèrent ostensiblement des noms.

« Hé, s'écria Alai, ne faites pas de fautes en orthographiant mon nom ! »

Les garçons furent encore moins nombreux le lendemain soir. Ender commençait à entendre des rumeurs – des petits Bleus brutalisés dans les toilettes, victimes d'accidents au réfectoire ou dans la salle de jeux, ou bien des grands qui s'amusaient à supprimer leurs dossiers après avoir craqué le système de sécurité primitif qui protégeait leurs bureaux.

« Pas d'entraînement ce soir, dit Ender.

— Et comment qu'il va y en avoir un, répliqua Alai.

— Donnons-nous quelques jours. Je ne veux pas qu'un seul des gosses se fasse blesser.

— Si tu arrêtes ne serait-ce qu'un soir, ils vont se figurer que leurs saloperies fonctionnent. Exactement comme si tu avais reculé devant Bernard quand il te traitait comme une merde.

— En plus, ajouta Shen, on n'en a rien à foutre. Ils ne nous font pas peur. Tu dois continuer – tu nous dois bien ça. Nous avons besoin de cet entraînement, et toi aussi. »

Ender se souvint de ce que Dink lui avait dit. Le jeu était insignifiant en comparaison du reste du monde.

Pourquoi quiconque devrait-il consacrer chaque soirée de sa vie à un jeu aussi stupide ?

« On n'avance pas beaucoup, de toute façon », dit Ender. Qui s'apprêta à partir.

Alai le força à s'arrêter. « Ils t'ont fichu la trouille, à toi aussi ? Ils t'ont filé des baffes dans la salle de bains ? Ils t'ont collé le nez dans ta pisse ? Quelqu'un t'a mis un pistolet dans le cul ?

— Non.

— Tu es toujours mon ami ? lui demanda Alai d'une voix moins véhémente.

— Oui.

— Alors moi aussi, Ender, et je reste ici pour m'entraîner avec toi. »

Les grands firent leur retour, mais comptaient fort peu de commandants dans leurs rangs. La plupart appartenaient à deux armées. Ender reconnut des uniformes de Salamandres. Et même quelques Rats. Au lieu de prendre des noms, cette fois, ils se moquèrent avec force hurlements des Bleus qui tentaient de maîtriser de difficiles techniques malgré leurs muscles inexercés. Ce qui eut pour effet d'échauffer certains esprits.

« Écoutez-les bien, dit Ender aux autres. N'oubliez pas leurs paroles. Si jamais vous voulez rendre fou votre ennemi, criez-lui ce genre de trucs. Ça lui fera faire des choses stupides. Mais pas de folie pour *nous*. »

Shen prit cette idée à cœur : après chaque raillerie des grands, il faisait réciter leurs paroles haut et fort à un groupe de quatre Bleus, cinq ou six fois de suite. Quand ils se mirent à chanter leurs sarcasmes comme s'il s'était agi de comptines de garderie, quelques grands s'élancèrent des murs dans leur direction avec l'intention d'en découdre.

Les combinaisons flash étaient conçues pour des guerres inoffensives ; elles n'offraient qu'une protection limitée et entravaient fortement les mouvements en cas de corps à corps en apesanteur. La moitié des garçons étaient flashés, de toute façon – par conséquent inaptes au combat – mais la raideur même de leurs combinaisons les rendait potentiellement utiles. Ender se hâta d'ordonner à ses Bleus de se rassembler dans un coin de la salle. Les grands se moquèrent de plus belle ; certains d'entre eux, qui étaient restés près du mur et voyaient à présent le groupe d'Ender battre en retraite, vinrent se joindre à eux pour attaquer.

Ender et Alai entreprirent de projeter un soldat congelé sur un ennemi. Le Bleu le heurta casque en avant, puis tous deux partirent à la dérive dans des directions opposées. Le plus âgé serrait sa poitrine là où le casque l'avait percuté, en hurlant de douleur.

Les railleries avaient cessé. Le reste des grands se lança dans la bataille. Ender n'avait guère d'espoir que toutes ses troupes s'en sortent sans blessure. Mais l'ennemi arrivait de façon désordonnée, sans coordination ; ils n'avaient jamais travaillé ensemble auparavant, tandis que la petite armée d'Ender, avec sa douzaine de membres, savait parfaitement manœuvrer d'un seul tenant.

« En nova ! » hurla Ender. Sous les quolibets des grands, ils se disposèrent en trois groupes, les pieds joints, accroupis, se tenant par les mains pour former de petites étoiles contre la paroi. « Nous allons les contourner et nous diriger vers la porte. Go ! »

Les trois étoiles éclatèrent à son signal, chaque garçon s'élançant dans une direction différente, mais selon un angle lui permettant de rebondir sur une paroi pour s'orienter ensuite vers la porte. Comme tous les ennemis se trouvaient au milieu de la salle, là où les changements de trajectoire étaient bien plus difficiles, ils n'eurent aucun mal à exécuter cette manœuvre.

Ender s'était positionné de manière à rejoindre le soldat flashé qu'il venait d'utiliser comme projectile. Le garçon, qui n'était plus congelé à présent, le laissa le saisir, le faire pivoter et le lancer vers la porte. Ce qui eut malheureusement pour conséquence inéluctable d'envoyer Ender dans la direction opposée, à vitesse réduite. Séparé de ses troupes, il dérivait lentement vers l'autre extrémité de la salle, où les grands étaient rassemblés. Il effectua une culbute afin de s'assurer que tous ses soldats avaient bien atteint la sécurité du mur d'en face.

Dans l'intervalle, ses adversaires l'avaient repéré malgré leur désorganisation. Ender calcula à quel moment il allait atteindre la paroi pour pouvoir s'élancer aussitôt. Trop tard. Plusieurs ennemis avaient déjà rebondi dans sa direction, et Ender eut la stupéfaction de reconnaître le visage de Stilson parmi eux. Puis il frémit en comprenant qu'il s'était trompé. La situation restait cependant la même, et cette fois ils n'attendraient pas qu'un combat singulier vienne régler la question. Ces garçons n'avaient pas de chef, pour ce qu'Ender en voyait, et ils étaient nettement plus grands que lui.

Mais il avait appris à utiliser son poids dans ses cours de corps à corps, ainsi que certaines données relatives à la physique des objets en mouvement. Ce genre de batailles n'en venait presque jamais au combat à mains nues – on ne heurtait jamais un ennemi qui n'était pas congelé à moins de l'être soi-même. De sorte que, pendant les quelques secondes à sa disposition, Ender tenta de se positionner de manière à recevoir dignement ses invités.

Par chance, ils n'en savaient pas davantage que lui sur le combat en apesanteur ; les rares à essayer de le frapper découvrirent que lancer un coup de poing n'avait guère d'efficacité quand le corps basculait en arrière exactement aussi vite que la main avançait. Certains d'entre eux, néanmoins, persistaient à vouloir en découdre, comme Ender ne tarda pas à le constater. Mais il n'avait pas l'intention de les attendre.

Il attrapa un des puncheurs par le bras et le projeta de toutes ses forces. Ce qui eut pour effet de l'écarter de la trajectoire du premier assaut, sans pour autant le rapprocher d'un pouce de la porte. « Restez là-bas ! hurla-t-il alors à ses amis, qui de toute évidence se préparaient à venir à son secours. Ne bougez surtout pas ! »

Quelqu'un le saisit par le pied, une prise serrée qui lui fournit un point d'appui et lui permit de frapper l'oreille et l'épaule de son adversaire, qui le lâcha aussitôt en hurlant. Si le garçon l'avait fait alors même qu'Ender le martelait de coups, il aurait subi beaucoup moins de dommages et le jeune Wiggin aurait pu se servir de la manœuvre pour s'élancer. Au lieu de quoi son opposant n'avait que trop insisté ; il en était quitte pour une oreille arrachée – du sang se répandait partout autour d'eux – et Ender avait encore perdu de la vitesse.

Je recommence, se dit-il. *Je recommence à blesser des gens dans le seul but de sauver ma peau. Pourquoi ne me laissent-ils pas tranquille ? Pourquoi me forcent-ils à leur faire du mal ?*

Trois garçons supplémentaires convergeaient sur lui à présent, et cette fois ils œuvraient ensemble. Mais ils devaient encore se saisir de lui avant de pouvoir frapper. Ender se positionna en hâte de manière à en obliger deux à le prendre par les pieds, ce qui lui laissait les mains libres pour s'occuper du troisième.

Comme attendu, ils mordirent à l'appât. Ender attrapa le troisième par les épaules et le hissa brutalement pour lui assener un coup de casque dans le visage. Nouveau hurlement, assorti d'une douche de sang. Les deux garçons à ses jambes étaient en train de les tordre violemment, ce qui avait pour effet de le faire pivoter. Il lança sur l'un d'entre eux leur compagnon au nez ensanglanté ; tous deux s'empêtrèrent, libérant dans le mouvement le membre inférieur d'Ender. Qui n'eut ensuite aucun mal à utiliser son autre adversaire comme point d'appui pour lui flanquer un coup de pied dans le bas-ventre, puis à se projeter en direction de la porte. Son impulsion n'avait guère pu être efficace, de sorte qu'il avançait avec lenteur, mais ça n'avait aucune importance. Personne ne le suivait.

Il rejoignit ses amis à la porte et se laissa tirer à l'extérieur. Ils exultaient. « T'es un méchant, toi ! hurlaient-ils tout en lui collant des claques affectueuses. T'es une terreur ! Un vrai démon !

— L'entraînement est terminé pour aujourd'hui, dit Ender.

— Ils reviendront demain, intervint Shen.

— Ça ne les avancera à rien. S'ils se pointent sans combinaison, nous referons la même chose. Et s'ils viennent *avec*, nous pourrons toujours les flasher.

— Et puis, ajouta Alai, les professeurs ne laisseront pas faire. »

Ayant toujours en tête ce que Dink lui avait dit, le jeune Wiggin se demanda s'il avait raison.

« Hé, Ender ! lui cria un des grands alors qu'il quittait la salle de combat. T'es nul, mec ! Un vrai nul !

— Bonzo, mon ancien commandant, expliqua Ender. Je crois qu'il ne m'aime pas beaucoup. »

Il consulta son bureau le soir même pour vérifier les tableaux de service. Quatre garçons apparaissaient sur le rapport médical. L'un avec une côte cassée, un autre avec un testicule contusionné, le troisième avec une oreille arrachée, le dernier avec le nez brisé et une dent déchaussée. La cause de la blessure était dans chaque cas la même :

COLLISION ACCIDENTELLE EN APESANTEUR

Si les professeurs laissaient cela apparaître sur le rapport officiel, ça signifiait forcément qu'ils n'avaient pas l'intention de punir qui que ce soit pour la vilaine petite escarmouche de la salle de combat. *Ils comptent rester sans rien faire ? Est-ce qu'ils s'intéressent un tant soit peu à ce qui se passe dans cette école ?*

Comme il avait regagné le dortoir plus tôt que d'ordinaire, Ender ouvrit le jeu de *fantasy* sur son bureau. Ça faisait un certain temps qu'il n'y avait pas joué. Suffisamment pour que le programme ne recommence pas là où il s'était arrêté, mais au cadavre du Géant. Sauf qu'à présent ledit cadavre était presque méconnaissable, à moins de s'écarter pour l'examiner. Le corps s'était désagrégé pour former une colline recouverte d'herbe et de plantes grimpantes. Seul le sommet du crâne restait visible – de l'os blanchi, tel du calcaire faisant saillie d'une montagne érodée.

Ender n'avait aucune hâte de se battre à nouveau avec les enfants-loups, mais à sa grande surprise il n'en croisa aucun. Peut-être qu'une fois tués ils disparaissaient définitivement ? Ça le rendit confusément triste.

Il se fraya un chemin jusqu'aux souterrains, pour ensuite gagner par les tunnels la plate-forme qui dominait la belle forêt. Il sauta une fois encore, et une fois encore un nuage le rattrapa pour le transporter à la tourelle du château.

Le serpent commença derechef à se modeler à partir du tapis, sauf qu'Ender n'hésita pas cette fois. Il posa un pied sur la tête du reptile et l'écrasa. Comme la créature continuait à se tortiller, il appuya plus fort au point de presque l'enfoncer dans les dalles de pierre. Elle finit par s'immobiliser. Après l'avoir ramassée, Ender la secoua jusqu'à ce qu'elle se soit complètement déroulée et que les motifs du tapis aient disparu. Puis, traînant toujours le reptile derrière lui, il se mit en quête d'une sortie.

Au lieu de quoi il trouva un miroir. Et dans le miroir, il vit un visage qu'il n'eut aucune peine à reconnaître. Peter. Du sang lui coulait sur le menton, et une queue de serpent dépassait d'un coin de sa bouche.

Dans un hurlement, Ender rejeta le bureau loin de lui. Les rares garçons présents dans le dortoir s'en alarmèrent aussitôt, mais il s'excusa en leur disant de ne pas s'inquiéter. Une fois qu'ils l'eurent laissé, il revint à son écran. Son personnage n'avait pas bougé, il continuait à fixer le miroir. Ender essaya de ramasser un meuble pour le casser, mais celui-ci demeura obstinément rivé au sol. Et la glace semblait tout simplement impossible à arracher du mur. En désespoir de cause, il lança l'animal dessus. Elle vola en éclats, découvrant un trou dans le mur. D'où sortirent des dizaines de minuscules serpents qui se jetèrent aussitôt sur l'avatar d'Ender pour le mordre encore et encore. Malgré ses tentatives frénétiques pour s'en débarrasser, il s'effondra et mourut dans un grouillement de petits reptiles.

L'écran s'effaça, puis des mots apparurent :

NOUVELLE PARTIE ?

Ender l'éteignit et rangea le bureau.

Le lendemain, plusieurs commandants vinrent le voir ou lui expédièrent des soldats pour lui dire de ne pas s'inquiéter, que la plupart d'entre eux considéraient les séances supplémentaires comme une bonne idée, qu'il devait continuer. Et, afin de s'assurer que personne ne viendrait les ennuyer, ils allaient lui envoyer quelques-uns de leurs vétérans en manque d'entraînement se joindre à eux. « Ils sont aussi grands qu'une bonne partie des doryphores qui vous ont attaqués hier soir. Ils y réfléchiront à deux fois. »

Au lieu d'une douzaine de garçons, il y en avait quarante-cinq ce soir-là, plus qu'une armée, et, que ce soit à cause de la présence des grands ou parce qu'ils avaient eu leur compte la nuit précédente, leurs ennemis les laissèrent tranquilles.

Ender ne retourna pas dans le jeu de *fantasy*. Mais celui-ci continuait à vivre dans ses rêves. Le jeune Wiggin ne cessait de se rappeler ce qu'il avait ressenti en écrasant le serpent, en arrachant l'oreille de ce garçon, la manière dont il avait démoli Stilson et cassé le bras de

Bernard. Pour alors se redresser, le cadavre de son ennemi dans ses mains, et découvrir le visage de Peter dans le miroir. *Ce jeu en connaît beaucoup trop sur moi. Il profère des mensonges obscènes. Je ne suis pas Peter. Je n'ai pas le meurtre dans le sang.*

Puis une peur pire encore s'empara de lui, celle d'être *bel et bien* un tueur, meilleur même que Peter à ce jeu ; que ce soit précisément cet attribut qui plaise aux professeurs. *Ce sont des tueurs qu'il leur faut pour lutter contre les doryphores. Des gens capables d'écraser la tête de leur ennemi dans la poussière et de répandre leur sang partout dans l'espace.*

Eh bien, je suis votre homme. Le putain de salaud que vous espériez quand vous avez autorisé ma conception. Un outil entre vos mains. Qu'est-ce que ça change que je déteste la partie de moi dont vous avez le plus besoin ? Qu'est-ce que ça change si, quand les petits serpents m'ont tué dans le jeu, j'étais d'accord avec eux ? Si ça me faisait plaisir ?

9

LOCKE ET DÉMOSTHÈNE

« Je ne vous ai pas convoqué ici pour perdre mon temps. Comment ce satané ordinateur a-t-il fait ça ? »

« Je l'ignore. »

« Comment a-t-il pu récupérer une image du frère d'Ender et l'intégrer dans les routines du Royaume des Fées ? »

« Colonel Graff, je n'étais pas là quand on l'a programmé. Tout ce que je sais, c'est que l'ordinateur n'avait jamais conduit qui que ce soit là-bas auparavant. Le Royaume des Fées était déjà assez étrange, mais ce n'était rien comparé à ça. Ça va au-delà du Bout du Monde, et... »

« Je connais la géographie des lieux, merci. Ce que j'ignore, c'est ce que signifie leur nom. »

« Le Royaume des Fées a été programmé en interne. Il est parfois mentionné ailleurs. Mais nous n'avons rien sur le Bout du Monde. Aucune expérience. »

« Je n'aime pas voir l'ordinateur s'amuser ainsi avec l'esprit d'Ender. Si l'on met de côté sa sœur Valentine, Peter Wiggin est l'individu central de son existence. »

« Et le jeu virtuel est conçu pour nous aider à les façonner, pour leur permettre de trouver des mondes dans lesquels ils se sentent à l'aise. »

« Je n'ai pas l'impression que vous saisissiez, Major Imbu. Je ne veux pas qu'Ender se sente à l'aise avec la fin du monde. Notre tâche ici ne consiste pas à se sentir à l'aise avec la fin du monde ! »

« Le Bout du Monde dans le jeu ne représente pas nécessairement la fin de l'Humanité dans la guerre des doryphores. Il a une signification personnelle aux yeux d'Ender. »

« Bien. Laquelle ? »

« Je ne sais pas, Colonel. Je ne suis pas le gosse. Posez-lui la question. »

« Major Imbu, c'est à vous que je le demande. »

« Il pourrait y en avoir des milliers. »

« Essayez toujours. »

« Vous avez isolé le gosse. Peut-être qu'il souhaite la fin de ce monde, l'École de Guerre. Ou bien de celui dans lequel il a grandi, son foyer, un monde qui s'insinue ici. À moins que ce soit sa façon de s'accommoder du fait d'avoir brisé tant d'autres garçons ici. Ender est un gosse sensible, vous savez, et il a fait des choses plutôt moches à ses petits camarades. Peut-être souhaite-t-il la fin de ce monde-là. »

« Ou tout à fait autre chose. »

« Le jeu virtuel établit une relation entre l'enfant et l'ordinateur. Ils créent des histoires ensemble. *Celles-ci sont vraies, en ce sens qu'elles reflètent la véritable existence de l'enfant. C'est tout ce que je sais. »*

« Et moi, je vais vous dire ce que je *sais, Major Imbu. L'image de Peter Wiggin ne peut pas provenir des archives de l'école. Nous n'avons rien sur lui, sous format électronique ou autre, depuis l'arrivée d'Ender ici. Et cette image est plus récente. »*

« Ça ne fait qu'un an et demi, Colonel. Jusqu'à quel point ce garçon a-t-il pu changer »

« Sa coiffure est complètement différente. Et il est allé voir un orthodontiste pour ses dents. La Terre m'a envoyé une photo récente de lui à titre de comparaison. L'ordinateur de l'École n'a pu récupérer cette image que d'une seule façon, en allant la prendre dans un ordinateur terrestre. Et même pas dans une machine reliée à la F.I. – ça nécessiterait des pouvoirs de réquisition. On ne peut

pas simplement aller dans l'ordinateur de l'école de Guilford, en Caroline du Nord, pour en extirper une image. Quelqu'un là-bas a-t-il donné son autorisation ? »

« Vous ne comprenez pas, Colonel. L'ordinateur de l'École de Guerre ne constitue qu'une partie du réseau de la F.I. Si nous voulons une image, nous devons en faire la demande, mais si le programme du jeu virtuel l'estime nécessaire… »

« Il lui suffit d'aller la récupérer. »

« Pas sans raison. Seulement quand c'est dans l'intérêt de l'enfant. »

« D'accord, admettons que ce soit dans son intérêt. Mais ça ne nous dit pas pourquoi. Son frère est dangereux, il a été évincé de ce programme parce que c'est l'être humain le plus impitoyable, le moins digne de confiance sur lequel nous avons mis la main. Pourquoi compte-t-il autant aux yeux d'Ender ? Pourquoi, après tout ce temps ? »

« Franchement, Colonel, je l'ignore. Et le programme du jeu virtuel est conçu de manière à ne pas pouvoir nous le dire. En fait, lui-même ne le sait peut-être même pas. C'est un territoire inconnu. »

« Vous voulez dire que l'ordinateur le fabrique au fur et à mesure ? »

« C'est une manière de présenter les choses. »

« Eh bien, ça me réconforte un peu. Je croyais que j'étais le seul. »

Valentine fêta seule le huitième anniversaire d'Ender, dans l'arrière-cour boisée de leur nouvelle maison de Greensboro. Après avoir dégagé un coin de terre des aiguilles de pin et des feuilles qui le jonchaient, elle y inscrivit son nom avec une branche. Pour ensuite construire un minuscule tipi de brindilles et d'aiguilles et allumer un petit feu. La fumée alla se perdre dans le pin au-dessus de sa tête. *Et ensuite dans l'espace*, se dit-elle. *Jusqu'à l'École de Guerre.*

Aucune lettre ne leur était jamais parvenue, et pour ce qu'ils en savaient les leurs n'étaient jamais arrivées jusqu'à lui. Quand on l'avait emmené, Père et Mère s'étaient presque chaque jour assis à la table pour lui écrire de longs courriers. Puis, bientôt, ç'avait été une fois par semaine, et comme rien n'arrivait en retour, une fois par mois. Deux ans s'étaient écoulés depuis son départ à présent, et il n'y avait plus de lettres, plus une seule, pas même de célébration de son anniversaire. *Il est mort*, songeait-elle avec amertume, *parce que nous l'avons oublié.*

Mais Valentine ne l'avait pas oublié. Elle dissimulait à ses parents, et plus encore à Peter, à quel point elle pensait à lui, combien de courriers elle lui avait écrits sans espoir de réponse. Quand Mère et Père leur avaient annoncé qu'ils allaient quitter la ville pour déménager en Caroline du Nord, elle avait compris qu'ils n'escomptaient plus jamais revoir leur cadet. Ils abandonnaient le seul endroit où il savait pouvoir les rejoindre. Comment Ender allait-il les retrouver ici, parmi ces arbres, sous ce ciel lourd et changeant ? Il avait passé toute son existence dans des couloirs, et, s'il se trouvait toujours à l'École de Guerre, il y était encore moins proche de la nature. Qu'allait-il pouvoir bien faire de tout ça ?

Valentine savait pourquoi ils avaient déménagé. C'était pour Peter, pour que la vie parmi les arbres et les petits animaux, la nature sous une forme aussi brute que Père et Mère pouvaient la concevoir, exercent une influence bénéfique sur leur fils étrange, effrayant. Et, en un sens, tel fut bien le cas. Peter y prit goût presque immédiatement. Il faisait de longues marches dans la campagne, coupant par bois et par champs – s'éclipsant parfois une journée entière, avec juste un ou deux sandwichs et son bureau dans son sac à dos, auxquels s'ajoutait un petit canif dans sa poche.

Mais Valentine savait. Elle avait vu un écureuil à moitié dépouillé, ses minuscules pattes épinglées dans la terre avec des brindilles. Elle se représentait Peter en train de le prendre au piège, de le clouer au sol, puis de soigneusement l'ouvrir en détachant la peau sans endommager l'abdomen, de regarder les muscles se tordre et s'agiter. Combien de temps l'écureuil avait-il mis pour mourir ? Et pendant tout ce temps-là Peter était resté assis à côté, appuyé contre l'arbre où peut-être l'animal avait niché, à jouer avec son bureau tandis que la vie de sa victime s'éteignait peu à peu.

Elle en fut tout d'abord horrifiée, manquant vomir au dîner en voyant Peter manger voracement tout en parlant avec animation. Mais plus tard, quand elle y repensa, elle se rendit compte que c'était peut-être pour son frère une sorte de magie, comme ses propres petits feux ; un sacrifice susceptible d'une façon ou d'une autre d'apaiser les dieux ténébreux qui se disputaient son âme. Mieux valait torturer les écureuils que d'autres enfants. Peter avait toujours cultivé la douleur, la semant, s'en occupant, la dévorant avec avidité lorsqu'elle était mûre ; qu'il se satisfasse de ces petites doses fulgurantes de violence lui semblait préférable à la cruauté ordinaire qu'il infligeait aux élèves de l'école.

« *Un élève modèle*, disaient ses professeurs. *Si seulement nous en avions cent comme lui dans cette école. Qui n'arrêtent jamais d'étudier, qui rendent toujours leur travail en temps et en heure. Qui adorent apprendre.* »

Mais Valentine savait qu'il simulait. Peter adorait apprendre, d'accord, mais ses professeurs ne lui avaient *jamais* enseigné quoi que ce soit. Il se servait de son bureau à la maison pour se brancher sur les bibliothèques et les bases de données, étudier, réfléchir et, surtout, en parler à Valentine. À l'école, il se comportait comme si la leçon puérile du jour le passionnait. *Waouh, jamais je n'aurais imaginé que l'intérieur d'une grenouille ressemblait à* ça, disait-il – pour ensuite analyser chez lui la liaison des cellules dans l'organisme en pratiquant une collecte philotique d'ADN. Peter était passé maître dans l'art de la flatterie, et tous ses professeurs marchaient.

Mais ça avait ses avantages. Peter ne s'était plus jamais battu. Il avait cessé de jouer les petits durs. Il s'entendait avec tout le monde. C'était un nouveau Peter.

Et tout le monde le croyait. Père et Mère le répétaient si souvent que Valentine avait envie de leur hurler dessus. *Ce n'est pas un nouveau Peter ! C'est toujours l'ancien, en plus malin !*

Mais moins que moi.

« Je me demandais, dit Peter, s'il fallait que je te tue ou pas. »

Valentine s'appuya contre le tronc d'un pin ; son petit feu se résumait à présent à quelques cendres fumantes. « Je t'aime aussi, Peter.

— Ce serait tellement facile. Tu allumes toujours ces ridicules petits feux. Il suffirait de t'assommer et de te laisser brûler. Ma parfaite pyromane.

— J'envisageais de te castrer pendant ton sommeil.

— Je ne te crois pas. Tu ne penses à ce genre de chose que lorsque je suis avec toi. Je fais ressortir le meilleur de ton être. Non, Valentine, j'ai décidé de te laisser la vie sauve. Pour que tu puisses me venir en aide.

— Vraiment ? » Les menaces de Peter l'auraient terrifiée quelques années plus tôt. Mais elle n'avait plus aussi peur de lui à présent. Non pas qu'elle doutât qu'il soit à même de les mettre en pratique. Elle n'arrivait pas à concevoir quelque chose de si horrible que Peter lui semblait dans l'impossibilité de le faire. Mais elle savait également que Peter n'était pas fou, pas au sens où il aurait été incapable de se dominer. Elle ne connaissait personne capable de se dominer à ce point. À l'exception peut-être d'elle même. Peter pouvait différer aussi longtemps que nécessaire l'accomplissement de ses désirs ; il pouvait dissimuler la moindre de ses émotions. Ce qui garantissait à Valentine qu'il ne lui ferait jamais de mal dans un accès de rage. Uniquement si les avantages l'emportaient sur les risques. Ce qui n'était pas le cas. En un sens, c'était précisément ce qui la faisait préférer Peter aux autres. Il agissait toujours, *toujours*, dans son intérêt bien compris. Aussi lui suffisait-il, pour se protéger elle-même, de veiller à ce que Peter trouve davantage d'intérêt à la garder en vie qu'à la voir mourir.

« Valentine, les choses se précipitent. J'ai repéré des mouvements de troupes en Russie.

— De quoi est-ce que tu parles ?

— Du monde, Val. Tu as déjà entendu parler de la Russie ? Du Grand Empire ? Du Second Pacte de Varsovie ? Les maîtres de l'Eurasie depuis les Pays-Bas jusqu'au Pakistan ?

— Ils ne publient pas leurs mouvements de troupes, Peter.

— Bien sûr que non. Mais ils publient les horaires de leurs trains de marchandises et de voyageurs. En les faisant analyser par mon bureau, j'ai découvert à quel moment leurs trains de troupes secrets empruntaient les mêmes voies. Je suis remonté sur trois ans. La tendance s'accélère ces six derniers mois – ils se préparent à la guerre. Une guerre terrestre.

— Mais quid de la Ligue ? Des doryphores ? » Valentine ne comprenait pas où Peter voulait en venir, mais ça lui arrivait régulièrement de lancer des conversations de ce genre, des discussions pragmatiques sur l'état du monde. Il se servait d'elle pour tester ses idées, pour les peaufiner. Elle-même en profitait pour affiner ses propres réflexions. Pour constater que, si elle partageait rarement l'avis de Peter sur ce à quoi le monde *devrait* ressembler, ils tombaient souvent d'accord ce qu'il *était* effectivement. Ils étaient devenus plutôt doués pour extirper les informations pertinentes des papiers des nouveaux intervenants ignorants et désespérément crédules. Le troupeau de journalistes, comme Peter les appelait.

« Le Polémarque est russe, pas vrai ? Et il n'ignore rien de ce qui est en train de se passer avec la Flotte. Soit ils ont découvert que les doryphores ne constituaient plus une menace désormais, soit nous sommes sur le point d'avoir une belle bataille. D'une façon ou d'une autre, la guerre contre les doryphores va bientôt prendre fin. Ils se préparent pour l'*après*-guerre.

— Tu sais bien que le Strategos contrôle le moindre mouvement de troupes.

— Ils se cantonnent aux pays appartenant au Pacte de Varsovie. »

C'était troublant. La façade de paix et de coopération avait tenu peu ou prou depuis le début des guerres contre les doryphores. Ce que Peter avait détecté constituait un changement fondamental dans l'ordre international. Elle avait une image mentale aussi nette qu'un souvenir de l'état du monde avant que les doryphores ne le contraignent à l'entente. « Retour à la situation d'avant, donc.

— À quelques changements près. Avec les boucliers, plus personne ne se soucie des armes nucléaires. Nous ne pouvons plus nous entretuer en une fois que par milliers, plutôt que par millions. (Il sourit.) Val, ça va forcément arriver. Pour l'heure il existe une gigantesque armée internationale sous contrôle nord-américain. Mais toute cette puissance disparaîtra quand la guerre aura pris fin, parce qu'elle repose sur la peur des doryphores. Tout d'un coup, en regardant autour de nous, nous découvrirons que les vieilles alliances ont vécu, qu'elles sont mortes et enterrées, à l'exception d'une seule – le Pacte de Varsovie. Et ce sera le dollar contre cinq millions de lasers. Nous aurons la ceinture d'astéroïdes, mais ils auront la Terre, et on a vite fait de manquer de raisin et de céleri là-bas. »

La chose qui dérangeait le plus Valentine était que Peter ne semblait pas du tout s'en inquiéter. « Peter, pourquoi ai-je l'impression que tu vois ça comme une occasion en or pour Peter Wiggin ?

— Pour nous deux, Val.

— Peter, tu as douze ans. Et moi dix. Il y a un mot pour les gens de notre âge. On nous appelle des *enfants*, et on nous donne autant d'importance qu'à des souris.

— Mais nous ne *pensons* pas comme les autres enfants, pas vrai, Val ? Nous ne *parlons* pas comme eux. Et, par-dessus tout, nous n'*écrivons* pas comme eux.

— Pour une conversation qui a commencé par des menaces de mort, Peter, je trouve que nous nous écartons fortement du sujet. » Et pourtant Valentine commençait à se sentir enthousiaste. Écrire était quelque chose qu'elle faisait mieux que son frère. Ils en étaient tous deux conscients. Peter en avait même indirectement convenu à une occasion, quand il lui avait dit que si lui arrivait toujours à voir ce que les gens détestaient le plus chez eux, et à s'en servir contre eux, Val savait quant à elle toujours percevoir ce qu'ils préféraient en eux, et l'utilisait pour les flatter. C'était une façon cynique de présenter les choses, mais ça n'en restait pas moins vrai. Valentine pouvait persuader les gens de son point de vue – elle parvenait à les convaincre qu'ils voulaient ce qu'elle voulait qu'ils veuillent. Peter, en revanche, ne savait que leur faire redouter ce qu'il voulait qu'ils redoutent. Ça l'avait fortement contrariée lorsqu'il lui en avait fait la remarque pour la première fois. Elle aurait tant voulu croire que la force de ses arguments l'emportait sur son intelligence. Mais peu importait combien de fois elle se répétait qu'elle n'exploiterait jamais les gens comme le faisait Peter, elle aimait l'idée qu'elle pouvait, à sa manière, les contrôler. Et pas seulement ce qu'ils faisaient, mais aussi ce qu'ils avaient *envie* de faire. Elle avait honte de prendre plaisir à ce pouvoir, et pourtant elle se surprenait de temps à autre à l'utiliser. Pour obtenir ce qu'elle voulait des professeurs, et des autres élèves. Pour forcer Mère et Père à partager son point de vue. Elle parvenait même parfois à convaincre Peter. C'était sans doute ce qu'elle trouvait le plus effrayant – cette aptitude à comprendre suffisamment bien ce que ressentait Peter pour pénétrer ainsi en lui. Tous deux avaient plus de points communs qu'elle n'acceptait de le reconnaître, quand bien même il lui arrivait à l'occasion d'oser l'imaginer. *Tu rêves de puissance, Peter,* songeait-elle en l'écoutant parler. *Mais à ma façon, je suis plus puissante que toi.*

« J'ai étudié l'histoire, dit Peter. J'ai appris des choses sur la structuration du comportement humain. Il y a des moments durant lesquels le monde se réorganise, et dans de telles périodes les bonnes paroles peuvent littéralement changer le monde. Rappelle-toi ce que Périclès a fait à Athènes, et Démosthène…

— Oui, ils ont réussi à anéantir deux fois Athènes.

— Périclès, oui, mais Démosthène avait raison à propos de Philippe…

— À moins qu'il ne l'ait provoqué…

— Tu vois ? C'est ce que les historiens ont l'habitude de faire, ils chicanent sur les causes et les effets alors que l'important, c'est qu'il y a des moments où le monde est en phase de changement, et que la bonne voix au bon endroit peut alors le faire bouger. Thomas Paine et Ben Franklin, par exemple. Bismarck. Lénine.

— Des cas guère comparables, Peter. » Mais elle s'opposait à lui par habitude désormais ; elle voyait où il voulait en venir, et commençait à se demander si ça pouvait réussir.

« Je ne m'attendais pas à ce que tu comprennes. *Tu* vois encore les professeurs comme des gens capables de nous apprendre quelque chose de valable.

— Je comprends mieux que tu ne le penses, Peter. Alors comme ça, tu te vois en Bismarck ?

— Je me vois comme quelqu'un capable d'introduire des idées dans l'esprit du public. Tu n'as jamais pensé à une phrase, Val, quelque chose d'intelligent à dire, pour la retrouver deux semaines ou un mois plus tard dans la bouche d'un adulte en train de parler à un parfait étranger ? Ou bien pour la retrouver en vidéo ou sur un réseau ?

— Je me suis toujours dit que j'avais dû l'entendre quelque part. Que je m'étais seulement figurée l'avoir trouvée.

— Tu avais tort. Il y a peut-être deux ou trois mille personnes aussi intelligentes que nous dans le monde, petite sœur. Et la plupart de ces pauvres types gagnent leur vie en enseignant ou en faisant de la recherche. Seule une infime minorité d'entre eux occupe effectivement des positions de pouvoir.

— Je suppose que nous faisons partie de ces heureux élus.

— Aussi marrant qu'un lapin à une patte, Val.

— Dont il y a sans doute beaucoup de spécimens dans ces bois.

— Occupés à faire de jolis petits sauts en rond. »

Cette image horrible fit rire Valentine, qui se détesta de la trouver drôle.

« Val, *nous* pouvons dire les mots dont tout le monde s'emparera deux semaines plus tard. Nous pouvons y arriver. Rien ne nous oblige à attendre d'être des adultes tranquillement mis sur une voie de garage.

— Peter, tu as *douze* ans.

— Pas sur les réseaux. Sur les réseaux, je peux m'appeler exactement comme je l'entends, et toi aussi.

— Nous sommes explicitement identifiés comme des élèves sur les réseaux, et on ne peut même pas accéder aux vraies discussions importantes autrement qu'en mode auditeur ; nous ne pouvons donc rien *dire* de toute façon.

— J'ai un plan.

— Comme toujours. » Elle feignait la nonchalance, mais écoutait des deux oreilles.

« Nous pouvons accéder aux réseaux comme des adultes à part entière, avec n'importe quel nom que nous déciderons d'adopter, *si* Papa nous inscrit sur son accès de citoyen.

— Et pourquoi ferait-il cela ? Nous avons déjà notre accès d'élève. Qu'est-ce que tu comptes lui dire ? "J'ai besoin de ton accès de citoyen pour pouvoir prendre le contrôle du monde" ?

— Non, Val. *Je* ne lui dirai rien. *Toi*, tu vas lui dire à quel point tu t'inquiètes pour moi. Que je fais vraiment mon possible pour bien me tenir à l'école, mais que tu sais combien ça me rend fou de ne jamais pouvoir parler avec des gens intelligents, que tout le monde me parle comme à un enfant à cause de mon âge, que je n'ai jamais l'occasion de m'entretenir avec mes *pairs*. Tu peux même lui donner une *preuve* du stress que je subis. »

Songeant au cadavre de l'écureuil dans les bois, Valentine comprit que même cette découverte faisait partie du plan de son frère. Ou du moins qu'il l'avait *intégrée* à son plan, a posteriori.

« Donc tu le persuades de nous autoriser à utiliser son accès de citoyen. De nous laisser y adopter de fausses identités pour que les gens nous accordent le respect intellectuel que nous méritons. »

Sa sœur pouvait le défier sur le plan des idées, jamais sur ce genre de questions. Elle ne pouvait lui dire : « Qu'est-ce qui te fait croire que tu mérites le respect ? » Elle avait lu des choses sur Adolf Hitler – et se demandait à quoi il ressemblait à douze ans. Pas aussi intelligent, pas de la même manière que Peter en tout cas, mais probablement tout autant assoiffé d'honneurs. Et qu'est-ce que ça aurait signifié pour le monde si, dans son enfance, il avait été pris par une batteuse ou piétiné par un cheval ?

« Val, je sais ce que tu penses de moi. Tu ne me considères pas comme quelqu'un de bien. »

Valentine lui lança dessus une aiguille de sapin. « Une flèche à travers ton cœur.

— Ça fait longtemps que je comptais t'en parler. Mais je ne pouvais pas m'empêcher d'avoir peur. »

Elle souffla dans sa direction l'aiguille de pin qu'elle avait entre les lèvres. Le projectile tomba presque aussitôt à la verticale. « Encore raté. » Pourquoi faisait-il semblant d'être faible ?

« Val, j'avais peur que tu ne me croies pas. Que tu me croies incapable de le faire.

— Peter, je te crois capable de n'importe quoi. Et sans doute incapable de t'en priver.

— Mais je craignais encore plus que tu me croies et que tu essaies de m'arrêter.

— Vas-y, menace-moi encore une fois de me tuer, Peter. » Pensait-il vraiment qu'*elle* pouvait tomber dans le panneau ? Croire à son petit numéro d'humilité enfantine ?

« D'accord, j'ai un sens de l'humour malsain. Je suis désolé. Tu sais bien que je te taquinais. J'ai besoin de ton aide.

— Tu es exactement ce dont le monde a besoin. Un enfant de douze ans capable de résoudre tous nos problèmes.

— Ce n'est pas ma faute si j'ai douze ans. Si c'est maintenant que l'occasion se présente. Si c'est *maintenant* que je peux influer sur le cours des événements. Le monde est toujours une démocratie en périodes de changements, et c'est la meilleure voix qui l'emportera. Tout le monde pense que Hitler est arrivé au pouvoir grâce à ses armées assoiffées de sang ; c'est en partie vrai, parce que dans le monde réel le pouvoir se construit toujours sur des menaces de mort et de déshonneur. Mais ce sont surtout ses paroles qui l'ont amené au pouvoir, les bons mots au bon moment.

— L'idée de te comparer à lui vient justement de me traverser l'esprit.

— Je ne hais pas les Juifs, Val. Je ne veux exterminer personne. Et je ne veux pas non plus de guerre. Tout ce que je veux, c'est que le monde demeure uni. Est-ce si mal ? Je ne veux pas que nous nous retrouvions comme avant. Tu as étudié les deux guerres mondiales ?

— Oui.

— Eh bien, une troisième nous pend au nez. Ou pire encore. Nous ne sommes pas à l'abri de nous retrouver enfermés derrière le mur de fer. Et ça n'a rien d'une idée réjouissante.

— Peter, pourquoi refuses-tu de comprendre que nous ne sommes que des enfants ? On va à l'école, on grandit... » Alors même qu'elle résistait, cependant, elle *voulait* qu'il la persuade. Depuis le début.

Mais Peter ignorait qu'il avait déjà gagné. « Si je crois cela, si j'*accepte* cela, alors il ne me reste plus qu'à me carrer dans un fauteuil pour regarder toutes les occasions disparaître devant mes yeux en attendant d'être assez vieux – mais il sera alors trop tard. Val, écoute-moi. Je sais ce que tu penses de moi, depuis toujours. J'ai été un frère méchant, brutal. Je me suis montré cruel avec toi, et plus encore avec Ender avant qu'ils ne l'emmènent. Mais je ne vous haïssais pas. Je vous aimais tous les deux, j'avais juste besoin de... Il fallait que j'aie le *contrôle*, tu comprends ? C'est ce qui me caractérise le mieux, mon plus grand don : je peux *voir* les points faibles des autres, je sais comment m'y immiscer pour les utiliser. Et sans même le vouloir. Je pourrais devenir un homme d'affaires, diriger une grande entreprise quelconque, je ferais des pieds et des mains pour atteindre le sommet à force de manœuvres plus ou moins honnêtes, et pour quel résultat ? Aucun. Je vais obtenir le pouvoir, Val, je vais *contrôler* quelque chose. Mais quelque chose qui en vaille la peine. Je veux accomplir des choses qui comptent. Une *pax americana* dans le monde entier. Pour qu'au moment où une nouvelle menace se profilera après notre victoire contre les doryphores, où quelqu'un d'autre viendra pour nous vaincre, il constate que nous avons déjà essaimé sur un millier de mondes, que nous vivons en paix et qu'il lui est impossible de nous détruire. Est-ce que tu comprends ? Je veux sauver le genre humain de l'autodestruction. »

Jamais elle ne l'avait entendu parler avec une telle sincérité. Sans la moindre trace de moquerie ou de mensonge dans la voix. Il s'améliorait à ce petit jeu. À moins, peut-être, qu'il ne soit vraiment en train d'effleurer la vérité. « Donc un gosse de douze ans et sa petite sœur vont sauver le monde ?

— Quel âge avait Alexandre ? Je ne vais pas faire tout ça du jour au lendemain. Je vais *commencer* maintenant. Avec ton aide.

— J'ai du mal à croire que ces écureuils faisaient partie du numéro. Je pense que tu as adoré leur infliger ce que tu leur as fait. »

Peter se mit soudain à pleurer dans ses mains. Val présuma qu'il faisait semblant, à moins que… Il n'était pas tout à fait impossible, en fin de compte, qu'il l'aime bel et bien, et qu'en ces temps terrifiants il soit prêt à s'abaisser devant elle pour gagner son amour. *Il est en train de me manipuler*, se dit-elle, *mais ça ne le rend peut-être pas moins sincère*. Ses joues étaient mouillées lorsqu'il écarta les mains, ses yeux bordés de rouge. « Je sais, dit-il. C'est ce qui m'effraie le plus. D'être vraiment un monstre. Je ne veux pas être un tueur, mais je ne peux pas m'en empêcher. »

Elle ne l'avait jamais vu faire étalage de pareille fragilité. *Tu es tellement intelligent, Peter. Tu as économisé ta faiblesse pour l'utiliser à m'émouvoir.*

Et cela l'émut malgré tout. Parce que si c'était vrai, même en partie, ça voulait dire que son frère n'était pas qu'un monstre, et qu'elle-même pouvait assouvir sa propre soif de pouvoir sans craindre de devenir monstrueuse. Elle reconnaissait l'air calculateur de Peter en cet instant, mais elle le croyait sincère sous ses calculs. Sa vérité se dissimulait sous des couches épaisses de protection, mais il avait insisté jusqu'à ce qu'enfin il gagne sa confiance.

« Val, si tu ne m'aides pas, je ne sais pas ce que je vais devenir. Mais si tu es à mes côtés, ma partenaire en toute chose, tu pourras m'empêcher de devenir… comme ça. Comme les méchants. »

Elle hocha la tête. *Tu fais juste semblant de partager le pouvoir avec moi*, se dit-elle, *mais tu ne te rends pas compte qu'en fait c'est moi qui te contrôle*. « D'accord. Je vais t'aider. »

Dès que Père les eut intégrés à son accès de citoyen, ils entreprirent de prendre la température en restant à l'écart des réseaux requérant l'usage d'un nom véritable. Ce qui ne présentait aucune difficulté, car on ne les utilisait généralement que pour des questions d'argent. Or ils n'avaient pas besoin d'argent. C'était du respect qu'ils voulaient, et ça, ils pouvaient le gagner. Avec de faux noms, sur les réseaux adéquats, ils pouvaient être n'importe qui. Des vieillards, des femmes mûres, n'importe qui, dès lors qu'ils se montraient prudents dans leur façon d'écrire. Tout ce qu'on verrait d'eux se résumerait à leurs mots, à leurs idées. Chaque citoyen partait à égalité, sur les réseaux.

Pour leurs premières tentatives, ils utilisèrent des noms courants en lieu et place des identités que Peter entendait rendre célèbres et influentes. On ne les invita pas à prendre part aux grands forums politiques nationaux et internationaux, bien entendu. Ils ne pouvaient les suivre qu'en tant que simples spectateurs jusqu'à ce qu'on choisisse de les y convier officiellement. Mais ils s'inscrivirent néanmoins en observateurs, lisant certains des essais publiés par de grandes signatures, assistant aux débats par l'intermédiaire de leurs bureaux.

Et ils commencèrent à insérer leurs commentaires dans les conférences de moindre importance, là où la populace discutait des questions majeures. Dans un premier temps, Peter insista pour qu'ils se montrent délibérément provocateurs. « Comment savoir si notre style d'écriture fonctionne si personne ne nous répond ? Et personne ne répondra si nous sommes falots. »

Ils ne le furent pas, et des gens leur répondirent. Les messages postés sur les réseaux publics étaient du vinaigre ; ceux que Peter et Valentine recevaient sur leur boîte privée étaient du poison. Mais cela leur permit bel et bien de déterminer quelles caractéristiques de leur écriture étaient perçues comme infantiles et immatures. Et de s'améliorer.

Dès que Peter eut la certitude qu'ils savaient se faire passer pour des adultes, il supprima leurs anciennes identités et ils commencèrent à se préparer à attirer vraiment l'attention.

« Nous devons avoir l'air complètement indépendants l'un de l'autre. On va écrire sur des sujets différents à des moments différents. On ne fera jamais référence l'un à l'autre. Tu vas te réserver les réseaux de la côte Ouest, et moi ceux du Sud. Ainsi que les questions régionales. Alors, faisons bien nos devoirs. »

Ce qu'ils firent. Père et Mère s'inquiétaient parfois de les voir constamment ensemble, leur bureau sous le bras, mais ils n'avaient aucune raison de se plaindre – leurs notes restaient bonnes, et Valentine semblait avoir une influence si positive sur Peter. Elle l'avait littéralement transformé, à tout point de vue. Et par beau temps tous deux allaient s'asseoir dans les bois, ou dans les restaurants et les jardins couverts lorsqu'il pleuvait, pour rédiger leurs commentaires politiques. Peter élabora soigneusement les deux personnages pour qu'aucun d'eux ne reprenne toutes ses idées ; il créa même quelques identités de rechange qu'ils utilisèrent pour introduire des opinions de tierces personnes. « Laissons-les donc tous les deux se trouver des partisans tant qu'ils le peuvent », disait-il.

Un jour, lasse d'écrire et de réécrire jusqu'à obtenir la pleine satisfaction de Peter, une Val au désespoir s'exclama : « Écris-le toi-même dans ce cas !

— Impossible. Ils ne doivent pas sonner pareil. Jamais. N'oublie pas qu'un jour nous serons devenus assez célèbres pour que quelqu'un se mette à faire l'analyse de nos propos. Nous devons toujours apparaître comme deux personnes distinctes. »

Elle continua donc d'écrire. Son identité principale sur les réseaux était Démosthène – c'était Peter qui avait choisi le nom. Lui-même se faisait appeler Locke. Des pseudonymes, à l'évidence, mais cela faisait partie du plan. « Avec un peu de chance, ils vont commencer à se demander qui nous sommes.

— Si on devient suffisamment célèbres, le gouvernement pourra toujours obtenir un accès pour découvrir notre identité.

— Le temps que ça arrive, nous serons trop enracinés pour que ça nous pose véritablement problème. Les gens risquent d'être choqués d'apprendre que Locke et Démosthène sont deux enfants, mais ils auront déjà pris l'habitude de nous écouter. »

Ils commencèrent à composer des controverses pour leurs personnages. Valentine préparait une déclaration liminaire, puis Peter inventait un nom jetable pour lui répondre. Avec intelligence, ce qui donnait un débat animé, avec nombre d'invectives fondées et une rhétorique politique de qualité. Valentine avait le chic pour trouver des allitérations qui rendaient ses phrases inoubliables. Puis, dans un second temps, ils transféraient le tout sur le réseau, en prenant soin d'espacer suffisamment leurs interventions respectives pour donner l'impression de les produire en temps réel. Quelques participants interposaient parfois leurs propres commentaires, mais Peter et Val n'en tenaient généralement pas compte, ou modifiaient subtilement les leurs pour les adapter à ce qui avait été dit.

Peter notait soigneusement leurs phrases les plus mémorables, puis effectuait ponctuellement des recherches pour repérer si elles se manifestaient sur d'autres sites. Ce n'était pas systématique, mais la plupart se retrouvaient ici et là, et quelques-unes eurent même l'honneur d'apparaître dans les débats majeurs des réseaux de prestige. « On nous lit, dit Peter. Nos idées filtrent peu à peu.

— Nos phrases, en tout cas.

— Ce n'est que leur mesure. Écoute, nous sommes en train de gagner de l'influence. Personne ne nous cite encore nominalement, mais on discute des questions que nous soulevons. Nous participons à donner le ton. C'est en train de fonctionner.

— Tu penses qu'on devrait essayer de s'intégrer aux grands débats ?

— Non. On va attendre qu'on nous le demande. »

Ils n'œuvraient sur les réseaux que depuis sept mois quand l'un de ceux de la côte Ouest envoya un message à Démosthène. Une proposition pour tenir une chronique hebdomadaire sur un réseau d'information de bonne qualité.

« Je ne peux pas en faire une par semaine, dit Valentine, je n'ai même pas encore mes règles tous les mois.

— Il n'y a aucun rapport entre les deux, fit Peter.

— Parle pour toi. Je suis encore une gamine.

— Accepte, mais dis-leur que tu préfères garder secrète ta véritable identité et demande-leur de te payer en temps de réseau. Un nouveau code d'accès dans leur identité collective.

— Ce qui fait que lorsque le gouvernement suivra ma trace…

— Tu seras juste une personne capable d'accéder au Réseau d'Appel. L'accès de citoyen de Papa ne sera pas impliqué. Ce que je n'arrive pas à comprendre, c'est pourquoi ils ont voulu Démosthène avant Locke.

— Le talent surnage toujours. »

En tant que jeu, c'était amusant. Mais Valentine n'appréciait guère certaines des positions que Peter faisait prendre à Démosthène. Celui-ci commençait à s'installer comme un écrivain antirusse à la limite de la paranoïa. Ça l'ennuyait parce que c'était Peter l'expert en matière d'exploitation de la peur – de sorte qu'elle n'arrêtait pas de venir le voir pour qu'il l'abreuve de ses idées en la matière. Pendant ce temps, Locke se conformait à sa stratégie de modéré compréhensif. Ce qui semblait logique, en un sens. En lui faisant écrire Démosthène, Peter signifiait à sa sœur que son personnage était lui aussi capable d'empathie, tout comme Locke pouvait jouer sur les peurs des autres. Ce qui avait néanmoins pour conséquence principale de la lier inextricablement à son frère. Elle ne pouvait pas partir, utiliser Démosthène pour ses propres objectifs. Elle ne saurait comment faire. Mais ça marchait dans les deux sens. Il ne pouvait pas écrire Locke sans elle. À moins que…

« Je croyais que notre but était d'unifier le monde. Si j'écris comme tu me dis de le faire, Peter, ça revient plus ou moins à exiger le démembrement du Pacte de Varsovie. Par les armes.

— Tu n'exiges pas la guerre, juste des réseaux ouverts et l'interdiction des interceptions. La libre circulation de l'information. En conformité avec les règles de la Ligue, nom de Dieu. »

Sans même s'en rendre compte, Valentine se mit à parler à la manière de Démosthène, quand bien même elle ne partageait certainement pas ses opinions. « Tout le monde sait que, depuis la création de la Ligue, le Second Pacte de Varsovie a dû être considéré comme une entité distincte là où ses règlements devaient s'appliquer. La libre circulation internationale reste effective. Mais les nations du Pacte de Varsovie la traitent encore comme une question intérieure. C'est pour ça qu'ils ont accepté de laisser aux Américains l'hégémonie au sein de la Ligue.

— Tu donnes raison à Locke, Val. Fais-moi confiance. Tu dois exiger la suppression du statut officiel du Pacte de Varsovie. Tu dois mettre beaucoup de gens en colère. Ensuite, dans un deuxième temps, quand tu commenceras à reconnaître la nécessité d'un compromis…

— Ils cesseront de m'écouter et partiront en guerre.

— Val, fais-moi confiance. Je sais ce que je fais.

— Et comment le pourrais-tu ? Tu n'es pas plus intelligent que moi, et tu n'as jamais fait ça toi non plus.

— J'ai douze ans et tu en as dix.

— Presque onze.

— Et je sais comment marche ce genre de choses.

— Très bien, je vais le faire à ta manière. Mais ne compte pas sur moi pour clamer à la liberté ou à la mort.

— Bien sûr que si.

— Et le jour où ils nous auront attrapés et qu'ils se demanderont pourquoi ta sœur était aussi belliciste, je parie que tu leur diras que c'est ce que tu m'avais demandé de faire.

— Tu es *sûre* que tu n'as pas tes règles, petite femme ?

— Je te hais, Peter Wiggin. »

Ce qui troubla le plus Valentine fut de voir sa chronique distribuée sous licence sur plusieurs réseaux régionaux d'information, et Père commencer à la lire et à la citer à table. « Voilà enfin un homme de bon sens, disait-il. (Puis il se mettait à réciter les passages de ses écrits qu'elle avait le plus en horreur.) Je veux bien qu'on collabore avec les hégémonistes russes tant que les doryphores sont dans le coin, mais après notre victoire je ne vois pas comment on pourrait laisser la moitié du monde civilisé virtuellement asservi à l'Empire russe – tu ne crois pas, ma chérie ?

— Je crois que tu prends tout ça trop au sérieux, répondit Mère.

— J'aime bien ce Démosthène. Sa façon de penser. Ça m'étonne qu'il ne soit pas sur les grands réseaux… Je l'ai cherché dans les débats touchant aux relations internationales ; à ma grande surprise, il n'y a jamais pris part. »

Valentine perdit aussitôt l'appétit et quitta la table. Au terme d'un intervalle acceptable, Peter alla la rejoindre.

« Alors comme ça, tu n'aimes pas mentir à Papa, fit-il. Et alors ? Tu ne lui *mens* pas. Il ne sait pas que tu es Démosthène, et Démosthène ne dit pas des choses auxquelles tu crois vraiment. Ils s'annulent mutuellement, leur somme est égale à zéro.

— C'est ce type de raisonnement qui fait de Locke un tel connard. » Mais ce n'était pas vraiment le fait de mentir à Père qui la gênait – plutôt que celui-ci soit d'accord avec Démosthène. Elle s'était imaginé que seuls des imbéciles allaient le suivre.

Quelques jours plus tard, Locke fut choisi pour tenir une chronique sur un réseau de la Nouvelle-Angleterre, expressément pour donner un point de vue contradictoire aux idées populaires de Démosthène. « Pas mal pour deux gosses qui doivent avoir à peu près huit poils pubiens à eux deux, fit Peter.

— Le chemin est long entre écrire une chronique sur un réseau d'information et gouverner le monde, lui rappela Valentine. Tellement long que personne ne l'a jamais parcouru.

— Détrompe-toi. L'équivalent moral, en tout cas. Je vais poster des trucs sournois sur Démosthène dans ma première chronique.

— Eh bien, Démosthène ne va même pas remarquer que Locke existe. Jamais.

— Pour le moment. »

Les revenus liés à leurs chroniques subvenant à présent complètement aux besoins de leurs identités respectives, ils n'utilisaient l'accès de Père que pour les identités subalternes. Mère finit par leur faire remarquer qu'ils passaient trop de temps sur les réseaux. « Trop de travail finit par abrutir », rappela-t-elle à Peter.

Il laissa sa main trembler un peu avant de répondre : « Si tu estimes que je devrais arrêter, je pense pouvoir être capable de garder les choses sous contrôle cette fois. Vraiment.

— Non, non, dit Mère. Je ne veux pas que tu arrêtes. Mais sois prudent, c'est tout.

— Je le suis, Maman. »

Rien n'avait changé en un an, Ender en avait la certitude. Et pourtant, tout lui semblait avoir mal tourné. Il était toujours en tête du classement des soldats, et plus personne désormais ne doutait qu'il le méritait. À neuf ans, il était chef de cohorte dans l'Armée du Phénix, avec Petra Arkanian comme commandant. Il avait maintenu ses entraînements du soir, à présent fréquentés par un groupe de soldats d'élite nommés par leurs commandants – n'importe quel Bleu qui le voulait continuait néanmoins à y être le bienvenu. Alai était lui aussi devenu chef de cohorte, dans une autre armée, et ils demeuraient bons amis ; quant à Shen, il était resté simple soldat, mais ça ne créait pas de barrière entre eux. Dink Meeker avait fini par accepter un commandement, succédant à Ray le Nez à la tête de l'Armée du Rat. *Tout se passe bien,* très *bien, je ne pourrais rien demander de mieux…*

Alors pourquoi ai-je ma vie en horreur ?

Il suivait le rythme des entraînements et des parties. Il trouvait du plaisir à former les garçons de sa cohorte, à les voir lui obéir loyalement. Tout le monde le respectait, et on le traitait avec déférence lors de ses séances du soir. Des commandants venaient étudier ce qu'ils faisaient. D'autres soldats lui demandaient la permission de s'asseoir à sa table au réfectoire. Même les professeurs semblaient le tenir en haute estime.

Il recevait tellement de ce foutu respect qu'il en aurait hurlé.

Il regardait jouer les gosses de l'armée de Petra, tout juste sortis de leur groupe de Bleus, les voyait se moquer de leurs chefs quand ils croyaient que personne ne les observait. Il pouvait voir la camaraderie que partageaient de vieux amis s'étant connus à l'École de Guerre des années auparavant, qui parlaient avec force rires de batailles d'antan, ou de commandants et de soldats depuis longtemps diplômés.

Mais il n'y avait ni rires ni souvenirs avec *ses* vieux amis. Seulement du travail. L'intelligence et la fièvre du jeu, et rien au-delà. La situation avait atteint ses limites ce soir-là. Ender et Alai étaient en train de discuter des nuances des manœuvres en espace ouvert quand Shen se pointa, les écouta quelques instants puis prit sans crier gare Alai par les épaules et hurla : « Nova ! Nova ! Nova ! » Alai éclata aussitôt de rire, et Ender les regarda un moment évoquer ensemble la bataille où il leur avait fallu pour de vrai agir en espace ouvert, et qu'ils avaient échappé aux grands et…

Ils se rappelèrent soudain que Wiggin se trouvait là. « Désolé, Ender », fit Shen.

Désolé. Pour quoi ? Parce que nous sommes amis ? « J'y étais aussi, vous savez. »

Et ils s'excusèrent de plus belle. Retour aux affaires. Retour au *respect*. Et Ender comprit qu'il ne leur était même pas venu à l'esprit de l'inclure dans leur rire, dans leur amitié.

Comment pourraient-ils ne serait-ce que l'imaginer ? Est-ce que j'ai ri avec eux ? Ai-je essayé de participer ? Je me suis contenté de rester là, à les regarder, comme un professeur.

C'est comme ça qu'ils me voient. Un professeur. Un soldat de légende. Pas l'un des leurs. *Pas quelqu'un qu'on prend dans ses bras pour lui murmurer* Salaam *à l'oreille.* Ça n'avait duré qu'aussi longtemps qu'Ender était apparu comme une victime. Qu'il avait semblé vulnérable. Maintenant qu'il était devenu un soldat virtuose, il se retrouvait complètement, totalement, seul.

On s'apitoie sur son sort, Ender ? Allongé sur sa couchette, il tapa sur son bureau les mots PAUVRE ENDER. Puis les effaça en riant de lui-même. *Il n'y a pas un garçon ou une fille dans cette école qui ne sauterait pas de joie à l'idée d'échanger sa place avec moi.*

Il ouvrit le jeu de *fantasy*. Comme à son habitude, il traversa le village que les nains avaient construit sur la colline qu'avait formée le cadavre du Géant. Bâtir des murs solides ne leur avait guère posé de difficultés, avec les côtes déjà courbées exactement comme il le fallait, et juste assez d'espace entre elles pour laisser des fenêtres. L'intégralité du corps avait été divisée en appartements, qui donnaient sur le chemin constitué par la colonne vertébrale. L'amphithéâtre public avait pris place dans le bassin, et les jambes faisaient office de pâturage pour le troupeau de poneys. Ender n'était jamais sûr de bien saisir ce que trafiquaient les nains, mais comme ils le laissaient tranquille quand il traversait prudemment leur village, il n'avait aucune raison de leur faire du mal.

Après avoir sauté par-dessus l'os pelvien qui servait de fondement à la place publique, il s'engagea dans le pâturage. Les poneys s'enfuirent à son approche. Il se garda bien de les poursuivre. Ender ne comprenait plus comment le jeu fonctionnait. Jadis, avant qu'il n'atteigne pour la première fois le Bout du Monde, tout n'avait été que combats et énigmes à résoudre – vaincre l'ennemi avant qu'il ne vous tue, ou bien découvrir comment franchir les obstacles. Mais plus personne ne l'attaquait à présent, où qu'il aille il n'y avait plus ni guerre ni obstacles.

Sauf, bien entendu, dans la pièce du château du Bout du Monde. Le dernier endroit encore dangereux. Et Ender, malgré toutes les occasions où il s'était promis de ne plus jamais y remettre les pieds, y retournait toujours, tuait le serpent, regardait son frère en face et, toujours, quoi qu'il fasse ensuite, finissait par mourir.

Cette fois-là ne fut pas différente. Il tenta d'utiliser le couteau posé sur la table pour dégager du mortier et extraire une pierre du mur. De l'eau se mit à jaillir à travers la brèche dès qu'il fut parvenu à la pratiquer. Les yeux braqués sur son bureau, Ender regarda son personnage désormais hors de contrôle se débattre frénétiquement pour essayer d'éviter la noyade. Les fenêtres de la pièce avaient disparu, l'eau monta inexorablement, et l'avatar périt. Pendant tout ce temps-là, le visage de Peter Wiggin dans le miroir ne le quitta pas des yeux.

Je suis coincé ici. Pris au piège au Bout du Monde sans la moindre échappatoire. Et il identifia enfin le goût amer qu'il avait constamment en bouche malgré tous ses succès à l'École de Guerre. C'était celui du désespoir.

Il y avait des hommes en uniforme à chaque entrée de l'école lorsque Valentine arriva. Ils se tenaient comme l'auraient fait des gardes, sauf qu'ils semblaient plutôt traîner dans le coin en attente de quelqu'un qui se serait trouvé à l'intérieur. Ils portaient l'uniforme des Marines de la F.I., celui-là même qu'on pouvait voir en vidéo dans des combats sanglants. Ça conférait à l'atmosphère de l'école une dimension romanesque qui excitait tous les élèves.

Sauf Valentine. D'abord, parce que ça lui faisait penser à Ender. Mais aussi parce que ça lui faisait peur. Quelqu'un avait récemment publié un commentaire virulent sur les articles de Démosthène. Ledit commentaire, et par conséquent ses propres écrits, avait fait l'objet d'un débat lors de la conférence publique du réseau des relations internationales, au cours duquel les *happy fews* du moment avaient attaqué et défendu Démosthène. C'était surtout l'intervention d'un Britannique qui l'inquiétait : « Que ça lui plaise ou non, Démosthène ne peut rester indéfiniment incognito. Il a outragé de trop nombreux hommes sensés et contenté de trop nombreux imbéciles pour pouvoir se cacher encore longtemps derrière ce bien pratique pseudonyme. Soit il se démasque pour prendre la tête des imbéciles qu'il a ralliés à sa cause, soit ses ennemis le démasqueront afin de mieux comprendre la maladie qui a produit un esprit aussi pervers et tortueux. »

Peter en avait été ravi, ce qui n'était guère surprenant. Quant à Valentine, elle craignait que la personnalité haineuse de Démosthène n'offusque suffisamment de puissants pour les inciter à envoyer des gens la traquer. La F.I. pouvait le faire, quand bien même le gouvernement américain en était constitutionnellement empêché. Or c'étaient bien des soldats de la F.I. qu'elle voyait rassemblés autour de l'école de Guilford. Pas vraiment le genre d'endroit idéal pour recruter des Marines.

Elle ne fut donc pas surprise de trouver un message sur son bureau lorsqu'elle se connecta.

DÉCONNECTEZ-VOUS ET
RENDEZ-VOUS IMMÉDIATEMENT
AU BUREAU DU DOCTEUR LINEBERRY

Valentine attendit nerveusement devant le bureau de la principale que celle-ci daigne enfin ouvrir sa porte et lui fasse signe d'entrer. Ses derniers doutes s'évanouirent lorsqu'elle vit l'homme bedonnant en uniforme de la F.I. assis dans le seul fauteuil confortable de la pièce.

« Tu es Valentine Wiggin, dit-il.

— Oui, murmura-t-elle.

— Je suis le Colonel Graff. Nous nous sommes déjà rencontrés. »

Ah bon ? Quand donc avait-elle eu affaire à la F.I. ?

« Je suis venu te parler confidentiellement, à propos de ton frère. »

Je ne suis donc pas la seule concernée, se dit-elle. *Ils ont aussi Peter. Ou alors ça n'a rien à voir ? Est-ce qu'il a fait n'importe quoi ? Je croyais qu'il avait arrêté ses frasques.*

« Valentine, tu as l'air effrayée. Tu n'as aucune raison de l'être. Je t'en prie, assieds-toi. Je t'assure que ton frère va bien. Il a plus que répondu à nos attentes. »

Dans une immense vague de soulagement intérieur, elle comprit que c'était à propos d'Ender qu'ils étaient venus. Ender. Ça devait être l'officier qui l'avait emmené avec lui. Ça n'avait rien à voir du tout avec quelque punition, mais avec son petit frère, qui avait disparu depuis si longtemps, qui ne faisait plus partie des plans de Peter désormais. *Tu as été le plus chanceux de nous deux, Ender. Tu es parti avant que Peter ne puisse te prendre au piège de sa conspiration.*

« Qu'est-ce que tu ressens pour ton frère, Valentine ?

— Ender ?

— Bien sûr.

— Comment pourrais-je ressentir quoi que ce soit pour lui ? Je ne l'ai ni revu ni eu de ses nouvelles depuis mes huit ans.

— Docteur Lineberry, vous voulez bien nous excuser ? »

Lineberry s'en offusqua.

« À la réflexion, docteur Lineberry, je crois que Valentine et moi allons avoir une conversation beaucoup plus productive si nous allons marcher. Dehors. Loin des appareils d'enregistrement que votre adjoint a installés dans cette pièce. »

C'était la première fois que Valentine voyait le Dr Lineberry rester sans voix. Le colonel Graff décrocha une image du mur pour retirer une membrane sensorielle avec sa petite unité émettrice. « Primitif, fit Graff, mais efficace. Je pensais que vous étiez au courant. »

Lineberry prit l'appareil et se laissa lourdement tomber dans son fauteuil. Graff conduisit Valentine à l'extérieur.

Ils marchèrent jusqu'au terrain de football. Après les avoir suivis à distance respectueuse, les soldats se disposèrent en un large cercle pour surveiller un périmètre aussi étendu que possible.

« Valentine, nous avons besoin de ton aide. Pour Ender.

— Quel genre d'aide ?

— Nous n'en sommes pas tout à fait sûrs. Nous avons besoin de toi pour le déterminer.

— Bon, qu'est-ce qui ne va pas ?

— C'est une partie du problème. Nous l'ignorons. »

Valentine ne put s'empêcher de rire. « Ça fait trois ans que je ne l'ai pas revu ! Il a passé tout son temps là-haut avec vous !

— Valentine, l'aller-retour entre l'École de Guerre et la Terre coûte davantage d'argent que ce que ton père en gagnera dans toute sa vie. Ce n'est pas une navette régulière.

— Le roi avait fait un rêve, dit Valentine, mais il l'avait oublié. Alors il a demandé aux sages de l'interpréter, sous peine de mort. Seul Daniel y est parvenu, parce que c'était un prophète.

— Tu lis la Bible ?

— On étudie les classiques cette année en littérature supérieure. Je n'ai rien d'un prophète.

— J'aimerais pouvoir tout te dire à propos d'Ender. Mais ça prendrait des heures, des jours peut-être, et ensuite je devrais te faire mettre en détention provisoire pour en protéger la stricte confidentialité. Donc voyons quoi faire avec des informations limitées. Nous avons un jeu informatique auquel s'adonnent nos élèves. » Et il lui parla du Bout du Monde, de la pièce close et du visage de Peter dans le miroir.

« C'est l'ordinateur qui a inséré son image à cet endroit, pas Ender. Pourquoi ne pas lui poser la question directement ?

— Ça n'a rien donné.

— Et *moi* je devrais savoir pourquoi ?

— C'est la deuxième fois depuis qu'Ender nous a rejoints qu'il entraîne le jeu dans une impasse. Dans une partie qui semble insoluble.

— A-t-il résolu la première ?

— Au bout du compte.

— Eh bien, laissez-lui du temps, dans ce cas. Il finira probablement par venir à bout de celle-ci.

— J'en doute. Valentine, ton frère est un petit garçon très malheureux.

— Pourquoi ?

— Je l'ignore.

— Vous ne savez pas grand-chose, hein ? »

Valentine crut un instant que l'homme allait se mettre en colère. Au lieu de quoi il se décida à éclater de rire. « Non, pas grand-chose. Valentine, pourquoi Ender n'arrête-t-il pas de voir votre frère Peter dans le miroir ?

— Il ne devrait pas. C'est stupide.

— Pourquoi ça ?

— Parce qu'il n'y a pas plus différents que Peter et Ender.

— Que veux-tu dire ? »

Aucune des réponses qui lui venaient en tête ne lui semblait sans danger. Se montrer trop curieux à propos de Peter pouvait vraiment vous attirer des ennuis. Valentine en connaissait assez sur le monde pour savoir que personne ne prendrait les plans hégémoniques de Peter au sérieux, comme une menace pour les gouvernements en place. Mais on pouvait parfaitement le déclarer fou et lui imposer un traitement pour sa mégalomanie.

« Tu te prépares à me mentir, fit Graff.

— Je me prépare à ne plus jamais vous parler, répondit Valentine.

— Et tu as peur. De quoi as-tu peur ?

— Je n'aime pas qu'on me pose des questions sur ma famille. Laissez-la en dehors de tout ça.

— Valentine, *j'essaie* de laisser ta famille en dehors de ça. C'est pour éviter d'avoir à soumettre Peter à une batterie de tests et à interroger tes parents que je suis venu te voir. J'essaie de résoudre ce problème maintenant, avec la personne qu'Ender aime le plus au monde, et à qui il fait le plus confiance – peut-être la *seule* à qui il fasse confiance. Si je n'arrive pas à régler la question ainsi, alors nous séquestrerons ta famille et ferons dès lors comme bon nous semble. Ceci n'est pas un problème insignifiant, ne compte pas sur moi pour m'en aller avant d'en avoir fini. »

La seule personne à qui Ender faisait confiance. À l'idée que c'était à présent Peter qui lui faisait office de proche, que c'était lui qui constituait le centre de son existence, Valentine sentit un élancement de douleur, de regrets, de honte la traverser. *Pour toi, Ender, j'allume des feux le jour de ton anniversaire. Alors que Peter, je l'aide à réaliser tous ses rêves.* « Je ne vous ai jamais considéré comme un type bien. Ni quand vous êtes venu chercher Ender ni maintenant.

— Ne fais pas semblant d'être une petite fille ignorante. J'ai vu tes tests infantiles, et je ne connais pas beaucoup de professeurs d'université capables de te suivre aujourd'hui.

— Ender et Peter se haïssent.

— Ça, je le sais. Tu as dit qu'ils étaient totalement différents. En quoi ?

— Peter… peut parfois se montrer odieux.

— En quel sens ?

— Méchant. Juste méchant, c'est tout.

— Valentine, dans l'intérêt d'Ender, dis-moi ce qu'il fait dans ces cas-là.

— Il menace souvent de tuer les gens. Il ne dit pas ça sérieusement. Mais quand nous étions petits, Ender et moi, nous avions tous les deux peur de lui. Il n'arrêtait pas de nous dire qu'il allait nous tuer. Qu'il allait tuer *Ender*, à vrai dire.

— Les moniteurs en ont enregistré une partie.

— *C'était* à cause du moniteur.

— C'est tout ? Dis-m'en plus sur Peter. »

Elle lui parla donc des enfants qui avaient fréquenté les mêmes écoles que son frère. Il ne les frappait jamais, mais ça ne l'empêchait pas pour autant de les torturer. Il découvrait leurs hontes les plus cachées et les révélait à la personne dont ils voulaient le plus gagner le respect. Il trouvait ce qu'ils redoutaient le plus et veillait à ce qu'ils y soient souvent confrontés.

« Est-ce qu'il faisait la même chose avec Ender ? »

Valentine secoua la tête.

« Tu en es sûre ? Ender avait-il un point faible ? Une chose dont il avait vraiment peur, ou honte ?

— Ender n'a jamais rien fait dont il puisse avoir honte. » Puis, soudain, submergée par ses propres remords d'avoir oublié et trahi Ender, elle se mit à pleurer.

« Pourquoi pleures-tu ? »

Elle secoua la tête. Elle ne pouvait expliquer ce que ça faisait de penser à son petit frère, qui était si bon, qu'elle avait protégé pendant si longtemps, puis de se rappeler qu'elle était l'alliée de Peter à présent, son bras droit, son *esclave* dans un projet complètement hors de contrôle. *Ender n'a jamais cédé à Peter, mais moi j'ai changé, je suis devenue une partie de lui.* « Ender n'a jamais cédé, dit-elle.

— À quoi ?

— À Peter. À la tentation de devenir comme Peter. »

Ils longèrent en silence la ligne de but.

« Comment Ender aurait-il pu devenir comme Peter ? »

Valentine eut un frisson. « Je vous l'ai déjà dit.

— Mais Ender n'a jamais fait ce genre de choses. Ce n'était qu'un petit garçon.

— Mais nous le voulions tous les deux. Nous voulions tous les deux… tuer Peter.

— Ah.

— Non, ce n'est pas vrai. Nous ne l'avons jamais dit. Ender n'a jamais dit qu'il voulait faire cela. J'y ai seulement… pensé. C'était moi, pas Ender. Il n'a jamais dit qu'il voulait le tuer.

— Que voulait-il ?

— Il voulait juste ne pas être…

— Quoi ?

— Peter torturait les écureuils. Il les clouait au sol, il les écorchait vifs, puis il s'asseyait devant pour les regarder mourir. Il a continué un bon moment après le départ d'Ender ; plus maintenant. Mais il l'a fait. Si Ender l'avait su, s'il l'avait vu faire ça, je crois qu'il aurait…

— Qu'il aurait quoi ? Secouru les écureuils ? Essayé de les soigner ?

— Non, à l'époque, on ne… défaisait pas ce que Peter faisait. On ne se mettait pas en travers de son chemin. Mais Ender aurait été gentil avec les écureuils. Vous comprenez ? Il les aurait nourris.

— Et ce faisant, il les aurait apprivoisés et ça aurait rendu la tâche de Peter encore plus facile. »

Valentine recommença à pleurer. « Quoi qu'on fasse, ça sert toujours les intérêts de Peter. *Tout* sert les intérêts de Peter, tout, quoi qu'on fasse il n'y a aucun moyen d'y échapper.

— Tu parles aussi pour toi ? » lui demanda Graff.

Elle ne répondit pas.

« Peter est-il à ce point mauvais, Valentine ? »

Elle hocha la tête.

« La pire personne du monde ?

— Comment pourrais-je le savoir ? C'est la pire personne que je connaisse.

— Et pourtant Ender et toi faites partie de sa fratrie. Vous avez les mêmes gènes, les mêmes parents, comment peut-il être aussi mauvais si… »

Valentine se retourna et se mit à lui hurler dessus, à hurler comme s'il était en train de la tuer. « Ender n'est pas comme Peter ! Il n'a rien à voir avec Peter ! À part son intelligence, mais c'est tout… de quelque autre manière que ce soit, il n'y a pas plus différents qu'eux deux ! Vous m'entendez ?

— Je t'entends, fit Graff.

— Je sais ce que vous êtes en train de penser, espèce de salaud, vous pensez que j'ai tort, qu'Ender est comme Peter. Eh bien, *moi*, je suis peut-être comme lui, mais pas Ender, *pas du tout*, c'est ce que je lui disais lorsqu'il pleurait – je le lui ai répété tellement de fois –, tu n'es pas comme Peter, tu n'as jamais aimé faire du mal, tu es gentil, et bon, pas du tout comme Peter !

— Et c'est vrai. »

Son assentiment l'apaisa. « Et comment que c'est vrai.

— Valentine, est-ce que tu aideras Ender ?

— Je ne peux plus rien faire pour lui à présent.

— Je ne t'en demande pas plus que ce que tu as toujours fait pour lui auparavant. Le réconforter, lui dire qu'il n'a jamais aimé faire de mal aux gens, qu'il est bon, et gentil, pas du tout comme Peter. C'est ce qui compte le plus. Qu'il n'est pas du tout comme Peter.

— Je peux le voir ?

— Non. Je veux que tu lui écrives une lettre.

— Je n'en vois pas l'intérêt. Ender n'a jamais répondu à une seule des lettres que je lui ai envoyées. »

Graff soupira. « Il a répondu à chaque lettre qu'il a reçue. »

Elle ne mit qu'une seconde à comprendre. « Vous êtes vraiment dégueulasse.

— L'isolement est… l'environnement optimal pour la créativité. C'étaient *ses* idées que nous voulions, pas le… peu importe, je n'ai pas besoin de me justifier devant toi. »

Alors pourquoi le faites-vous dans ce cas ? faillit-elle demander.

« Mais il se relâche. Il se laisse aller. Nous voulons le pousser en avant, mais il freine des quatre fers.

— Je lui ferais peut-être une faveur en vous disant d'aller vous faire foutre.

— Tu m'as déjà aidé. Tu peux faire encore davantage. Écris-lui.

— Promettez-moi de ne rien censurer.

— Je ne peux rien promettre de tel.

— Alors laissez tomber.

— Aucun problème. J'écrirai moi-même ta lettre. Nous pouvons utiliser celles que tu lui as envoyées pour reproduire ton style. Rien de plus facile.

— Je veux le voir.

— Il aura sa première permission à ses dix-huit ans.

— Vous lui avez dit que ce serait à douze.

— Nous venons de changer les règles.

— Pourquoi devrais-je vous aider ?

— Pas moi. Ender. Quelle importance si ça nous aide aussi ?

— Quel genre de choses horribles lui infligez-vous là-haut ? »

Graff se mit à glousser. « Valentine, ma chère enfant, les choses horribles n'ont même pas encore commencé. »

Ender en était à la quatrième ligne quand il se rendit compte qu'il ne s'agissait pas d'un courrier d'un autre soldat de l'École de Guerre. Il était arrivé par la voie habituelle – un message COURRIER EN ATTENTE sur son bureau lorsqu'il s'était connecté. Il passa alors directement à la fin pour regarder la signature. Puis il revint au début, se pelotonnant sur son lit pour le relire encore et encore.

ENDER,

CES SALAUDS NE T'ONT TRANSMIS AUCUNE DE MES LETTRES AVANT AUJOURD'HUI. JE T'AI ÉCRIT UNE BONNE CENTAINE DE FOIS MAIS TU AS DÛ PENSER QUE JE NE L'AVAIS JAMAIS FAIT. EH BIEN SI. JE NE T'AI PAS OUBLIÉ. JE N'OUBLIE PAS TON ANNIVERSAIRE. JE ME SOUVIENS DE TOUT. IL Y A SÛREMENT DES IMBÉCILES POUR CROIRE QU'UN SOLDAT EST FORCÉMENT DUR ET CRUEL, QU'IL AIME FAIRE DU

MAL AUX GENS, COMME LES MARINES DANS LES VIDÉOS, MAIS JE SAIS QUE CE N'EST PAS TON CAS. TU N'AS RIEN À VOIR AVEC TU-SAIS-QUI. IL FAIT SEMBLANT D'ÊTRE MOINS MÉCHANT, MAIS C'EST TOUJOURS UNE ORDURE AU FOND DE LUI. TU AS PEUT-ÊTRE *L'AIR* MÉCHANT, MAIS ÇA NE PRENDRA PAS AVEC MOI. JE TE CONNAIS TROP BIEN POUR ÇA.

AVEC TOUT MON AMOUR.

VAL

NE ME RÉPONDS PAS, ILS VONT PROBABLEMENT SCANALYSER TA LETTRE.

C'était manifestement écrit avec la totale approbation des professeurs. Mais indubitablement par Val. L'orthographe de *psychanalyser*, *ordure* pour qualifier Peter… Personne ne pouvait le savoir à part elle.

Et pourtant ces détails trônaient en évidence, comme si quelqu'un avait vraiment voulu s'assurer qu'Ender ne mettrait pas en doute l'authenticité de cette lettre. Pourquoi se donner autant de mal si Valentine l'avait bel et bien écrite ?

C'est pour de faux de toute façon. Et ça le serait même si elle l'avait rédigée avec son sang, parce qu'ils l'ont forcée à le faire. Ce n'était pas la première fois qu'elle lui écrivait, mais ils n'avaient jamais laissé le moindre de ses courriers lui parvenir. Ceux-là avaient peut-être été sincères, mais ce qu'il venait de lire sentait à plein nez la commande – encore une de leurs manipulations.

Et il replongea de plus belle dans le désespoir. Sauf qu'à présent il savait pourquoi. À présent il savait ce qu'il détestait tant. Il n'avait pas le moindre contrôle sur son existence. Ils la dirigeaient entièrement. Faisaient tous les choix à sa place. Ne lui laissant plus que le jeu, ni plus ni moins, le reste leur revenant – avec toutes leurs règles, leurs plans, leurs leçons et leurs programmes. Sa liberté se résumait à aller d'un côté ou d'un autre pendant un combat. L'unique chose réelle, la plus précieuse, était ses souvenirs de Valentine, la personne qui l'aimait avant même qu'il ne touche à un de leurs jeux, qui l'aimait avec ou sans guerre contre les doryphores – et ils avaient fait en sorte de l'enrôler dans leur camp. Elle était l'une d'entre eux à présent.

Il les haïssait, eux et tous leurs jeux. Il les haïssait tellement qu'il se mit à pleurer en relisant la lettre de commande insipide de Valentine. Quand ils s'en aperçurent, ses camarades de l'Armée du Phénix détournèrent aussitôt la tête. *Ender Wiggin* qui pleurait ? C'était inquiétant. Quelque chose de terrible était en train de se produire. Le meilleur de tous les soldats allongé sur sa couchette, *en larmes*. Le silence dans la pièce était à couper au couteau.

Ender supprima le courrier, l'effaça du bureau puis lança le jeu de *fantasy*, désireux de se rendre au Bout du monde sans perdre de temps. Ce ne fut qu'une fois sur le nuage, tandis qu'il survolait les couleurs automnales de cet univers pastoral, qu'il comprit ce qu'il détestait le plus dans la lettre de Val. Elle ne parlait que de Peter. Ne faisait que lui rappeler à quel point il n'était pas comme son frère. Les paroles qu'elle avait si souvent prononcées en le serrant contre elle, en le consolant lorsqu'il tremblait de peur, de fureur et de dégoût, après que Peter l'eut torturé – c'était tout ce que la lettre contenait.

Et c'était ce qu'on lui avait demandé d'écrire. Ces salopards étaient au courant de *ça*, tout comme ils savaient à propos de Peter dans le miroir de la salle du château, ils savaient tout, pour eux Val n'était qu'un outil de plus à utiliser pour le contrôler, un as dans leur manche. Dink avait raison, c'étaient *eux*, l'ennemi, ils n'aimaient rien, ne se souciaient d'aucune conséquence. Ender n'allait pas leur donner ce qu'ils voulaient de lui, il n'allait *certainement* rien faire pour eux. Il n'avait qu'un seul souvenir qu'il gardait précieusement, une seule belle chose, et ces salauds l'avaient mélangé avec le reste du fumier – c'en était trop, qu'ils ne comptent plus sur lui pour jouer le jeu.

Comme toujours, le serpent attendit qu'il pénètre dans la tour pour s'extraire du tapis. Mais Ender ne l'écrasa pas sous son pied cette fois. Cette fois, il le prit entre les mains, s'agenouilla devant lui et doucement, tout doucement, amena sa gueule béante jusqu'à ses lèvres.

Et l'embrassa.

Il n'en avait pas eu l'intention. Il voulait laisser le reptile lui mordre la bouche. À moins qu'il n'ait projeté de dévorer le serpent vivant, comme l'avait fait le Peter du miroir, avec son menton ensanglanté et la queue de l'animal qui se balançait depuis ses lèvres ? Or il l'avait embrassé.

Et le serpent dans ses mains se mit à grossir, à prendre une autre forme. Une forme humaine. Qui devint Valentine, et l'embrassa à nouveau.

Le serpent ne pouvait pas être sa sœur. Il l'avait tué trop souvent pour que ce soit le cas. Peter l'avait dévoré à de trop nombreuses reprises pour qu'Ender puisse supporter que le reptile ait tout ce temps été Valentine.

Était-ce ce qu'ils avaient prévu en décidant de lui laisser lire la lettre de sa sœur ? Peu lui importait.

Elle se leva et marcha jusqu'au miroir. Le personnage d'Ender fit de même. Tous deux s'immobilisèrent devant la glace, où un dragon et une licorne avaient remplacé le cruel reflet de Peter. Ils tendirent une main de concert pour toucher la surface lisse ; le mur s'effaça aussitôt, révélant un large escalier tapissé, bordé d'une multitude hurlante qui ne cessait de les applaudir. Ensemble, bras dessus, bras dessous, Valentine et lui entreprirent de le descendre. Ses yeux s'emplirent de larmes, des larmes causées par son soulagement d'avoir enfin échappé à la pièce du Bout du Monde. Des larmes qui l'empêchèrent de remarquer que chaque visage de la foule était celui de Peter. Tout ce qu'il savait en cet instant, c'était que, partout où il irait en ce monde, Valentine l'accompagnerait.

Valentine lut la lettre que le Dr Lineberry lui avait remise. « *Chère Valentine*, disait-elle. *Nous te remercions pour ta louable participation à l'effort de guerre. Par la présente, nous te notifions ton obtention de l'Étoile de l'Ordre de la Ligue de l'Humanité, Première Classe, qui représente la plus importante décoration militaire susceptible d'être octroyée à un civil. Malheureusement, les services de sécurité de la F.I. nous interdisent de rendre cette récompense publique avant la réussite des opérations en cours, mais nous voulions te faire savoir que tes efforts ont été couronnés de succès. Meilleurs sentiments, Général Shimon Levy, Strategos. »*

Lorsqu'elle eut fini de la lire une deuxième fois, le Dr Lineberry la lui prit des mains. « On m'a donné l'ordre de la détruire après te l'avoir laissée lire. » Il sortit un briquet d'un tiroir et mit le feu au papier, qui flamba dans le cendrier. « Bonnes ou mauvaises nouvelles ?

— J'ai vendu mon frère, fit Valentine. Et j'ai reçu mon paiement.

— C'est un peu mélodramatique, Valentine, tu ne trouves pas ? »

Elle retourna en classe sans un mot. Le soir même, Démosthène publia une dénonciation cinglante des lois de limitation de la population. Les gens devaient être autorisés à avoir autant d'enfants qu'ils le désiraient – le surplus démographique serait envoyé sur d'autres mondes, de manière à tellement disséminer l'Humanité à travers la Galaxie qu'aucun désastre, aucune invasion ne pourrait la menacer d'anéantissement. « Le titre le plus noble que puisse avoir un enfant, écrivit Démosthène, est celui de Troisième. »

Pour toi, Ender.

Peter rit de contentement lorsqu'il lut l'article. « Ça va les secouer, les forcer à te remarquer. Troisième ! Un titre de noblesse ! Oh, j'adore tes tendances à la méchanceté. »

10

Dragon

« Maintenant ? »

« Je suppose que oui. »

« Il faut que ce soit un ordre, Colonel Graff. Une armée ne se déplace pas parce que son commandant lui dit : “Je crois qu'il est temps d'attaquer.” »

« Je ne suis pas commandant. J'enseigne à de petits enfants. »

« Colonel, j'admets que vous m'avez eu sur le dos, je reconnais avoir été un furoncle sur votre cul, mais ça a marché, tout a marché exactement comme vous le vouliez. Ces dernières semaines, Ender est même… »

« Heureux. »

« Satisfait. Il se débrouille bien. Son esprit est tranchant, il joue à merveille. Aussi jeune soit-il, nous n'avons jamais eu de garçon mieux préparé à prendre un commandement. D'ordinaire, ils y arrivent à onze ans, mais à neuf ans et demi il est déjà un soldat de haut vol. »

« Eh bien… Pour tout vous dire, ça fait quelques minutes que je me demande quel genre d'homme s'amuserait à soigner un enfant blessé dans le seul but de le renvoyer au combat. Un petit dilemme moral personnel. N'en tenez pas compte, je vous en prie. J'étais fatigué. »

« Sauver le monde, vous vous souvenez ? »

« Convoquez-le. »

« Nous faisons ce qui doit être fait, Colonel Graff. »

« Allons, Anderson, vous mourez d'envie de voir comment il va se débrouiller face à tous ces jeux truqués que je vous ai demandé de mettre au point. »

« C'est plutôt petit de... »

« Eh bien, va pour la petitesse. Allons, Major. Nous sommes tous les deux la lie de la Terre. Moi aussi je meurs d'envie de voir comment il va s'en sortir avec eux. Après tout, nos vies dépendent de son excellence. Nop ? »

« Vous n'allez pas commencer à utiliser l'argot de ces gosses, non ? »

« Convoquez-le, Major. Je vais télécharger les tableaux de service dans ses dossiers et lui donner son système de sécurité. Ce que nous lui faisons subir n'est pas tout noir, vous savez. Il va retrouver son intimité. »

« Son isolement, vous voulez dire. »

« La solitude du pouvoir. Allez le chercher. »

« Oui, Colonel. Nous serons là dans un quart d'heure. »

« Au revoir. Oui, Colonel. Oui Colonel. *J'espère que tu t'es bien amusé, Ender, j'espère que tu as bien profité de ton pain blanc. Parce que tu n'auras peut-être plus jamais l'occasion d'en manger. Bienvenue, mon petit. Ton vieil Oncle Graff a des projets pour toi. »*

Ender avait compris ce qui l'attendait depuis l'instant où on l'avait fait entrer. Tout le monde se figurait qu'il allait rapidement être nommé commandant. Peut-être pas *si* vite, mais il occupait presque sans interruption la tête des classements depuis trois ans, personne ne semblait pouvoir l'en déloger, et ses entraînements du soir étaient devenus l'activité la plus prestigieuse de l'école. Certains ne comprenaient même pas pourquoi les professeurs avaient temporisé si longtemps.

Il se demanda quelle armée ils allaient lui confier. Trois commandants allaient bientôt obtenir leur diplôme, Petra y compris, mais on ne pouvait guère s'attendre à ce qu'il fasse des miracles avec l'Armée du

Phénix – personne n'était jamais parvenu à diriger l'armée qui l'accueillait avant sa promotion.

Anderson commença par le conduire dans ses nouveaux quartiers. Ce qui réglait la question – seuls les commandants bénéficiaient de pièces privées. Puis il l'emmena chercher de nouveaux uniformes ainsi qu'une combinaison flash. Ender examina les formulaires en quête du nom de son armée.

Le Dragon. Il n'existait aucune Armée du Dragon.

« Je n'ai jamais entendu parler d'une Armée du Dragon, commença Ender.

— C'est parce que ça fait quatre ans qu'elle n'existe plus. Nous avons abandonné le nom à cause des superstitions qui s'étaient développées autour. Dans toute l'histoire de l'école, aucune Armée du Dragon n'a jamais gagné plus d'une bataille sur trois. Ça a dû finir par se transformer en plaisanterie.

— Alors pourquoi la réactiver maintenant ?

— Nous avions un stock d'uniformes à épuiser. »

Graff était assis à son bureau, l'air plus gras et plus las que la dernière fois qu'Ender l'avait vu. Il tendit au garçon son crochet, la petite boîte qui permettait aux commandants de se déplacer à leur guise dans la salle de combat pendant les exercices. Certains disaient qu'il fonctionnait par magnétisme, d'autres par gravité. Ender aurait si souvent aimé en avoir un pendant ses sessions du soir, plutôt que d'avoir à rebondir du mur à l'autre pour aller là où il voulait. Ils avaient attendu qu'il sache parfaitement manœuvrer sans pour autant lui en donner un. « Il ne fonctionne, lui indiqua Anderson, que pendant les sessions réglementairement programmées. » Vu qu'Ender avait déjà prévu d'effectuer des exercices additionnels, cela signifiait que le crochet ne serait utilisable qu'une partie du temps. Ça expliquait aussi pourquoi de si nombreux commandants ne faisaient jamais d'entraînements supplémentaires. Ils se reposaient sur le crochet pour asseoir leur autorité, leur pouvoir sur les autres garçons ; ils ne risquaient donc pas de vouloir travailler sans. *C'est un avantage que j'aurai sur certains de mes ennemis*.

Le discours officiel de Graff lui sembla forcé, mille fois répété. Ce ne fut qu'à la fin qu'il parut s'intéresser à ses propres paroles. « Nous essayons quelque chose d'inhabituel avec l'Armée du Dragon. J'espère que tu n'y vois pas d'inconvénient. Nous avons constitué une nouvelle armée en promouvant en avance l'équivalent d'un groupe entier de Bleus et en retardant la nomination d'un certain nombre d'autres élèves. Je pense que tu seras satisfait de la qualité de tes soldats. *J'espère* que tu le seras, parce que nous t'interdisons d'en transférer un seul.

— Pas d'échanges ? » s'enquit Ender. C'était toujours ainsi que les commandants se débarrassaient de leurs points faibles.

« Aucun. Tu comprends, ça fait maintenant trois ans que tu diriges tes séances d'entraînement supplémentaires. Tu as des partisans. Beaucoup de bons soldats ne manqueraient pas d'exercer des pressions déloyales sur leurs commandants pour qu'ils les transfèrent dans ton armée. Nous t'en avons confié une *susceptible* de devenir compétitive, avec le temps. Nous n'avons pas l'intention de te laisser dominer déloyalement.

— Et si j'ai un soldat avec qui je n'arrive tout simplement pas à m'entendre ?

— Débrouille-toi pour que ça colle. » Graff ferma les yeux. Anderson se leva, signe que l'entretien était terminé.

On assigna au Dragon les couleurs gris orange gris ; Ender changea de combinaison, puis suivit les rubans de lumière jusqu'au dortoir accueillant son armée. Ses soldats, déjà arrivés, grouillaient autour de l'entrée. Ender prit immédiatement la situation en main. « Les couchages seront attribués par ordre d'ancienneté. Les vétérans au fond du dortoir, les plus jeunes devant. »

C'était l'inverse du schéma habituel, Ender le savait. Tout comme il savait qu'il n'avait pas l'intention d'agir comme nombre de commandants, qui ne voyaient jamais les plus jeunes sous prétexte qu'ils occupaient toujours le fond.

Il fit les cent pas dans l'allée centrale le temps qu'ils se rangent dans l'ordre de leur date d'arrivée. Une trentaine de ses soldats étaient des Bleus, en provenance directe de leur groupe d'origine, sans la moindre expérience du combat. Certains semblaient même trop jeunes pour se trouver là – les plus proches de la porte étaient pitoyablement petits. Ce qui rappela à Ender la première impression qu'il avait dû faire à Bonzo Madrid. Bonzo, cependant, n'avait eu à gérer qu'un seul soldat aussi juvénile.

Pas un des vétérans n'appartenait au groupe d'entraînement d'élite d'Ender. Aucun n'avait été chef de cohorte. Aucun, pour tout dire, n'était plus vieux que lui, ce qui signifiait que même ses vétérans n'avaient pas plus de dix-huit mois d'expérience. Certains d'entre eux lui étaient même inconnus tant ils avaient échoué à se faire remarquer.

Ils le reconnurent bien évidemment – il s'agissait du soldat le plus célèbre de l'école. Et certains d'entre eux, il n'avait aucun mal à le voir, gardaient cela en travers de la gorge. *Au moins ils m'ont fait une faveur – aucun de mes hommes n'est plus vieux que moi.*

Dès que chacun eut trouvé une place, Ender leur ordonna de passer leur combinaison flash et de le suivre à l'entraînement. « Nous sommes sur le programme du matin – entraînement juste après le petit déjeuner. En principe, vous avez une heure de libre entre les deux. Nous aviserons quand j'aurai vu ce que vous valez. » Trois minutes plus tard, bien que beaucoup d'entre eux ne soient pas encore en tenue, il les sommait de sortir de la pièce.

« Mais je suis à poil ! s'écria un garçon.

— Habille-toi plus vite la prochaine fois. Trois minutes entre le premier appel et l'arrivée à la porte – ça vaut pour cette semaine. La semaine prochaine, ce sera deux minutes. Go ! » Le reste de l'école ne tarderait pas se gausser de l'Armée du Dragon, dont les soldats étaient assez bêtes pour partir à l'entraînement sans même avoir fini de s'habiller.

Cinq garçons encore complètement nus couraient dans les couloirs en traînant leur combinaison derrière eux ; et rares étaient ceux parmi leurs camarades à être intégralement vêtus. Ils ne manquèrent pas d'attirer l'attention en passant devant les portes ouvertes des salles de classe. Aucun d'entre eux ne serait plus en retard s'il pouvait l'éviter.

Ender leur fit accomplir de rapides va-et-vient dans les couloirs qui menaient à la salle de combat, histoire de les faire transpirer un peu pendant que les derniers finissaient de s'habiller. Puis il les conduisit à la porte supérieure, celle qui s'ouvrait au milieu de la salle – exactement comme pour une véritable partie. Il leur ordonna alors de bondir jusqu'aux poignées du plafond et de les utiliser pour se projeter dans les airs. « Rassemblez-vous contre le mur opposé, fit-il. Comme si vous attaquiez l'entrée ennemie. »

Ils dévoilèrent leurs limites au moment de sauter par groupes de quatre à travers la porte. Presque aucun d'entre eux ne savait comment faire pour décrire une trajectoire directe jusqu'à l'objectif ; et quand ils atteignaient le mur opposé, rares étaient ceux parmi les nouveaux à avoir la moindre idée de la manière de procéder pour s'y accrocher, ou même pour maîtriser leurs rebonds.

Le dernier dehors était un vrai gosse – trop, à l'évidence. Ender ne voyait pas comment il allait pouvoir saisir les poignées du plafond.

« Tu peux utiliser une poignée latérale si tu veux, lui dit-il.

— Allez vous faire foutre », fit le garçon. Qui prit son élan pour sauter, toucha la poignée du bout des doigts, puis passa en trombe par la porte sans contrôler le moins du monde sa trajectoire, se mettant aussitôt à tourner sur lui-même dans trois directions à la fois. Ender peina à choisir entre apprécier le caractère sans concession de ce gosse et lui reprocher son attitude insubordonnée.

Ils parvinrent finalement à s'aligner le long du mur. Ender constata alors que tous sans exception avaient gardé la tête orientée vers ce qui avait été le haut dans le couloir. Aussi empoigna-t-il délibérément ce qu'ils considéraient comme étant le sol pour s'y suspendre à l'envers. « Pourquoi êtes-vous la tête en bas, soldats ? »

Certains d'entre eux commencèrent aussitôt à se tourner de l'autre côté.

« Votre attention ! » Ils s'immobilisèrent. « Je vous ai demandé pourquoi vous aviez la tête en bas ! »

Personne ne répondit. Ils ne comprenaient pas ce qu'il attendait d'eux.

« J'ai demandé pourquoi vous aviez tous les pieds en l'air et la tête dirigée vers le sol ! »

L'un d'eux se décida finalement à prendre la parole : « Commandant, c'était la direction dans laquelle nous étions en franchissant la porte.

— Et c'est supposé avoir une importance quelconque ? Quelle importance peuvent bien avoir les conditions de pesanteur dans le couloir ? Nous allons nous battre là-bas ? Y a-t-il la moindre pesanteur ici ?

— Non, Commandant. Non, *Commandant*.

— À partir de maintenant, vous allez oublier la pesanteur avant de franchir cette porte. La pesanteur fait partie du passé. Vous l'effacez de vos esprits. Compris ? Peu importe la pesanteur quand vous arrivez à la porte, rappelez-vous que l'entrée de l'ennemi se trouve *en bas*. Vos pieds sont tournés dans *sa* direction. Le haut se situe du côté de la vôtre. Le nord de celui-ci, le sud de celui-là, l'est par ici, l'ouest – de quel côté ? »

Ils le lui indiquèrent.

« Ça ne m'étonne pas. Vous ne maîtrisez qu'un seul processus, l'élimination, et pour l'unique raison que vous pouvez le mettre en pratique aux toilettes. C'était quoi, ce cirque que j'ai vu là-bas ? Vous appelez ça un alignement ? Vous appelez ça voler ? Bon, que tout le monde aille se mettre en rang au plafond ! Tout de suite ! Go ! »

Comme il s'y attendait, une bonne partie d'entre eux s'élança instinctivement non pas en direction du mur qui accueillait la porte, mais vers celui qu'il avait appelé *nord* – l'équivalent du haut quand ils se trouvaient dans le couloir. Ils eurent tôt fait de comprendre leur erreur, bien sûr, mais trop tard – pour y remédier, il leur fallait temporiser le temps d'avoir rebondi sur la paroi nord.

Pendant ce temps, Ender les regroupait mentalement selon leur aptitude à apprendre plus ou moins vite. Le gosse le plus jeune, celui qui avait franchi la porte en dernier, fut le premier à atteindre le bon mur, auquel il s'accrocha avec adresse. On avait eu raison de le promouvoir. Il allait bien se débrouiller. C'était également un petit rebelle effronté, qui n'avait sans doute pas digéré le fait d'avoir fait partie de ceux qu'Ender avait fait arpenter les couloirs dans le plus simple appareil.

« Toi ! fit Wiggin en pointant le doigt sur le petit. Dans quelle direction se trouve le bas ?

— Celle de la porte ennemie. » Une réponse aussi prompte que renfrognée, manière de dire : D'accord, d'accord, passons aux choses sérieuses maintenant.

« Ton nom, gamin ?

— Bean[1], Commandant.

— À cause de ta taille ou de ta cervelle ? » Les autres garçons pouffèrent discrètement. « Eh bien, Bean, tu as l'esprit vif. Bon, écoute-moi, parce que c'est important. Personne ne peut franchir cette porte sans avoir de bonnes chances d'être touché. Autrefois, on avait dix,

1. « Haricot » ou « tête », « cervelle » en anglais. *(N.d.T.)*

voire vingt secondes avant même d'avoir à bouger. Désormais, si on ne s'est pas élancé par la porte au moment où l'ennemi effectue sa sortie, on finit congelé. Et qu'est-ce qui se passe quand on est congelé ?

— On peut plus bouger, dit un des garçons.

— C'est ce que congelé *signifie*, fit Ender. Mais qu'est-ce qui vous *arrive* ? »

Ce fut Bean, pas intimidé le moins du monde, qui répondit intelligemment : « On continue dans notre direction initiale. À la vitesse à laquelle on se déplaçait au moment d'être flashé.

— C'est exact. Vous cinq là-bas, ceux du bout, go ! » Les garçons s'entreregardèrent, interdits. Ender les flasha l'un après l'autre. « Les cinq suivants, go ! »

Ils s'exécutèrent. Ender les congela eux aussi, mais ils poursuivirent leur course en direction des parois. Les cinq premiers, cependant, dérivaient sans but à proximité du groupe principal.

« Non mais regardez-moi ces soi-disant soldats. Leur commandant leur ordonne de bouger, et regardez-les maintenant. Non seulement ils sont congelés, mais ils le sont juste ici, en plein dans la trajectoire de leurs camarades. Alors que ceux qui ont suivi les ordres se retrouvent là-bas, à gêner la progression de l'ennemi en bloquant son champ de vision. Je parie qu'il doit y en avoir à peu près cinq parmi vous à l'avoir compris. Et nul doute que Bean en fait partie. Exact, Bean ? »

Il commença par ne rien répondre. Ender le fixa jusqu'à ce qu'il dise : « Exact, Commandant.

— Et qu'est-ce que tu en conclus ?

— Quand on nous ordonne de bouger, on se dépêche de le faire, pour rebondir au loin au lieu de parasiter les manœuvres de sa propre armée si jamais on se fait congeler.

— Excellent. J'ai au moins un soldat capable de comprendre ce que je dis. » Ender pouvait voir le ressentiment grandir dans les rangs, à la façon dont le reste des soldats se balançaient d'un pied sur l'autre, dont ils se regardaient, dont ils évitaient de poser les yeux sur Bean. *Pourquoi est-ce que je fais ça ? Où est le rapport entre le fait d'être un bon commandant et celui de faire d'un garçon la cible de ses camarades ? Sous prétexte qu'on l'a fait avec moi, je devrais forcément le reproduire avec lui ?* Ender aurait voulu ravaler les sarcasmes dont il avait gratifié le garçon, il aurait voulu dire aux autres que ce gosse avait besoin plus que quiconque de leur aide et de leur amitié. Mais bien sûr il ne pouvait rien faire de tel. Pas le premier jour. Le premier jour, même ses erreurs devaient avoir l'air de faire partie prenante d'un plan brillant.

Ender s'accrocha près de la paroi puis isola un des garçons. « Tiens-toi droit. » Il le fit pivoter de manière à ce que ses pieds pointent en direction des autres. Comme le gosse continuait de bouger, il le flasha. Provoquant l'hilarité générale. « Quelles parties de son corps peux-tu toucher ? demanda-t-il à un garçon positionné directement sous les pieds du soldat congelé.

— Guère plus que ses pieds.

Ender se tourna vers son voisin. « Et toi ?

— Je vois son corps.

— Et toi ? »

Un garçon un peu à l'écart répondit : « En entier.

— Les pieds ne sont pas assez gros pour offrir beaucoup de protection. » Après avoir repoussé le soldat congelé, Ender replia les jambes sous lui, comme s'il s'agenouillait dans les airs, et les flasha. Le bas de sa combinaison se rigidifia aussitôt dans cette position.

Ender se contorsionna de manière à pouvoir se placer au-dessus des autres. « Et là, vous voyez quoi ?

— Pas grand-chose. »

Il fourra son pistolet entre ses jambes. « Moi si », dit-il tout en congelant les garçons qui se trouvaient directement en dessous de lui. « Arrêtez-moi ! leur hurla-t-il. Essayez de me flasher ! »

Ils y parvinrent en fin de compte, mais pas avant qu'il n'ait flashé plus d'un tiers de ses adversaires. Il appuya sur son crochet pour se décongeler, ainsi que tous les autres. « Bon, fit-il, dans quelle direction se trouve la porte de l'ennemi ?

— En bas !

— Et quelle est notre position d'attaque ? »

Si quelques-uns commencèrent à répondre verbalement, Bean s'écarta quant à lui de la paroi, jambes repliées, et fila droit sur le mur opposé en tirant tout du long entre ses cuisses.

Ender eut un instant envie de lui hurler dessus, de le punir ; mais il finit par rejeter cette impulsion mesquine. *Pourquoi ce gosse devrait-il essuyer ma colère ?* « Bean est-il seul à savoir comment faire ? »

L'armée tout entière s'élança aussitôt en direction du mur opposé, agenouillée dans les airs, tirant entre leurs jambes en hurlant à pleins poumons. *Un de ces jours*, se dit Ender, *ce sera peut-être exactement la stratégie dont j'aurai besoin. Quarante garçons s'égosillant dans un assaut de la dernière chance.*

Lorsque l'intégralité des troupes eut atteint l'autre côté, il leur cria de tous l'attaquer en même temps. *Oui, pas mal. Ils m'ont confié une armée sans entraînement, sans le moindre vétéran remarquable, mais au moins ce n'est pas un ramassis d'imbéciles. Je vais pouvoir en faire quelque chose.*

Quand ils se furent de nouveau rassemblés, euphoriques, Ender commença à les faire vraiment travailler. Il leur fit congeler leurs jambes en position agenouillée. « Bon, à quoi servent vos jambes au combat ?

— À rien, répondirent certains garçons.

— Bean n'est pas de votre avis.

— C'est la meilleure façon de s'écarter des murs.

— Exact », fit Ender.

Les autres se mirent à grommeler qu'il s'agissait d'un *mouvement*, pas d'une manœuvre de combat.

« Il n'y a pas de combat sans mouvement », ajouta Ender. Ils se turent, haïssant Bean un peu plus encore. « Bon, est-ce qu'on peut s'écarter d'un mur avec les jambes congelées ? »

Personne n'osa répondre, de peur de se tromper. « Bean ? s'enquit Ender.

— Je n'ai jamais essayé, mais peut-être qu'en faisant face à la paroi et en se pliant en deux…

— Vrai, mais faux. Regardez-moi. Mon dos touche le mur, mes jambes sont congelées. Comme je suis agenouillé, mes pieds ne touchent pas la paroi. Quand on s'élance, en général, il faut pousser vers le bas afin d'étirer le corps comme un haricot. Exact, *Bean* ? »

Rire général.

« Mais avec les jambes congelées, j'emploie à peu près la même force en poussant de haut en bas avec les hanches et les cuisses, sauf que ça a pour effet de tirer mes épaules et mes pieds en arrière et de pousser mes hanches dans la direction opposée. Et mon corps est tendu quand je me détache de la paroi, rien ne traîne derrière moi. Regardez ça. »

Ender bascula les hanches en avant, ce qui le propulsa du mur ; un instant plus tard il rectifiait sa position pour se retrouver à genoux, les jambes vers le bas, filant vers la paroi opposée. Il atterrit sur les genoux, se retourna sur le dos, puis s'élança dans une autre direction. « Tirez-moi dessus ! » leur hurla-t-il. Puis il se mit à tournoyer dans le vide selon une trajectoire approximativement parallèle aux soldats alignés le long du mur d'en face. Sa giration les empêchait de maintenir un rayon continu sur lui.

Après avoir décongelé sa combinaison, il utilisa son crochet pour les rejoindre. « C'est ce à quoi nous allons œuvrer aujourd'hui pendant la première demi-heure. Faire travailler des muscles dont vous ignoriez l'existence. Apprendre à utiliser vos jambes comme un bouclier, à contrôler vos mouvements de manière à pouvoir effectuer un tel retournement. Ce genre de manœuvre n'a guère d'utilité à proximité d'un adversaire, mais ça l'empêche de vous blesser à grande distance – le rayon doit rester concentré sur le même endroit pendant quelques instants et ça ne peut pas arriver si vous tournoyez. Bon, maintenant vous allez vous congeler et commencer.

— Vous n'allez pas nous assigner des couloirs ? s'enquit un garçon.

— Non, je ne vais rien faire de tel. Je veux que vous vous heurtiez les uns les autres pour apprendre quoi faire dans ce cas, quelles que soient les circonstances. Quand nous nous exercerons aux formations, par contre, je vous demanderai souvent de le faire intentionnellement. Go ! »

Ils s'exécutèrent dans la seconde.

Ender fut le dernier à sortir après l'entraînement, car il était resté aider les plus lents à améliorer leur technique. Ils avaient eu de bons professeurs, mais les soldats inexpérimentés tout droit issus de leur groupe de Bleus se retrouvaient complètement perdus quand il leur fallait faire deux ou trois choses en même temps. Avoir les jambes congelées ne les empêchait pas d'effectuer des culbutes, ils n'avaient aucun mal à manœuvrer en apesanteur, mais s'élancer d'un côté, tirer dans un autre, tourner deux fois sur eux-mêmes, rebondir contre une paroi en faisant un roulé-boulé, se remettre à tirer aussitôt dans la direction convenable – tout cela les dépassait. Des exercices, encore et encore, Ender n'allait rien pouvoir faire d'autre avec eux pendant quelque temps. C'était bien joli de développer des stratégies et des formations, mais ça ne servait à rien si les soldats ne savaient pas se débrouiller au combat.

C'était *maintenant* qu'il avait besoin d'une armée performante. On l'avait nommé commandant de manière prématurée, et voilà que les professeurs modifiaient les règles pour l'empêcher de procéder à des échanges, ce qui le privait de vétérans de premier ordre. Rien ne lui garantissait qu'on allait lui laisser les trois mois d'usage pour former une armée avant de la lancer dans la bataille.

Au moins, le soir, il pourrait compter sur Alai et Shen pour l'aider à entraîner ses nouvelles troupes.

Il se trouvait encore dans le couloir d'accès à la salle de combat quand il tomba face à face avec le petit Bean. Celui-ci semblait en colère. Ender ne voulait pas de problèmes en ce moment.

« 'lut, Bean.

— 'lut, Ender. »

Silence.

« *Commandant*, murmura le jeune Wiggin.

— Je sais ce que tu es en train de faire, Ender, Commandant, et je t'avertis.

— De quoi ?

— Je peux devenir ton meilleur élément, mais ne te moque pas de moi.

— Sinon ?

— Sinon je serai ton pire élément. C'est l'un ou l'autre.

— Et qu'est-ce que tu veux, de l'amour et des baisers ? » Ender commençait à s'énerver.

Bean ne parut pas s'en inquiéter. « Je veux une cohorte. »

Ender revint sur ses pas et le regarda droit dans les yeux. « Pourquoi devrais-je te donner une cohorte ?

— Parce que je saurais quoi en faire.

— Ce n'est pas sorcier de le savoir, fit Ender. Ce qui l'est plus, c'est de l'amener à *faire* ce que tu veux. Pourquoi le moindre soldat voudrait-il suivre un moustique comme toi ?

— C'est comme ça qu'on avait l'habitude de t'appeler, d'après ce que j'ai entendu dire. Et il paraît que Bonzo Madrid le fait toujours.

— Je t'ai posé une question, soldat.

— Je gagnerai leur respect, si tu ne t'interposes pas. »

Ender sourit. « Je suis justement en train de t'y aider.

— Tu parles.

— Personne ne te remarquerait, sauf pour avoir pitié de toi. Mais j'ai fait en sorte que *tout le monde* te remarque aujourd'hui. Ils vont surveiller le moindre de tes mouvements désormais. Tout ce que tu as à faire pour gagner leur respect, c'est d'être parfait à partir de maintenant.

— Je n'ai donc même pas une chance d'apprendre avant d'être jugé.

— Pauvre gosse. On a été injuste avec lui. » Ender repoussa doucement Bean contre le mur. « Je vais te dire comment obtenir une cohorte. Donne-moi des preuves de ta valeur. Prouve-moi que tu sais mener d'autres soldats. Ensuite, donne-moi la preuve que quelqu'un est prêt à te suivre au combat. Alors, tu auras ta cohorte. Mais certainement pas avant. »

Bean sourit. « Ça me va. *Si* tu fonctionnes vraiment comme ça, je serai chef de cohorte dans un mois. »

Ender le saisit par le devant de son uniforme et le poussa contre le mur. « Quand je dis que je travaille d'une certaine façon, Bean, *c'est* la façon dont je travaille. »

Bean se contenta de sourire. Ender le relâcha et partit. Une fois dans sa chambre, il s'allongea sur son lit et se mit à trembler. *Qu'est-ce qui m'arrive ? Ma première séance d'entraînement, et je persécute déjà les gens comme Bonzo le faisait. Et Peter. Je les bouscule. Je m'en prends à un pauvre gosse pour que les autres aient quelqu'un à détester. Écœurant. Tout ce que je peux haïr chez un commandant, je le fais à mon tour.*

Est-ce qu'une quelconque loi naturelle vous fait inévitablement devenir le clone de votre premier commandant ? Autant abandonner tout de suite, si c'est le cas.

Encore et encore il passait mentalement en revue les choses qu'il avait dites et faites lors du premier entraînement de son armée. Pourquoi ne pouvait-il pas parler comme il le faisait toujours pendant ses sessions du soir ? Pas d'autorité sans excellence. Ne jamais donner d'ordres, se contenter de faire des suggestions. Mais ça ne marcherait pas, pas avec une armée. Son groupe informel n'avait pas à apprendre à agir de concert. Rien ne les forçait à développer un esprit de corps ; ils n'avaient pas besoin d'apprendre à rester unis et à se faire confiance au combat, à réagir instantanément aux injonctions.

Et il y avait l'autre extrême. Il pouvait se montrer aussi négligent, aussi incompétent que Ray le Nez s'il le voulait. Commettre des erreurs stupides malgré toute sa bonne volonté. Il devait faire régner la discipline, et cela supposait d'exiger – et d'obtenir – une prompte obéissance résolue. Il lui fallait une armée efficiente, et cela signifiait entraîner encore et encore ses soldats, quand bien même ils pensaient avoir maîtrisé une technique, jusqu'à ce qu'elle devienne comme une seconde nature pour eux, et qu'ils n'aient plus besoin d'y réfléchir.

Mais c'était quoi cette histoire avec Bean ? Pourquoi Ender s'en était-il pris au plus petit, au plus faible, et sans doute au plus brillant de tous ? Pourquoi avait-il fait subir à Bean ce que lui-même avait subi de la part de commandants qu'il méprisait ?

Il se rappela alors que ça n'avait pas débuté avec ses commandants. Avant même que Ray et Bonzo ne le traitent avec dédain, il se trouvait déjà isolé au sein de son groupe de Bleus. Et ce n'était pas non plus Bernard qui avait lancé le mouvement. C'était Graff.

Ainsi que les professeurs. Et ça n'avait rien d'un accident. Ender le comprenait enfin. C'était une stratégie. Graff avait délibérément fait en sorte de le séparer des autres, de rendre impossible toute proximité avec eux. Et il commençait à en soupçonner les raisons sous-jacentes. Ce n'était pas pour unifier le reste du groupe – c'était de fait un facteur de division. Graff l'avait isolé pour l'obliger à se battre. Pour le forcer à prouver, non pas ses compétences, mais son incontestable supériorité sur quiconque. C'était le seul moyen de gagner respect et amitié. Ça avait fait de lui un meilleur soldat qu'il ne l'aurait été autrement. Ça l'avait aussi rendu solitaire, craintif, colérique, méfiant. Des traits de caractère qui, peut-être, avaient également contribué à l'améliorer.

C'est exactement ce que je fais avec toi, Bean. Je te maltraite pour faire de toi un meilleur soldat à tous les égards. Pour aiguiser ton intelligence. Pour te forcer à te surpasser. Pour te maintenir en déséquilibre, toujours incertain de ce qui va te tomber dessus ensuite, de manière à ce que tu te tiennes toujours prêt à tout, prêt à improviser, déterminé à vaincre quoi qu'il en coûte. Et je te rends malheureux. C'est pour ça qu'ils t'ont collé dans mon armée, Bean. Pour que tu deviennes comme moi. Pour qu'avec le temps tu finisses par ressembler au Colonel Graff.

Et moi – je suis censé finir comme Graff ? Gras, amer, insensible, manipulant les vies de petits garçons pour produire des généraux et amiraux parés à commander la flotte pour défendre la patrie ? Tu profites pleinement de ta position de marionnettiste. Jusqu'à obtenir un soldat meilleur que qui que ce soit d'autre. Mais c'est hors de question. Ça gâche la symétrie. Tu dois le faire rentrer dans le rang, le briser, l'isoler, lui en faire baver jusqu'à ce qu'il en rabatte.

Eh bien, ce qui est fait est fait, Bean. Mais je vais garder l'œil sur toi, avec plus de compassion que tu ne l'imagineras, et le moment venu tu découvriras en moi un ami, et en toi le soldat que tu voulais devenir.

Ender ne se rendit pas en classe cet après-midi-là. Allongé sur sa couchette, il mit par écrit ses impressions sur chaque garçon de son armée, tout ce qu'il avait remarqué à leur propos, ce qui nécessitait davantage de travail. À l'entraînement, il parlerait avec Alai pour trouver un moyen d'enseigner à de petits groupes les choses qu'ils devaient savoir. Au moins n'aurait-il pas à affronter ça seul.

Mais lorsqu'Ender se rendit à la salle de combat, ce soir-là, alors que la plupart des autres étaient encore en train de dîner, ce fut pour tomber sur le major Anderson, qui de toute évidence l'attendait. « Il y a eu un changement de règlement, Ender. À partir de maintenant, seuls les membres d'une même armée pourront travailler ensemble en salle de combat pendant leur temps libre. Ce qui implique que les salles sont disponibles uniquement selon un programme préétabli. Après ce soir, ton tour reviendra dans quatre jours.

— Personne d'autre n'organise d'entraînements supplémentaires.

— Ils le font à présent, Ender. Ils refusent que leurs soldats s'entraînent avec toi maintenant que tu commandes une autre armée. Tu ne devrais pas avoir de mal à le comprendre. Ils vont conduire leurs propres entraînements.

— J'ai toujours été dans une autre armée qu'eux. Ça ne les empêchait pas de m'envoyer leurs soldats.

— Tu n'étais pas commandant à ce moment-là.

— Vous m'avez donné une armée totalement inexpérimentée, Major…

— Tu as pas mal de vétérans.

— Ils ne sont bons à rien.

— Personne n'en arrive là sans un minimum d'intelligence, Ender. Rends-les meilleurs.

— J'avais besoin d'Alai et de Shen pour…

— Il est temps que tu grandisses, Ender. Que tu agisses par tes propres moyens. Tu n'as pas besoin que les autres te tiennent la main. Tu es un commandant à présent. Comporte-toi comme tel. »

Ender passa devant Anderson pour se rendre en salle de combat. Puis il s'arrêta et se retourna pour lui poser une question : « Maintenant que les entraînements du soir suivent un planning précis, est-ce que je peux espérer pouvoir utiliser le crochet ? »

Anderson a-t-il presque *souri ? Non. Aucune chance.* « Nous verrons », fit l'officier.

Ender lui tourna le dos et pénétra dans la salle de combat. Son armée ne tarda pas à arriver, sans personne d'autre ; soit Anderson traînait dans le coin pour intercepter tous ceux qui se présentaient, soit l'information selon laquelle les séances informelles d'Ender étaient supprimées avait déjà fait le tour de l'école.

Ce fut un bon entraînement, très productif, mais Ender était fatigué quand il prit fin. Et seul. Il restait une demi-heure avant l'extinction des feux. Le cadet des Wiggin ne pouvait pas se rendre dans le dortoir de son armée – il avait depuis longtemps compris que les meilleurs commandants demeuraient à l'écart à moins d'avoir une raison valable de faire autrement. Il fallait laisser aux garçons la possibilité d'être tranquilles, au repos, sans personne pour les écouter et les juger à la façon dont ils parlaient, agissaient, *pensaient*.

Il alla donc faire un tour dans la salle de jeux, où quelques gosses employaient la dernière demi-heure qui les séparait du couvre-feu à fixer des paris ou tenter de battre les scores antérieurs. Aucun des jeux ne trouvait grâce à ses yeux, mais il se força quand même à jouer, un programme facile destiné aux Bleus. Dans sa lassitude, il en ignora les objectifs et utilisa le petit personnage, un ours, pour explorer le paysage animé qui l'entourait.

« Tu ne gagneras jamais de cette façon. »

Ender sourit. « Tu m'as manqué à l'entraînement, Alai.

— J'*y* étais. Mais ils ont séparé ton armée du reste des troupes. Tu as pris du galon apparemment, tu ne peux plus jouer avec les enfants.

— Tu fais une coudée de plus que moi.

— Une coudée ! Dieu t'a demandé de construire un bateau ou quoi ? À moins que tu ne sois d'humeur… archaïque ?

— Non, plutôt labyrinthique. Secrète, subtile, circonvolutionnée. Tu me manques déjà, espèce de chien circoncis.

— Personne ne t'a prévenu ? Nous sommes ennemis à présent. La prochaine fois que je te croiserai au combat, je te fouetterai le cul. »

Il plaisantait, comme toujours, mais cela dissimulait par trop de vérité désormais. À présent, quand Ender entendait Alai lui parler comme si tout était motif à rire, il ressentait la souffrance d'avoir perdu son ami, et aussi celle, pire encore, de se demander si Alai s'en moquait autant qu'il le laissait paraître.

« Tu peux toujours essayer, dit Ender. Je t'ai appris tout ce que tu sais. Mais je ne t'ai pas appris tout ce que je sais.

— Je savais bien que tu en gardais sous le coude, Ender. »

Un silence. L'ours d'Ender était en train de grimper dans un arbre à l'écran. Il avait des ennuis. « Ce n'est pas vrai, Alai. Je ne gardais rien pour moi.

— Je sais, fit Alai. Moi non plus.

— Salaam, Alai.

— Hélas, ça n'arrivera pas.

— Quoi donc ?

— La paix. C'est la signification de *Salaam*. Que la paix soit sur toi. »

Ces mots éveillèrent un écho dans la mémoire d'Ender. Sa mère lui faisant la lecture à voix basse, quand il était tout petit. *« Ne croyez pas que je sois venu apporter la paix sur la Terre. Je ne suis pas venu apporter la paix, mais l'épée. »* Ender s'était imaginé sa génitrice en train de transpercer Peter le Terrible avec une rapière couverte de sang, et ces paroles étaient restées gravées dans son esprit.

L'ours mourut pendant qu'il se faisait ces réflexions. D'une mort charmante, avec une jolie musique pour l'accompagner. Ender se retourna. Alai était déjà parti. C'était comme si un morceau de lui-même lui avait été arraché, un étai intérieur qui soutenait son courage et sa confiance. Avec Alai, à un degré impossible même avec Shen, Ender en était arrivé à éprouver un accord si puissant que le mot *nous* lui venait beaucoup plus facilement à la bouche que *je*.

Mais Alai avait laissé quelque chose derrière lui. Alors qu'il sommeillait sur son lit, Ender pouvait sentir sur sa joue les lèvres de son ami pendant que celui-ci murmurait le mot *paix*. Le baiser, le mot, la paix demeuraient obstinément en lui. *Je* suis *ce dont je me souviens, et le souvenir de mon amitié pour Alai est si intense que rien de ce qu'ils feront ne pourra me l'arracher. Comme celui de Valentine, le plus puissant d'entre tous.*

Le lendemain, quand il croisa Alai dans un couloir, tous deux se saluèrent, se serrèrent la main, parlèrent, mais ils savaient qu'un mur les séparait à présent. Peut-être une brèche pourrait-elle s'y ouvrir, à l'avenir, mais dans l'immédiat les seuls liens véritables qui demeuraient entre eux étaient les racines qui avaient déjà poussé sous ce rempart, lentement, profondément ; là où rien ne pouvait venir les briser.

Le plus terrible, cependant, était la peur de ne jamais plus voir ce mur s'écarter, qu'en son for intérieur Alai se réjouisse de cette séparation, qu'il soit prêt à devenir l'ennemi d'Ender. Car ils devaient être infiniment distants à présent qu'ils ne pouvaient plus faire qu'un, ce qui avait été une certitude inébranlable se faisait à présent fragile, sans substance. *Dès l'instant où nous ne sommes plus ensemble, Alai se transforme en inconnu, il mène une existence distincte de la mienne, et ça signifie que quand je le verrai nous ne nous connaîtrons pas vraiment.*

Cela le rendit triste, mais Ender ne pleura pas. Il en avait fini avec les larmes. Depuis le jour où ils avaient fait de Valentine une inconnue, depuis le jour où ils s'étaient servis d'elle pour agir sur lui, ils avaient perdu à jamais toute capacité à lui faire suffisamment mal pour le faire pleurer. Ender en était certain.

Et cette colère le convainquit qu'il était assez fort pour les vaincre – les professeurs, ses ennemis.

11

Veni vidi vici

« J'ai vu le programme de batailles. Vous n'êtes pas sérieux. »

« Bien au contraire. »

« Il n'a sa propre armée que depuis trois semaines et demie. »

« Je vous l'ai dit. Nous avons fait des simulations informatiques des résultats probables. Et c'est ce que l'ordinateur a estimé qu'Ender allait faire. »

« Nous cherchons à le former, pas à lui coller une dépression nerveuse. »

« L'ordinateur le connaît mieux que nous. »

« L'ordinateur n'est pas connu pour sa clémence. »

« Si vous vouliez vous montrer clément, vous auriez dû vivre dans un monastère. »

« Quoi, ceci n'est pas un monastère ? »

« Et c'est mieux pour Ender. Nous libérons son plein potentiel. »

« Je pensais que nous allions lui donner deux ans de commandement. Nous avons l'habitude de leur faire livrer une bataille tous les quinze jours, à compter du troisième mois. C'est un peu extrême. »

« Nous n'avons pas deux ans à perdre. »

« Je sais. C'est juste que je n'arrive pas à m'ôter de la tête cette image d'Ender dans un an. Totalement inutile, usé jusqu'à la corde, parce qu'il aura été poussé plus loin que quiconque n'aurait pu le supporter. »

« Nous avons informé l'ordinateur que notre priorité absolue restait l'exploitation ultérieure du sujet après le programme d'entraînement. »

« Eh bien, tant qu'il reste exploitable… »

« Écoutez, Colonel Graff, si vous vous souvenez bien, c'est vous qui m'avez fait préparer ceci, en dépit de mes protestations. »

« Je sais, vous avez raison, je ne devrais pas vous accabler avec ma conscience. Mais ma soif de sacrifier des enfants pour sauver l'Humanité a tendance à se tarir. Le Polémarque est allé voir l'Hégémon. Les services secrets russes semblent s'inquiéter du fait que certains des citoyens actifs sur les réseaux réfléchissent déjà à la façon dont l'Amérique devrait utiliser la F.I. pour détruire le Pacte de Varsovie dès que les doryphores auront été anéantis. »

« Ça me semble prématuré, pour le moins. »

« Ça semble surtout dément. La liberté de parole est une bien belle chose, mais mettre la Ligue en péril pour des rivalités nationalistes – et c'est pour des gens comme ça, sans vision, suicidaires, *que nous poussons Ender à la limite de l'endurance humaine. »*

« Je pense que vous sous-estimez Ender. »

« Mais je crains d'également sous-estimer la stupidité du reste de l'Humanité. Sommes-nous absolument certains qu'il faille gagner cette guerre ? »

« Colonel, ces mots sonnent comme une trahison. »

« C'était de l'humour noir. »

« Ça ne m'a pas fait rire. Avec les doryphores, rien… »

« Rien n'est drôle, je sais. »

Ender Wiggin était allongé sur son lit, à fixer le plafond. Il n'avait jamais dormi plus de cinq heures d'affilée depuis sa nomination. Mais les lumières s'éteignaient à 2200, et ne se rallumaient pas avant 0600. Malgré tout, il travaillait parfois sur son bureau, s'usant les yeux à la pâle lueur de l'affichage. D'ordinaire, cependant, il se contentait de regarder le plafond invisible en réfléchissant.

Soit les professeurs s'étaient finalement décidés à se montrer gentils avec lui, soit il était un meilleur commandant qu'il ne l'avait imaginé. Son petit groupe disparate de vétérans, sans aucun relief dans leurs affectations précédentes, étaient en train de s'épanouir pour devenir des chefs compétents. À tel point qu'en lieu et place des quatre cohortes habituelles il en avait créé cinq, chacune avec un chef de cohorte et un second ; chaque vétéran avait ainsi sa place. Il faisait manœuvrer son armée en cohortes de huit hommes et en demi-cohortes de quatre, de sorte qu'un seul ordre de sa part suffisait à assigner à ses troupes dix opérations distinctes simultanément. Aucune armée ne s'était jamais éclatée de la sorte auparavant – mais Ender n'avait de toute façon nulle intention de se conformer à ce qui s'était fait avant lui. La plupart d'entre elles pratiquaient des manœuvres de masse, des stratégies préformées. Pas lui. Il préférait familiariser ses chefs de cohorte à une utilisation efficace de leurs petites unités dans le cadre d'objectifs limités. Sans soutien, seuls, de leur propre initiative. Il commença à organiser des simulations de guerre après la première semaine, des combats acharnés qui laissait tout le monde sur les rotules. Mais il savait que, ce faisant, son armée pouvait devenir le meilleur groupe ayant jamais joué à ce jeu en à peine un mois d'entraînement.

Dans quelle mesure les professeurs l'avaient-ils prévu ? Avaient-ils conscience de lui confier des garçons réservés mais excellents ? Lui avaient-ils donné trente Bleus, pour la plupart bien trop jeunes, parce qu'ils savaient les enfants capables d'apprendre vite et bien ? À moins que tout groupe similaire puisse évoluer ainsi sous les ordres d'un commandant lui-même parfaitement conscient de ce qu'il voulait lui faire faire, et en mesure de le lui enseigner ?

La question le taraudait ; il n'aurait su dire s'il répondait à leurs attentes ou bien les déjouait.

La seule chose qu'il savait avec certitude, c'était qu'il était impatient de se battre. La plupart des armées avaient besoin d'au moins trois mois pour mémoriser des dizaines de formations complexes. *Nous, nous sommes prêts. Envoyez-nous au combat.*

La porte s'ouvrit dans l'obscurité. Ender tendit l'oreille. Des pas étouffés. Puis la porte se referma.

Il dégringola de sa couchette et parcourut à quatre pattes les deux mètres qui le séparaient de l'entrée. Le morceau de papier qui se trouvait là était illisible, bien sûr, mais Ender savait de quoi il s'agissait. Une bataille. *Comme c'est gentil à eux. Je fais un vœu, et ils l'exaucent.*

Ender portait déjà sa combinaison flash de l'Armée du Dragon quand les lumières s'allumèrent. Il se précipita aussitôt dans le couloir, pour atteindre à 0601 la porte du dortoir de son armée.

« Nous avons une bataille contre l'Armée du Lapin à 0700. Nous allons nous échauffer en pesanteur pour nous préparer à l'action. Déshabillez-vous et rendez-vous au gymnase. Prenez avec vous vos combinaisons flash, nous ne repasserons pas par ici.

— Et le petit déjeuner ?

— Je refuse que quiconque vomisse dans la salle de combat.

— On peut quand même aller pisser ?

— Pas plus d'un décalitre. »

Ils rirent de bon cœur. Ceux qui ne dormaient pas nus se déshabillèrent ; leur combinaison flash sous le bras, tous suivirent Ender au petit trop jusqu'au gymnase. Il leur fit faire deux fois la course d'obstacles, puis les fit passer à tour de rôle sur le trampoline, le tapis et le banc. « Ne vous épuisez pas, contentez-vous de vous échauffer. » Il n'avait aucune raison de s'inquiéter. Ils étaient en pleine forme, souples et agiles, et par-dessus tout excités par le combat à venir. Quelques-uns se mirent spontanément à lutter – la gym, d'ordinaire ennuyeuse, prenait soudain un tour amusant en raison de la bataille imminente. Ils avaient l'assurance suprême de ceux qui ne se sont jamais retrouvés en compétition, et se croient prêts. *Eh bien, pourquoi ne le croiraient-ils pas ? Ils le sont. Et moi aussi.*

À 0640, il leur ordonna de s'habiller. Pendant qu'ils enfilaient leur combinaison, il alla parler aux chefs de cohorte ainsi qu'à leurs seconds. « L'Armée du Lapin se compose principalement de vétérans, mais Carn Carby n'a été nommé à leur tête que depuis cinq mois et je ne les ai jamais affrontés sous son commandement. C'était loin d'être un mauvais soldat, et le Lapin s'est toujours bien débrouillé au classement au fil des années. Mais ça ne m'inquiète pas, car j'escompte bien voir des formations. »

À 0650, Ender les fit tous s'allonger sur les tapis pour des exercices de relaxation. Puis, à 0656, il leur ordonna d'aller courir au petit trot dans le couloir qui menait à la salle de combat. À l'occasion, il sautait en l'air pour toucher le plafond. Tous les garçons l'imitaient aussitôt. Leur ruban de couleur conduisait à gauche ; l'Armée du Lapin avait déjà pris le couloir de droite. Et à 0658, ils atteignirent leur entrée.

Les cohortes se répartirent en cinq colonnes. La A et la E se tenaient prêtes à saisir les poignées latérales pour s'élancer sur les côtés. La B et la D s'étaient alignées pour s'accrocher aux deux rangées parallèles de poignées fixées au plafond, parées à bondir vers le haut. La cohorte C allait utiliser le rebord de la porte pour se ruer vers le bas.

En haut, en bas, à droite, à gauche ; Ender, resté à l'avant entre deux colonnes afin de ne pas se mettre sur leur chemin, entreprit de les réorienter : « Dans quelle direction se trouve l'entrée ennemie ?

— En bas ! », s'esclaffèrent-ils alors même que le *haut* devenait le nord, le *bas* le sud, la *droite* et la *gauche* l'est et l'ouest.

Le mur gris devant eux disparut, rendant visible la salle de combat. Il ne s'agissait pas d'une partie en conditions d'obscurité, mais pas non plus en pleine lumière – ça évoquait plutôt un crépuscule. Au loin, dans la pénombre, il voyait ses ennemis déjà sortir en masse de leur entrée, combinaisons flash allumées. Il connut un instant de plaisir. Personne n'avait tiré les bonnes conclusions de la façon dont Bonzo avait sous-employé Ender Wiggin. Tous s'élançaient immédiatement à travers la porte, ce qui ne leur laissait d'autre possibilité que d'indiquer à voix haute la formation qu'ils comptaient utiliser. Les commandants n'avaient pas le temps de réfléchir. Eh bien, Ender ne commettrait pas cette erreur, il allait se reposer sur l'aptitude de ses soldats à guerroyer jambes congelées pour les préserver quand ils finiraient par franchir la porte.

Ender prit la mesure de la salle de combat. Elle reprenait la disposition ouverte de la plupart de ses premières batailles – cela lui évoquait irrésistiblement les cages à poules dans le parc –, avec sept ou huit étoiles éparpillées ici et là. Il y en avait assez, et dans des positions suffisamment avancées, pour justifier leur capture. « Déployez-vous jusqu'aux étoiles les plus proches. C, essayez de longer la paroi. Si ça marche, A et E suivront le mouvement. Dans le cas contraire, je déciderai de là-bas. Je serai avec D. Go. »

Tous les soldats savaient ce qui était en train de se passer, mais les décisions tactiques relevaient exclusivement des chefs de cohorte. Même avec les instructions d'Ender, ils ne franchirent l'entrée qu'avec dix secondes de retard. L'Armée du Lapin exécutait déjà une espèce de danse complexe à l'autre extrémité de la salle. Dans toutes les armées pour lesquelles il avait œuvré, Ender aurait présentement veillé à s'assurer que sa cohorte occupait bien la place qui lui était assignée dans leur formation. Au lieu de quoi lui et ses hommes ne pensaient qu'aux moyens de la contourner, de contrôler les étoiles et les coins de la pièce, puis de briser la force adverse en fractions insignifiantes incapables d'initiatives. Malgré leurs quatre semaines à peine de vie en commun, leur manière de combattre semblait déjà être la seule intelligente, la seule *possible*. Ender fut presque surpris de constater que l'Armée du Lapin n'en avait pas encore pris conscience.

Les garçons de la cohorte C se mirent à glisser le long du mur, cabotant genoux rabattus face à l'ennemi. Crazy Tom, leur chef, leur avait apparemment ordonné de préalablement congeler leurs jambes. C'était une fort bonne idée dans cette quasi-pénombre, vu que les combinaisons flash s'assombrissaient là où elles étaient touchées. Ça les rendait moins aisément visibles. Ender ne manquerait pas de l'en féliciter.

L'Armée du Lapin parvint à repousser l'attaque de la cohorte C, mais pas avant que Crazy Tom et ses troupes ne l'aient massacrée, congelant une douzaine de Lapins avant de se replier à l'abri d'une étoile. Mais comme celle-ci se trouvait *derrière* la formation des Lapins, ils allaient constituer une cible facile à présent.

Han Tzu, qu'on surnommait généralement Hot Soup, était le chef de la cohorte D. Il se hâta de glisser le long de l'étoile jusqu'à l'endroit où s'était agenouillé Ender. « Et si on rebondissait sur le mur nord pour leur tomber dessus genoux en avant ?

— D'accord, répondit Ender. Moi j'irai au sud pour les prendre à revers. (Puis il hurla :) A et E, lentement sur les murs ! » Il ripa les pieds devant le long de l'étoile, accrocha ceux-ci à son rebord pour se propulser en direction du mur supérieur, sur lequel il rebondit pour atteindre celle de la cohorte E. Un instant plus tard, il les menait jusqu'à la paroi sud. Après avoir ricoché dessus dans un ensemble presque parfait, ils se retrouvèrent derrière les deux étoiles tenues par les hommes de Carn Carby. C'était comme couper du beurre avec un couteau brûlant. L'Armée du Lapin était de l'histoire ancienne, ne restait plus qu'à nettoyer un peu. Ender divisa ses cohortes en deux pour assainir les coins du moindre soldat ennemi encore indemne ou simplement blessé. À peine trois minutes plus tard, ses chefs de cohorte venaient lui signaler la fin de la grande lessive. Un seul de ses garçons était complètement congelé – un membre de la cohorte C, qui avait supporté l'essentiel de l'assaut – et il n'avait que cinq hommes hors de combat. Presque tous avaient été touchés, mais aux jambes, et la plupart s'étaient eux-mêmes infligé le coup. L'un dans l'autre, ça s'était mieux passé que dans ses prévisions.

Ender laissa à ses chefs de cohorte les honneurs de la porte – un casque à chaque coin, et Crazy Tom pour franchir l'entrée. La plupart des commandants se bornaient à le faire avec leurs soldats encore en vie à ce niveau de la partie ; lui aurait pu choisir pratiquement n'importe qui. Une bonne bataille.

Les lumières s'allumèrent, et le major Anderson en personne passa par l'entrée des professeurs située à l'extrémité sud de la salle de combat. D'un geste empreint de solennité, il tendit à Ender le crochet de professeur rituellement remis au vainqueur d'une partie. Ender s'en servit d'abord pour décongeler les combinaisons de ses propres soldats, comme de bien entendu, puis les disposa en cohortes avant de libérer l'ennemi. Un maintien militaire, irréprochable, voilà ce qu'il voulait lorsque Carn Carby et ses hommes auraient recouvré l'usage de leurs membres. *Il y a des chances qu'ils nous maudissent, qu'ils nous traînent dans la boue, mais ils se souviendront que nous les avons anéantis – et peu importe ce qu'ils disent, les autres soldats et leurs commandants pourront le lire dans leurs yeux ; dans ces yeux de Lapins, ils nous verront en formation impeccable, victorieux et presque indemnes après notre première bataille. L'Armée du Dragon ne va pas rester longtemps obscure.*

Dès qu'il fut décongelé, Carn Carby alla rejoindre Ender. Âgé de douze ans, il n'avait apparemment été nommé commandant que lors de sa dernière année à l'école. Aussi était-il moins hâbleur que ses pairs qui y étaient parvenus à onze. *C'est une leçon*, se dit Ender, *pour quand je serai vaincu. Rester digne, rendre les honneurs dus, justement pour que la défaite ne se transforme* pas *en déshonneur. Mais j'espère bien ne pas avoir à le faire trop souvent.*

Anderson congédia les Dragons en dernier, après que l'Armée du Lapin se fut disséminée par la porte que les garçons d'Ender avaient empruntée pour pénétrer dans la pièce. Puis le jeune Wiggin fit passer son armée par celle de l'ennemi. Les lumières au pied de l'entrée leur rappelèrent où se trouvait le bas une fois qu'ils retrouvèrent la pesanteur. Tous atterrirent délicatement sur leurs pieds, puis coururent se rassembler dans le couloir. « Il est 0715, fit Ender. Ça veut dire que vous avez quinze minutes pour prendre votre petit déjeuner avant de me retrouver en salle de combat pour l'entraînement du matin. » Il pouvait les entendre marmonner : « Allez, on a gagné, fêtons ça.

— D'accord, leur répondit-il, vous l'avez bien mérité. Et votre commandant vous autorise à vous battre avec la nourriture pendant le petit déjeuner. »

Lorsqu'ils eurent ri et applaudi tout leur saoul, il leur fit rompre les rangs et leur ordonna de retourner au dortoir au petit trop. Il intercepta ses chefs de cohorte pour leur dire qu'il n'attendait personne à l'entraînement avant 0745, et que celui-ci serait bref pour permettre aux garçons d'aller rapidement prendre une douche. Une demi-heure pour le petit déjeuner, pas de douche après une bataille – ça restait mesquin, mais moins qu'un pathétique quart d'heure. Et Ender tenait à ce que l'annonce de cette largesse vienne des chefs de cohorte.

Histoire que les garçons les associent à l'indulgence, et que leur commandant demeure intraitable à leurs yeux – ça ne pourra que renforcer leurs liens.

Ender n'alla pas prendre de petit déjeuner. Il n'avait pas faim. Après avoir gagné la salle de bains pour s'y doucher, il mit sa combinaison flash dans le nettoyeur afin qu'elle soit prête à sa sortie. Il se lava à deux reprises, laissant l'eau couler sur lui interminablement. Elle serait entièrement recyclée. *Que tout le monde boive donc un peu de ma sueur aujourd'hui.* On lui avait confié une armée inexpérimentée, et il l'avait emporté – et haut la main. Avec seulement six hommes congelés ou hors de combat. *On va voir combien de temps les autres commandants conservent leurs formations maintenant qu'ils ont constaté ce qu'une stratégie flexible peut accomplir.*

Il flottait en plein milieu de la salle de combat quand ses soldats commencèrent à arriver. Personne ne lui adressa la parole, bien entendu. Il n'ouvrirait la bouche que lorsqu'il serait prêt, pas avant – ils le savaient.

Quand tous furent présents, Ender vint s'accrocher près d'eux et entreprit de les passer en revue un par un. « Bonne première bataille », dit-il, ce qui suffit à déclencher force acclamations et même un début de chant à la gloire des Dragons, qu'il s'empressa de faire cesser. « L'Armée du Dragon a fait du bon travail contre les Lapins, mais l'ennemi ne sera pas toujours aussi mauvais. Si ça avait été une bonne armée, cohorte C, votre approche était si lente qu'elle vous aurait eus par les flancs avant que vous n'atteigniez vos positions. Vous auriez dû vous diviser pour les prendre en tenaille et les empêcher de vous déborder. A et E, vous avez horriblement mal visé. Le décompte final vous donne une moyenne d'un demi-tir au but par soldat. Ce qui indique une majorité de tirs réussis à bout portant. Ça ne peut pas continuer comme ça – un ennemi habile aurait taillé en pièces la force d'assaut, sauf si celle-ci avait bénéficié d'une meilleure couverture à distance. Je veux que chaque cohorte s'entraîne au tir de précision sur des cibles fixes et mobiles. Des demi-cohortes joueront le rôle de cibles à tour de rôle. Je décongèlerai les combinaisons flash toutes les trois minutes. Au boulot.

— Est-ce qu'on va travailler avec des étoiles ? s'enquit Hot Soup. Pour stabiliser notre visée ?

— Je ne veux pas que vous vous habituiez à avoir quelque chose pour vous stabiliser les bras. Si votre bras n'est pas stable, congelez vos coudes ! Allez-y maintenant ! »

Les chefs de cohorte eurent tôt fait de mettre les choses en place. Ender passa ensuite d'un groupe à l'autre pour aider les garçons qui rencontraient des difficultés particulières. Les soldats comprirent ainsi qu'il pouvait se montrer brutal quand il s'adressait à eux collectivement, mais que sa patience se révélait sans limites lorsqu'il œuvrait en individuel – prêt à expliquer quelque chose autant de fois que nécessaire, à faire volontiers des suggestions, à écouter questions, problèmes et justifications. Mais il ne riait jamais quand ils essayaient de plaisanter avec lui, aussi ne tardèrent-ils pas à renoncer. Il était commandant à chaque instant passé avec eux. Il n'avait jamais besoin de le leur rappeler ; il *l'était*, tout simplement.

Ils travaillèrent toute la journée avec le goût de la victoire dans la bouche, poussant de nouvelles acclamations lorsqu'ils s'interrompirent une demi-heure avant le déjeuner. Ender retint ses chefs de cohorte jusqu'à l'heure normale, pour évoquer avec eux les tactiques qu'ils avaient utilisées et évaluer le niveau de chaque soldat. Puis il regagna sa chambre, où il passa méthodiquement son uniforme. Il allait se présenter avec une dizaine de minutes de retard au mess des commandants. Exactement ce qu'il avait prévu. Étant donné qu'il s'agissait de sa première victoire, il n'avait jamais vu les lieux de l'intérieur, et n'avait pas la moindre idée de ce que les nouveaux commandants étaient censés faire, mais il *voulait* arriver en dernier, quand les résultats des batailles du matin seraient déjà affichés. L'Armée du Dragon allait définitivement sortir de l'anonymat.

Son apparition ne provoqua guère d'agitation. Mais certains des officiers se mirent à le dévisager ouvertement lorsqu'ils remarquèrent à quel point il était petit, et que des dragons ornaient les manches de son uniforme. Le temps qu'il prenne son plateau et s'assoie à une table, la salle avait sombré dans le silence. Il commença à manger, lentement, calmement, feignant de ne pas avoir conscience d'être le centre de toutes les attentions. Les conversations reprirent peu à peu, de sorte qu'il put enfin se détendre suffisamment pour regarder autour de lui.

Un tableau d'affichage occupait tout un mur de la pièce. Les soldats étaient tenus informés des résultats d'ensemble d'une armée sur les deux dernières années ; ici, toutefois, se trouvait indiquée la situation de chaque commandant. Un nouveau commandant ne pouvait hériter de la position de son prédécesseur… Il était noté en fonction de ce qu'il avait accompli.

Ender avait le meilleur classement. Un parfait ratio victoires/défaites, bien entendu, mais il était loin devant même dans les autres catégories. Nombre moyen d'ennemis hors de combat, pertes parmi ses troupes, temps moyen écoulé avant la victoire – partout il était premier.

Alors qu'il avait presque fini de manger, quelqu'un se pointa derrière lui et lui posa la main sur l'épaule.

« Ça te dérange si je m'assois ? » Ender n'eut pas besoin de se retourner pour savoir qu'il s'agissait de Dink Meeker.

« Salut, Dink. Pas du tout.

— Tu as vraiment le cul bordé de nouilles, fit joyeusement Dink. On essaye tous de déterminer si tes scores tiennent du miracle ou d'une erreur.

— Une habitude, fit le jeune Wiggin.

— Une victoire ne constitue pas une habitude. Ne commence pas à te la jouer. On oppose toujours les nouveaux à des commandants médiocres.

— Carn Carby ne se trouve pas précisément en bas du tableau. » C'était exact. Carn Carby se situait à peu près au milieu.

« Il n'est pas mauvais, admit Dink, considérant qu'il vient à peine de commencer. C'est un type prometteur. Je n'en dirais pas autant de toi. Toi, tu es dangereux.

— Pourquoi ? Est-ce qu'on diminue vos rations quand je remporte une bataille ? Je croyais t'avoir entendu me dire que tout ceci n'était qu'un jeu stupide dénué de la moindre importance. »

Dink n'apprécia guère que ses paroles lui soient ainsi renvoyées dans de telles circonstances. « C'est toi qui m'as forcé à entrer dans leur jeu. Mais je ne joue pas avec toi, Ender. Je ne te laisserai pas *me* battre.

— Sans doute pas.

— Je t'ai formé, lui rappela Dink.

— Je te dois tout ce que je sais, reconnut Ender. Et maintenant je me contente de jouer à l'oreille.

— Toutes mes félicitations.

— Comme c'est agréable de se savoir soutenu par un ami. » Mais Ender n'aurait pas parié que Dink soit encore son ami. Pas plus que celui-ci. Après quelques phrases creuses, Dink retourna à sa table.

Ender regarda autour de lui lorsqu'il eut fini de manger. Les chuchotements allaient bon train un peu partout. Il repéra Bonzo, qui comptait à présent parmi les commandants les plus âgés. Ray le Nez avait obtenu son diplôme. Petra restait avec son groupe dans un coin, sans lui adresser le moindre regard. Comme la plupart des autres jetaient un œil dans sa direction de temps à autre, y compris ceux avec qui parlait Petra, il était à peu près certain qu'elle l'évitait délibérément. *C'est le problème quand on gagne depuis le début*, se dit-il. *On perd des amis.*

Donnons-leur quelques semaines pour s'y habituer. Le temps que je livre ma deuxième bataille, les choses se seront calmées ici.

Carn Carby se fit un devoir de venir saluer Ender avant la fin du repas. Un nouveau geste élégant de sa part – d'autant que, à l'inverse de Dink, il ne semblait pas sur ses gardes. « En ce moment je suis en disgrâce, lui dit-il avec franchise. Ils refusent de me croire quand je leur dis que tu as fait des choses totalement inédites. Alors j'espère que tu mettras une belle raclée à la prochaine armée que tu affronteras. Je te revaudrai ça.

— J'y compte bien, fit Ender. Et merci d'être venu me parler.

— Je trouve qu'ils te traitent franchement par-dessus la jambe. D'habitude, les nouveaux commandants sont acclamés pour leur première au mess des officiers. Mais bon, ils ont généralement quelques défaites à leur passif avant d'arriver ici. Ça fait à peine un mois que je viens ici. Si quelqu'un mérite un ban, c'est bien toi. Mais c'est la vie. Fais-leur mordre la poussière.

— Je ferai mon possible. » Et Carn Carby le laissa. Il l'ajouta mentalement à sa liste personnelle des gens qu'il pouvait aussi qualifier d'êtres humains.

Ender dormit cette nuit-là mieux que depuis bien longtemps. Il dormit si bien, en fait, qu'il ne se réveilla pas avant que les lumières ne s'allument, et en pleine forme. Il chemina jusqu'à la douche sans remarquer le morceau de papier posé par terre ; à son retour, il ne le vit que parce qu'il s'envola quand le jeune garçon se mit à secouer ses vêtements pour les passer. Il le ramassa et le lut.

PETRA ARKANIAN, ARMÉE DU PHÉNIX, 0700

C'était son ancienne armée, celle qu'il avait quittée moins de quatre semaines auparavant, et il connaissait parfaitement ses formations de va-et-vient. En partie grâce à lui, elle était devenue l'armée la plus souple de toutes, s'adaptant relativement vite aux situations nouvelles. L'Armée du Phénix allait être la plus apte à gérer les attaques fluides, imprévisibles, d'Ender. Les professeurs semblaient déterminés à lui rendre la vie intéressante.

0700, disait le papier, et il était déjà 0630. Certains de ses garçons devaient sans doute être déjà sur le chemin du petit déjeuner. Ender se débarrassa de son uniforme et s'empara de sa combinaison flash. Quelques instants plus tard, il se tenait dans l'embrasure de la porte du dortoir.

« Messieurs, j'espère que vous avez appris quelque chose hier, parce que nous allons recommencer aujourd'hui. »

Ils mirent un moment à comprendre qu'il parlait d'une nouvelle bataille, et pas un d'entraînement. Ça devait être une erreur, s'exclamèrent-ils. Personne n'avait jamais de batailles deux jours d'affilée.

Il tendit le papier à Fly Molo, le chef de la cohorte A, qui hurla aussitôt « Combinaisons flash ! » avant de commencer à se changer.

« Pourquoi ne pas nous avoir avertis plus tôt ? » demanda Hot Soup d'une voix impérieuse. Il avait une manière de poser des questions à Ender sur un ton que personne d'autre n'aurait osé employer.

« Je me suis dit que vous aviez besoin d'une douche, fit Ender. Hier, les Lapins ont insinué que nous ne devions notre victoire qu'à notre puanteur, qui les aurait mis K-O. »

Les soldats qui l'entendirent éclatèrent de rire.

« Tu n'as trouvé le papier qu'en revenant des douches, pas vrai ? »

Ender se mit en quête du propriétaire de la voix. C'était Bean, déjà en combinaison flash ; il transpirait l'insolence.

L'heure de me faire payer d'anciennes humiliations, c'est bien ça, Bean ?

« Bien sûr, railla le jeune Wiggin. Je ne suis pas aussi près du sol que toi. »

Nouveaux rires. Bean s'empourpra de colère.

« On ne peut de toute évidence pas compter sur les anciennes méthodes, fit Ender. Vous feriez donc bien de ne jamais vous ôter les combats de votre esprit. Je vous mentirais en vous disant que j'apprécie la façon dont ils s'amusent avec nous, mais il y a une chose qui me rassure : celle d'avoir une armée capable de le supporter. »

Après ça, s'il leur avait demandé de l'accompagner sur la Lune sans combinaison spatiale, ils l'auraient fait.

Petra n'était pas Carn Carby ; elle avait des schémas mentaux plus souples et réagissait bien plus vite aux attaques éclairs improvisées – et imprévisibles – d'Ender. En conséquence de quoi celui-ci eut trois garçons congelés et neuf hors de combat au terme de l'exercice. Petra n'accepta alors que de mauvaise grâce de lui serrer la main. La colère dans ses yeux semblait lui dire : *J'étais ton amie, et tu m'humilies ainsi ?*

Ender fit mine de ne pas remarquer sa fureur. Après quelques batailles supplémentaires, elle finirait bien par prendre conscience qu'elle avait marqué davantage de points contre lui que tous ceux qui l'avaient précédée. Et lui continuait d'apprendre d'elle. À l'entraînement du soir, il enseignerait à ses chefs de cohorte comment contrer les tours qu'elle leur avait joués. Ils ne tarderaient pas à redevenir amis.

Du moins l'espérait-il.

À la fin de la semaine, l'Armée du Dragon avait livré sept batailles en sept jours. Sept victoires pour aucune défaite. Ender n'avait jamais essuyé davantage de pertes que contre l'Armée du Phénix, et en deux occasions n'avait même pas eu un seul soldat congelé ou mis hors de combat. Plus personne n'imputait à la chance sa position en tête du classement. Il avait battu des armées de premier plan avec des écarts presque incroyables. Plus aucun commandant ne pouvait l'ignorer à présent. Certains d'entre eux prenaient tous leurs repas en sa compagnie, essayant plus ou moins subtilement de lui soutirer des informations sur la manière dont il s'y était pris pour dominer ses plus récents adversaires. Il ne se fit pas prier, persuadé que rares parmi eux sauraient faire reproduire à leurs soldats et chefs de cohorte ce que les siens accomplissaient. Mais tandis qu'Ender discutait avec eux, des groupes bien plus larges se rassemblaient autour des vaincus, pour tenter de découvrir un moyen de le battre.

Beaucoup le haïssaient. À cause de sa jeunesse, de son excellence, parce qu'il rendait leurs propres victoires dérisoires, médiocres. Ender le vit d'abord sur leurs visages, quand il les croisait dans les couloirs ; puis il commença à remarquer qu'au mess des commandants des garçons se levaient en groupe pour aller à une autre table lorsqu'il prenait place près d'eux ; puis des coudes se mirent à le heurter accidentellement en salle de jeux, des pieds à s'empêtrer dans les siens quand il pénétrait dans le gymnase ou en sortait, des crachats ou des boules de papier mouillé à l'atteindre par-derrière lorsqu'il faisait son footing dans les couloirs. Ils ne pouvaient le vaincre en salle de combat, et ils le savaient – aussi l'attaquaient-ils là où ils ne risquaient rien, là où il n'était pas un géant mais juste un petit garçon. Ender les méprisait – mais en son for intérieur, si profondément qu'il n'en avait même pas conscience, il les redoutait. C'était exactement ce genre de petits supplices que Peter n'avait cessé de lui infliger, et ça commençait à beaucoup trop lui rappeler cette période de son existence.

Ces désagréments restaient néanmoins mineurs, et Ender se persuada de les accepter comme une manière d'éloge. Les autres armées se mettaient déjà à l'imiter. Presque tous les soldats attaquaient jambes repliées à présent ; les formations étaient remises en question, et il y avait davantage de commandants qui envoyaient leurs cohortes effectuer des glissades le long des murs. Personne encore n'avait saisi son organisation en cinq cohortes, ce qui lui conférait un léger avantage quand ils avaient repéré les mouvements de quatre unités – ils ne s'attendaient pas à se trouver confrontés à une cinquième.

Ender leur enseignait les tactiques de combat en apesanteur. Mais à qui Ender devait-il s'adresser pour lui-même apprendre quoi que ce soit de nouveau ?

Il se mit à fréquenter de plus en plus régulièrement la salle vidéo, remplie de films de propagande à la gloire de Mazer Rackham et d'autres grands commandants des forces de l'Humanité au cours des Première et Deuxième Invasions. Il décida d'arrêter les entraînements quotidiens une heure plus tôt, et autorisa ses chefs de cohorte à diriger leurs propres exercices en son absence. En général, ceux-ci consistaient en escarmouches, cohorte contre cohorte. Ender restait assez longtemps pour s'assurer que tout se passait bien, puis partait voir les batailles de jadis.

La plupart des vidéos constituaient une perte de temps. Musique héroïque, gros plans des commandants et des soldats décorés, mauvaises prises de vue de Marines envahissant les installations des doryphores. Mais ici ou là il tombait sur des séquences utiles : des vaisseaux, petits points de lumière manœuvrant dans les profondeurs de l'espace ou, mieux encore, leurs écrans de contrôle, qui assuraient une vision d'ensemble d'une bataille donnée. Les vidéos ne proposaient qu'un rendu en trois dimensions médiocre, avec des scènes souvent brèves et inexpliquées. Mais Ender commençait à comprendre avec quelle efficacité les doryphores pratiquaient des trajectoires apparemment erratiques pour générer de la confusion, comment ils utilisaient des leurres et des retraites simulées pour attirer dans des pièges les vaisseaux de la F.I. Certaines batailles avaient été saucissonnées en nombreuses scènes, éparpillées sur les différentes bandes ; en les regardant dans l'ordre, il était en mesure d'en reconstruire l'intégralité. Pour voir des choses que les commentateurs officiels ne mentionnaient jamais. Ils s'efforçaient toujours d'exalter les succès humains et la haine des doryphores, mais Ender finissait par se demander comment l'Humanité était même parvenue à vaincre ces derniers. Les vaisseaux humains se montraient désespérément paresseux ; leurs flottes réagissaient à des circonstances imprévues avec une lenteur insupportable, tandis que les doryphores semblaient agir en parfaite coordination, répondant instantanément à chaque nouveau défi. Bien sûr, les vaisseaux humains étaient totalement inaptes à des combats expéditifs lors de la Première Invasion, mais pas moins que ceux de leur adversaire ; leur arsenal respectif n'était devenu vraiment *efficace* qu'à l'occasion de la Deuxième Invasion.

Ce fut donc des doryphores, et pas des hommes, qu'Ender apprit la stratégie. Ce qui l'emplissait de honte, et de peur, car il s'agissait d'ennemis terribles, monstrueux, meurtriers et haïssables. Mais ils savaient ce qu'ils faisaient. Dans une certaine mesure. Ils semblaient toujours appliquer une même stratégie de base – rassembler autant de vaisseaux que possible au point central de l'affrontement. Ils n'accomplissaient jamais rien de surprenant, rien qui puisse laisser apparaître la stupidité ou l'intelligence de quelque officier subalterne. La discipline était à l'évidence très stricte.

Sans compter une chose étrange. Mazer Rackham ne cessait d'être cité, mais les vidéos de la bataille proprement dite étaient extrêmement rares. Quelques scènes des échauffourées initiales, la minuscule force de Rackham si pathétique face à la puissance gigantesque de la flotte principale des doryphores. Celle-ci avait déjà vaincu son équivalent humain dans la barrière de comètes, anéantissant les premiers vaisseaux spatiaux arrivés, faisant fi des tentatives humaines de haute stratégie – ce film avait souvent été diffusé, pour susciter encore et encore la peur d'une victoire doryphore. Puis la flotte rejoignant Rackham à proximité de Saturne, la situation désespérée, et puis…

Puis un tir du petit croiseur de Mazer Rackham, l'explosion d'un vaisseau ennemi. Il n'y avait jamais rien d'autre ensuite. Maints films montraient les Marines en train de se frayer un chemin dans les vaisseaux des doryphores, les innombrables cadavres extraterrestres qui gisaient çà et là à l'intérieur. Mais aucun de doryphores en train de se battre au corps à corps, du moins pas en dehors de la Première Invasion. Ender se sentait frustré de voir le triomphe de Mazer Rackham aussi manifestement censuré. Quand on pensait à tout ce que les élèves de l'École de Guerre auraient pu apprendre de lui… Tout ce qui concernait sa victoire demeurait à l'abri des regards. La passion du secret n'était guère profitable aux enfants qui devaient découvrir comment réitérer son exploit.

Bien sûr, dès que le bruit courut qu'Ender Wiggin visionnait encore et encore les vidéos, la salle commença à attirer les foules. Presque exclusivement des commandants – ils contemplaient les mêmes images qu'Ender, faisaient semblant de comprendre pourquoi il le faisait et ce qu'il en tirait. Ender ne leur donnait jamais la moindre explication. Lorsqu'il passa sept scènes d'une même bataille issues de vidéos différentes, seul un garçon lui demanda, hésitant : « Est-ce qu'elles proviennent d'un seul engagement ? »

Le jeune Wiggin se contenta de hausser les épaules, comme si cela n'avait aucune importance.

Ce fut pendant la dernière heure d'entraînement du septième jour, quelques heures à peine après la septième victoire de l'armée d'Ender, que le major Anderson en personne vint dans la salle vidéo. Après avoir tendu un morceau de papier à l'un des commandants assis là, il se tourna vers Ender : « Le Colonel Graff souhaite te voir immédiatement dans son bureau. »

Ender se leva et le suivit dans les couloirs ; de la paume, Anderson déverrouilla les serrures qui empêchaient les élèves de pénétrer dans les quartiers des officiers. Ils arrivèrent en fin de compte là où Graff avait pris racine dans un fauteuil pivotant boulonné au plancher métallique. Son ventre débordait des accoudoirs désormais, même lorsqu'il s'asseyait droit. Ender fouilla dans ses souvenirs. Graff ne lui avait pas paru particulièrement gras lorsqu'il l'avait vu pour la première fois, à peine quatre ans plus tôt. Temps et tension n'étaient guère bienveillants avec l'administrateur de l'École de Guerre.

« Sept jours depuis ta première bataille, Ender », dit Graff.

Le jeune Wiggin ne répondit rien.

« Et tu en as gagné sept, une par jour. »

Ender hocha la tête.

« Avec des scores exceptionnellement élevés. »

Ender plissa les yeux.

« À quoi, commandant, attribues-tu ton remarquable succès ?

— Vous m'avez donné une armée capable d'accomplir tout ce qui me passe par l'esprit.

— Et qu'est-ce qui t'est passé par l'esprit ?

— Nous nous orientons vers le bas en direction de l'entrée ennemie et nous nous servons de nos jambes comme d'un bouclier. Nous évitons les formations et conservons notre mobilité. Ça m'aide, d'avoir cinq cohortes de huit au lieu de quatre de dix. Sans compter que nos ennemis n'ont pas eu le temps de s'adapter à nos nouvelles techniques, ce qui fait que nous pouvons encore utiliser les mêmes trucs pour les battre. Mais ça ne durera qu'un temps.

— Donc tu ne t'attends pas à continuer de gagner.

— Pas avec les mêmes trucs. »

Graff acquiesça de la tête. « Assieds-toi, Ender. »

Ender s'exécuta et Anderson fit de même. Graff regarda Anderson, qui prit la parole à son tour : « Dans quel état se trouve ton armée, avec toutes ces batailles ?

— Ce sont tous des vétérans à présent.

— Mais comment vont-ils ? Est-ce qu'ils sont fatigués ?

— S'ils le sont, ils ne le reconnaîtront jamais.

— Est-ce qu'ils restent vigilants ?

— Ce sont *vos* jeux vidéo qui s'amusent avec l'esprit des gens. C'est à *vous* de me le dire.

— Nous savons ce que nous savons. C'est ce que tu sais qui nous intéresse.

— Ce sont de très bons soldats, Major Anderson. Ils ont forcément des limites, mais nous ne les avons pas encore atteintes. Certains des plus jeunes ont encore du mal à maîtriser quelques techniques de base, mais ils travaillent dur pour s'améliorer. Qu'est-ce que vous voulez que je vous dise, qu'ils ont besoin de se reposer ? Bien sûr qu'ils ont besoin de repos. D'une quinzaine de jours sans le moindre combat. Leurs études passent à la trappe, et aucun de nous ne s'en sort bien en classe. Mais je ne vous apprends rien – et apparemment vous n'en avez rien à faire. Alors pourquoi devrais-je m'en soucier ? »

Graff et Anderson échangèrent un regard. « Ender, pourquoi étudies-tu les vidéos des guerres contre les doryphores ?

— Pour apprendre la stratégie, évidemment.

— Ces vidéos ont été conçues dans une optique de propagande. Toutes nos stratégies ont été coupées.

— Je sais. »

Graff et Anderson se regardèrent à nouveau. Le colonel pianotait du bout des doigts sur le bureau. « Tu ne joues plus au jeu de *fantasy*. »

Ender resta silencieux.

« Dis-nous pourquoi.

— Parce que j'ai gagné.

— On ne finit jamais complètement ce jeu. Il y a toujours du nouveau.

— J'ai tout gagné.

— Ender, nous voulons t'aider à être aussi heureux que possible, mais si tu…

— Vous voulez faire de moi le meilleur soldat possible. Descendez voir les classements. Regardez les meilleurs de tous les temps. Vous avez fait un excellent boulot avec moi jusqu'ici. Félicitations. Quand comptez-vous m'opposer à une bonne armée ? »

Les lèvres figées de Graff esquissèrent un sourire ; il se tordit silencieusement de rire.

Anderson tendit un morceau de papier à Ender. « Maintenant », dit-il.

« C'est dans dix minutes, fit Ender. Mon armée sera sous la douche après l'entraînement. »

Graff sourit. « Dans ce cas, mon garçon, tu ferais mieux de te dépêcher. »

Cinq minutes plus tard, il pénétrait dans le dortoir de son armée. La plupart des soldats étaient en train de s'habiller après la douche ; quelques-uns étaient déjà partis pour la salle de jeux ou celle de vidéo en attendant le déjeuner. Il envoya trois des plus jeunes chercher le reste des troupes et ordonna aux autres de se vêtir pour le combat aussi vite que possible.

« Ça va être chaud cette fois, fit Ender, et c'est sans préavis. Ils ont averti Bonzo il y a une vingtaine de minutes – le temps que nous arrivions à la porte, ils auront eu au moins cinq bonnes minutes à l'intérieur. »

Outrés, les garçons se plaignirent haut et fort dans un argot qu'ils évitaient généralement d'utiliser à proximité de leur commandant. « Qu'est-ce qu'y nous font ? Y sont cinglés, nan ?

— Oubliez le pourquoi, nous nous en inquiéterons ce soir. Vous êtes fatigués ? »

Ce fut Fly Molo qui répondit : « On s'est crevé le cul à l'entraînement aujourd'hui. Sans même parler de la raclée qu'on a infligée à l'Armée du Furet ce matin.

— Jamais personne ne livre deux batailles le même jour ! » s'écria Crazy Tom.

Ender riposta sur le même ton : « Personne ne bat jamais l'Armée du Dragon non plus. Est-ce que ça va être votre Grande Défaite ? » L'interpellation sarcastique d'Ender mit aussitôt fin à leurs protestations. *Gagnez d'abord, posez vos questions ensuite.*

Tous avaient fait leur retour dans la salle, vêtus pour la plupart. « Go ! » hurla Ender, et ils se mirent à courir derrière lui, certains n'ayant même pas fini de s'habiller quand ils atteignirent le couloir qui donnait sur la salle de combat. Beaucoup parmi eux haletaient – mauvais signe ; ils allaient commencer à se battre déjà fatigués. La porte était ouverte. Il n'y avait pas une seule étoile. Juste un espace désespérément vide dans une pièce à l'éclairage aveuglant. Nulle part où se cacher, pas même dans l'obscurité.

« Et merde, fit Crazy Tom. Ils ne sont pas encore sortis eux non plus. »

Ender posa un doigt sur sa bouche pour leur intimer de se taire. Avec la porte ouverte, l'ennemi pouvait effectivement entendre la moindre de leurs paroles. D'une main, il en suivit le pourtour pour leur indiquer que l'Armée de la Salamandre était certainement déployée contre le mur tout autour, là où elle demeurait invisible mais pouvait aisément flasher quiconque sortirait.

Après leur avoir fait signe de reculer, il poussa en avant quelques-uns des plus grands, parmi lesquels se trouvait Crazy Tom, pour aussitôt leur ordonner de s'asseoir et de se plier en L. Puis il les congela. L'armée le regarda faire sans mot dire. Il sélectionna le plus petit, Bean, lui tendit le pistolet de Crazy Tom et le fit s'agenouiller sur ses jambes congelées. Puis il passa ses mains, chacune munie d'une arme, sous les aisselles du soldat à terre.

Les garçons comprenaient à présent. Tom était un bouclier, un vaisseau spatial blindé à l'intérieur duquel Bean se cachait. Il n'était certes pas invulnérable, mais ça lui donnerait du temps.

Ender choisit deux garçons supplémentaires pour lancer Tom et Bean par la porte, mais il leur indiqua d'attendre. Il passa rapidement dans leurs rangs pour les répartir en groupes de quatre – un bouclier, un tireur et deux lanceurs. Ensuite, quand tous furent flashés, armés ou prêts à faire feu, il fit signe aux lanceurs de soulever leur fardeau, de le projeter par l'ouverture puis de se préparer à sauter à leur tour.

« Go ! » hurla-t-il.

Ils s'exécutèrent. Deux par deux les paires franchirent la porte, en arrière de manière à positionner le bouclier entre le tireur et l'ennemi. Ceux-ci se mirent aussitôt à les mitrailler, pour globalement ne toucher que les garçons congelés à l'avant. Pendant ce temps, avec deux pistolets à leur disposition et leurs cibles parfaitement alignées contre le mur, les Dragons se la coulaient douce. Rater leurs adversaires était presque impossible. Quand les lanceurs sautèrent à leur tour, ils s'accrochèrent à la même paroi que l'ennemi, lui tirant dessus selon un angle meurtrier qui empêchait les Salamandres de se décider entre viser les paires qui les massacraient d'en haut ou les lanceurs qui les canardaient à leur niveau. La bataille avait pris fin le temps qu'Ender franchisse enfin la porte. Il ne s'était pas écoulé une minute entière entre le moment où le premier Dragon avait pénétré dans la salle et celui où les tirs avaient cessé. Les Dragons avaient perdu vingt hommes, congelés ou mis hors de combat, et ne conservaient que douze garçons indemnes. C'était le pire score qu'ils aient jamais obtenu, mais ils avaient gagné.

Lorsque le major Anderson sortit pour donner le crochet à Ender, celui-ci ne parvint pas à contenir sa colère. « Je pensais que vous alliez nous faire affronter une armée capable de rivaliser avec nous dans un combat équitable.

— Félicitations pour votre victoire, commandant.

— Bean ! hurla Ender. Qu'est-ce que tu aurais fait si tu avais mené l'Armée de la Salamandre ? »

Bean, hors de combat mais pas complètement congelé, leur cria sa réponse de l'endroit où il dérivait, à proximité de l'entrée adverse : « J'aurais continué de changer constamment de position devant la porte. Il ne faut jamais rester immobile quand l'ennemi sait avec exactitude où vous vous trouvez.

— À partir du moment où vous trichez, dit Ender à Anderson, pourquoi n'entraînez-vous pas l'autre armée à tricher intelligemment ?

— Je te suggère de remobiliser ton armée, fit Anderson.

Ender appuya sur les boutons permettant de décongeler les deux armées en même temps. « Dragons, rompez ! » leur hurla-t-il aussitôt. Il n'allait pas y avoir de formation protocolaire pour accepter la capitulation de leur adversaire. Le combat n'avait pas été régulier, quand bien même ils l'avaient emporté – les professeurs avaient tout fait pour qu'ils perdent, et seule l'incompétence de Bonzo les avait sauvés. Il n'y avait rien de glorieux à *ça.*

Ce ne fut qu'en quittant la salle qu'Ender se rendit compte de quelque chose : Bonzo ne comprendrait pas sa colère contre les professeurs. L'honneur espagnol. Bonzo retiendrait uniquement le fait qu'il avait été vaincu alors même que tout jouait à son avantage ; que le plus jeune des soldats de Wiggin avait publiquement expliqué ce qu'il aurait dû faire pour l'emporter ; et qu'Ender n'était même pas resté pour accepter sa capitulation honorable. Si celui-ci ne l'avait pas déjà haï, ça lui aurait certainement suffi pour commencer ; et considérant à quel point il le détestait, sa fureur allait sans doute aucun se transformer en rage meurtrière. *Bonzo a été la dernière personne à me frapper*, songea Ender. *Je suis sûr qu'il ne l'a pas oublié.*

Pas plus qu'il n'avait oublié l'épisode sanglant de la salle de combat, quand les grands avaient tenté d'interrompre sa séance d'entraînement. Et il était loin d'être le seul. Ils avaient eu soif de sang à ce moment-là ; et Bonzo devait présentement être dans cet état d'esprit. Ender caressait l'idée de prendre des cours d'autodéfense avancés ; mais avec des batailles à présent non seulement possibles chaque jour, mais deux fois dans la même journée, il savait qu'il n'en aurait pas le temps. *Je vais devoir accepter le risque. Ce sont les professeurs qui m'ont mis dans cette situation – ils peuvent certainement me protéger.*

Bean s'écroula sur sa couchette, complètement épuisé – la moitié des garçons dormait déjà, à quinze minutes de l'extinction des feux. Avec lassitude, il sortit son bureau de son casier et se connecta. Un examen de géométrie les attendait le lendemain, et Bean était loin de l'avoir correctement préparé. Il pourrait toujours s'en tirer par le raisonnement s'il en avait le temps, mais l'examen avait une durée limitée qui ne lui laisserait guère l'opportunité de réfléchir. Il devait savoir. Et il ne savait pas. Ça n'augurait guère d'un résultat brillant. Mais ils l'avaient emporté par deux fois aujourd'hui, ce qui le comblait d'aise.

Dès qu'il se fut connecté, toutefois, tous les problèmes de géométrie s'envolèrent de son esprit. Un message défilait sur l'écran :

VIENS ME VOIR IMMÉDIATEMENT – ENDER

Il était 2150, à peine dix minutes avant l'extinction des feux. Depuis combien de temps Ender l'avait-il envoyé ? Quoi qu'il en soit, mieux valait en tenir compte. Il allait peut-être y avoir une nouvelle bataille au matin – cette seule idée l'emplissait de lassitude –, et quoi qu'Ender ait à lui dire ils n'en auraient pas le temps. Bean dégringola de sa couchette et s'engagea sans enthousiasme dans le couloir menant à la pièce d'Ender. Il frappa.

« Entrez, dit Ender.

— Je viens de voir ton message.

— Parfait.

— C'est bientôt l'extinction des feux.

— Je t'aiderai à retrouver ton chemin dans l'obscurité.

— C'est juste que j'ignorais si tu savais quelle heure il était…

— Je sais toujours quelle heure il est. »

Bean soupira intérieurement. Ça ne ratait jamais. Chaque fois qu'il avait la moindre conversation avec Ender, celle-ci tournait à la dispute. Il détestait cela. Il reconnaissait le génie d'Ender, il le respectait pour ça. Pourquoi Wiggin ne parvenait-il jamais à voir ce qu'il y avait de bon en lui ?

« Tu te souviens de ce que tu m'as dit il y a quatre semaines, Bean ? Quand tu m'as demandé de te nommer chef de cohorte ?

— Yep.

— J'ai nommé cinq chefs de cohorte et cinq adjoints depuis. Mais jamais toi. (Ender haussa les sourcils.) Est-ce que j'ai eu raison ?

— Oui, Commandant.

— Alors dis-moi comment tu t'es comporté pendant ces huit batailles.

— Ma première mise hors de combat a eu lieu aujourd'hui, mais l'ordinateur m'a comptabilisé onze tirs réussis avant que je ne doive m'arrêter. Je n'en ai jamais eu moins de cinq par bataille. J'ai aussi mené à bien toutes les missions qu'on m'a confiées.

— Pourquoi a-t-on fait de toi un soldat aussi jeune, Bean ?

— Tu n'étais pas plus vieux.

— Mais pourquoi ?

— Je l'ignore.

— Bien sûr que tu le sais, et moi aussi.

— J'ai essayé de deviner, mais ce ne sont que des suppositions. Tu es... très bon. Ils le savaient, ils t'ont aiguillonné...

— Dis-moi *pourquoi*, Bean.

— Parce qu'ils ont besoin de nous, voilà pourquoi. (Bean s'assit par terre, les yeux fixés sur les pieds d'Ender.) Parce qu'ils ont besoin de quelqu'un pour battre les doryphores. C'est la seule chose qui les intéresse.

— Il est fondamental que tu en aies consciences, Bean. La plupart des élèves de cette école considèrent le jeu comme important *en soi*, mais ils se trompent. Il ne l'est que parce qu'il leur permet de trouver des gosses susceptibles de devenir de vrais commandants, dans une vraie guerre. Mais le jeu proprement dit, ils n'en ont rien à foutre. C'est ce qu'ils sont en train de faire. Foutre le jeu en l'air.

— Marrant. Je croyais que c'était juste pour nous emmerder.

— Une partie neuf semaines avant sa date logique. Une partie par jour. Et deux parties dans la même journée à présent. Bean, j'ignore ce que les professeurs sont en train de faire, mais mon armée commence à fatiguer, moi aussi, et ils ne tiennent plus le moindre compte des règles du jeu. J'ai consulté les archives des classements dans l'ordinateur. Dans toute l'histoire du jeu, personne n'a jamais détruit autant d'ennemis en préservant autant de soldats.

— Tu es le meilleur, Ender. »

Ender secoua la tête. « Peut-être. Mais ce n'est pas par hasard qu'on m'a confié *ces* soldats. Des Bleus, des rebuts des autres armées, mais mets-les ensemble et le pire de mes soldats pourrait devenir chef de cohorte dans une autre armée. Ils ont pipé les dés en ma faveur dans un premier temps, mais ils font exactement l'inverse à présent. Bean, ils veulent nous briser.

— Ils ne peuvent pas te briser.

— Ne prends pas de paris là-dessus. » Ender eut soudain le souffle court, comme sous l'effet d'un élancement, ou s'il lui avait fallu reprendre sa respiration dans le vent ; Bean voyait dans ses yeux l'impossible se produire. Bien loin de le tourmenter, Ender Wiggin était en fait en train de se confier à lui. Pas beaucoup. Mais un peu. Ender était humain, et il avait autorisé Bean à s'en rendre compte.

« C'est peut-être toi qui ne devrais pas parier là-dessus, fit Bean.

— Il y a une limite au nombre d'idées intelligentes que je peux avoir en une journée. Quelqu'un finira forcément par jeter dans mes pattes quelque chose auquel je n'aurai pas pensé, et je ne serai pas prêt.

— Qu'est-ce qui pourrait arriver de pire ? *Une* défaite…

— Oui. C'est le pire qui puisse arriver. Je ne peux pas perdre la *moindre* partie, parce que si j'en perdais *une seule*… » Il n'alla pas plus loin dans ses explications, et Bean se garda bien de lui en demander davantage. « J'ai besoin de ton intelligence, Bean. J'ai besoin de toi pour imaginer des solutions aux problèmes auxquels nous n'avons encore jamais été confrontés. Je veux que tu essaies des choses que personne n'a jamais tentées sous prétexte qu'elles étaient complètement stupides.

— Pourquoi moi ?

— Parce que, même si l'Armée du Dragon compte quelques soldats meilleurs que toi – pas beaucoup, mais quelques-uns –, personne ne réfléchit mieux et aussi vite que toi. » Bean ne répondit rien. Tous les deux savaient qu'il disait vrai.

Ender lui montra son bureau. Douze noms y étaient affichés. Deux ou trois soldats de chaque cohorte. « Choisis-en cinq. Un par cohorte. Ce sera ton unité spéciale.

Uniquement pendant les séances d'entraînement supplémentaires. Explique-leur ce à quoi tu vas les entraîner. Ne reste pas trop longtemps sur une seule chose. La plupart du temps, ton escouade sera partie intégrante de l'armée, des cohortes régulières. Sauf quand j'aurai besoin de vous. Quand il y aura à accomplir quelque chose que vous seuls pouvez faire.

— Ce sont tous des bleus, fit Bean. Aucun vétéran.

— Après la semaine qu'on vient de passer, Bean, tous nos soldats sont des vétérans. Tu t'es rendu compte qu'au classement individuel, pas un seul de nos quarante soldats ne se trouvait au-delà du top 50 ? Qu'il faut descendre jusqu'à la dix-septième place pour trouver un soldat qui *n'est pas* un Dragon ?

— Et si rien ne me vient ?

— Ça voudra dire que je me suis trompé sur ton compte. »

Bean sourit. « Tu ne t'es pas trompé. »

Les lumières s'éteignirent.

« Tu peux retrouver ton chemin tout seul, Bean ?

— Probablement pas.

— Reste ici dans ce cas. Si tu écoutes attentivement, tu pourras entendre la bonne fée passer au beau milieu de la nuit pour nous laisser nos devoirs de demain.

— Ils ne vont quand même pas nous coller une nouvelle bataille demain ? »

Ender ne répondit pas. Bean l'entendit grimper dans sa couchette. Il se releva et fit de même. Une demi-douzaine d'idées lui traversa l'esprit avant qu'il ne s'endorme. Ender allait les apprécier : chacune d'elle était stupide.

12

Bonzo

« Asseyez-vous, Général Pace. J'ai cru comprendre que vous veniez m'entretenir d'une question urgente. »

« En temps ordinaire, Colonel Graff, je ne me permettrais pas d'intervenir dans le fonctionnement interne de l'École de Guerre. Votre autonomie est garantie, et malgré notre différence de grade je suis parfaitement conscient du fait que mon autorité me permet uniquement de vous conseiller, pas de vous ordonner de passer à l'action. »

« À l'action ? »

« Ne jouez pas au plus malin avec moi, Colonel. Les Américains ont un vrai talent pour se faire passer pour des imbéciles quand ça les arrange, mais ça ne marche pas avec moi. Vous savez pourquoi je suis ici. »

« Ah. Je suppose que Dap a transmis un rapport ? »

« Il a une attitude… paternaliste à l'égard des élèves qui se trouvent ici. Il estime que votre manque d'intérêt pour une situation potentiellement fatale ne se résume pas simplement à de la négligence – qu'elle frise le complot pour causer la mort d'un élève, ou tout au moins lui infliger de graves blessures. »

« Nous sommes une école pour enfants, Général Pace. Pas vraiment de quoi justifier la visite du Chef de la Police Militaire de la F.I. »

« Le nom d'Ender Wiggin a filtré jusqu'au haut commandement, Colonel. Il est même arrivé jusqu'à mes oreilles. On me l'a sobrement décrit comme étant notre unique espoir de victoire dans l'invasion à venir. Quand c'est sa

vie ou sa santé qui se trouve menacée, je n'estime pas inopportun que la Police Militaire s'y intéresse. Vous si ? »

« Que Dap aille se faire voir, et vous aussi, Général. Je sais ce que je fais. »

« Vraiment ? »

« Mieux que quiconque. »

« Oh, c'est évident, vu que personne d'autre n'a la moindre idée de ce que vous fabriquez ici. Ça fait huit jours que vous connaissez l'existence d'une conspiration parmi les plus brutaux de ces "enfants" pour infliger une correction à Ender Wiggin s'ils le peuvent. Que vous savez que plusieurs membres de ladite conspiration, notamment le dénommé Bonito de Madrid, couramment appelé Bonzo, n'ont manifestement aucune intention de se retenir quand l'expédition punitive aura lieu, de sorte qu'Ender Wiggin, une ressource internationale d'une importance inestimable, a toutes les chances de se retrouver la cervelle répandue sur les parois de votre école orbitale. Et vous, pleinement au fait de ce danger, vous proposez de faire… »

« Rien. »

« Vous comprendrez que ça attise notre perplexité. »

« Ender Wiggin s'est déjà trouvé dans ce genre de situation. Sur Terre, le jour où on lui a retiré son moniteur, et à nouveau quand une bande de garçons plus âgés… »

« Je ne suis pas venu ici la tête vide. Ender Wiggin a provoqué Bonzo Madrid au-delà de ce qu'un être humain peut supporter. Et vous n'avez ici aucune police militaire susceptible de répondre à d'éventuels troubles. C'est de l'inconscience. »

« Lorsque Ender Wiggin aura nos flottes sous son contrôle, lorsqu'il devra prendre les décisions qui signeront notre victoire ou notre destruction, y aura-t-il une police militaire pour venir le sauver si jamais il perd le contrôle de la situation ? »

« Je ne vois pas le rapport. »

« Manifestement. Il y en a pourtant un. Ender Wiggin doit croire que, quoi qu'il arrive, aucun adulte n'interviendra jamais pour l'aider de quelque façon que ce soit. Il doit croire, jusqu'au tréfonds de son âme, qu'il peut uniquement compter sur ce que lui et les autres enfants peuvent élaborer par eux-mêmes. Sans quoi il n'atteindra jamais l'apogée de ses capacités. »

« Il ne l'atteindra pas davantage s'il meurt ou se retrouve définitivement handicapé. »

« Ça n'arrivera pas. »

« Pourquoi ne pas tout simplement donner son diplôme à Bonzo ? Il est assez vieux. »

« Parce qu'Ender sait que Bonzo projette de le tuer. Si nous avancions le transfert de ce dernier, Wiggin comprendrait que nous avons fait ça pour le sauver. Le ciel m'est témoin que Bonzo n'est pas un commandant suffisamment bon pour être promu au mérite. »

« Et les autres enfants ? On les incite à l'aider ? »

« Nous verrons ce qui arrivera. Ceci est ma première et unique décision, et je m'y tiendrai. »

« Que Dieu vous vienne en aide si vous avez tort. »

« Que Dieu nous vienne en aide à tous dans ce cas. »

« Je vous ferai passer en cour martiale. Je veillerai à ce que votre nom soit mondialement déshonoré si vous vous trompez. »

« C'est de bonne guerre. Mais s'il s'avère que j'ai raison, n'oubliez pas de m'obtenir une bonne douzaine de médailles. »

« Pour quoi ? »

« Pour vous avoir empêché de vous en mêler. »

Assis dans un coin de la salle de combat, le bras glissé dans une poignée, Ender regardait Bean s'entraîner avec son escouade. La veille, ils avaient travaillé sur les attaques sans pistolet, s'exerçant à désarmer un ennemi avec les pieds. Ender leur avait soufflé quelques techniques de combat au corps à corps en conditions de pesanteur normales – loin d'être directement applicables, certes, mais l'inertie d'un vol était un outil utilisable aussi bien en apesanteur que sous gravité terrestre.

Ce jour-là, cependant, Bean avait un nouveau jouet. Un de ces fils presque invisibles dont on se servait pour relier deux objets dans l'espace lors d'opérations de construction. S'ils mesuraient parfois plusieurs kilomètres de longueur, celui-ci dépassait à peine celle d'un mur de la salle de combat, et se faisait presque invisible enroulé comme il l'était autour de la taille de Bean. Qui le déroula comme s'il s'était agi d'une ceinture avant d'en tendre une extrémité à un de ses soldats. « Attache-le à une poignée en faisant plusieurs fois le tour. » Puis il emporta l'autre du côté opposé de la salle.

En tant que fil de détente, estima Bean, il ne pouvait guère se montrer utile. Il était certes presque invisible, mais un simple fil n'aurait guère de chances d'arrêter un ennemi qui pouvait facilement l'éviter en passant par-dessus ou par-dessous. Puis lui vint l'idée d'en tirer avantage pour modifier sa trajectoire en plein vol. Il l'attacha à la taille, l'autre extrémité, toujours fixée à une poignée, glissa sur quelques mètres et s'élança d'un coup. Le fil interrompit sa course, la transforma brusquement pour lui faire décrire un arc de cercle qui le projeta à toute vitesse contre la paroi.

Il hurla et hurla encore. Et Ender mit un moment à comprendre qu'il ne hurlait pas de douleur. « Tu as vu à quelle vitesse j'allais ! Et comme j'ai changé de direction ! »

Bientôt, toute l'Armée du Dragon s'arrêtait de travailler pour regarder Bean s'exercer avec le filin. Ses changements de direction les stupéfiaient, d'autant qu'ils ne savaient jamais où chercher le fil. Lorsqu'il utilisa celui-ci pour s'enrouler autour d'une étoile, il atteignit une vélocité que nul n'avait jamais vue en ces lieux.

Il était 2140 quand Ender mit fin à l'entraînement du soir. Épuisée, mais ravie d'avoir découvert quelque chose de nouveau, son armée s'engagea dans les couloirs conduisant au dortoir. Il les accompagna, sans rien dire mais attentif à leurs discussions. Ils étaient fatigués, certes – une bataille par jour pendant plus de quatre semaines, souvent dans des situations qui éprouvaient jusqu'à leurs limites leurs aptitudes. Mais ils étaient fiers, heureux, proches – jamais ils n'avaient perdu, et ils avaient appris à se faire mutuellement confiance. Ils se fiaient à leurs camarades pour combattre de leur mieux ; se fiaient à leurs chefs pour ne pas ruiner leurs efforts ; et, par-dessus tout, se fiaient à Ender pour les préparer à tout ce qu'ils risquaient d'avoir à affronter.

Tandis qu'ils arpentaient le couloir, Ender remarqua plusieurs garçons plus âgés apparemment en pleine conversation dans les allées adjacentes ; d'autres se trouvaient dans leur couloir, marchant lentement dans l'autre direction. Qu'ils portent presque tous des uniformes de Salamandres semblait cependant aller au-delà de la simple coïncidence – d'autant que les autres appartenaient pour la plupart à des armées dont les commandants haïssaient Ender Wiggin. Les rares à le regarder détournaient les yeux un peu trop vite ; d'autres paraissaient trop crispés, trop nerveux pour s'accorder avec leur calme apparent. *Qu'est-ce que je vais faire s'ils attaquent mon armée dans ce couloir ? Tous mes garçons sont jeunes, petits, et ils n'ont absolument aucune expérience du combat en conditions de pesanteur. Quand auraient-ils appris ?*

« Ender ! » cria quelqu'un derrière lui. Wiggin fit halte et se retourna. C'était Petra. « Ender, je peux te parler ? »

Il vit aussitôt que, s'il s'arrêtait pour l'écouter, son armée aurait tôt fait de le dépasser et qu'il se retrouverait seul dans le couloir avec Petra. « Marche avec moi.

— Je n'en ai que pour un instant. »

Ender se retourna et repartit avec son armée. Il entendit Petra courir derrière lui pour le rattraper. « Très bien, je vais t'accompagner. » Il se contracta à son approche.

Était-elle avec les autres, ceux qui le détestaient suffisamment pour lui faire du mal ?

« Un de tes amis m'a demandé de t'avertir. Il y a des garçons qui veulent te tuer.

— Surprise », commenta Ender. Quelques soldats dressèrent aussitôt l'oreille. De toute évidence, un complot contre leur commandant constituait une nouvelle intéressante.

« Ender, ils peuvent y arriver. Il m'a dit qu'ils préparaient ça depuis que tu es devenu commandant.

— Depuis que j'ai battu la Salamandre, tu veux dire.

— Je t'ai détesté quand tu as battu l'Armée du Phénix, Ender.

— Je ne crois pas avoir fait de reproches à quiconque.

— C'est vrai. Il m'a dit de te prendre à part à ton retour de la salle de combat pour te conseiller la prudence demain, parce que…

— Petra, si tu venais effectivement de me prendre à part, la douzaine de garçons qui nous suivent s'en serait pris à moi dans le couloir. Tu ne les as *vraiment* pas remarqués ? »

Le visage de la jeune fille s'empourpra aussitôt. « Non, je n'ai rien vu. Comment peux-tu en douter ? Tu ne sais donc pas qui sont tes amis ? » Elle se fraya un chemin à travers l'Armée du Dragon, la dépassa et mit le pied sur une échelle menant au pont supérieur.

« C'est vrai ? s'enquit Crazy Tom.

— Quoi donc ? » Ender scruta la salle et cria à deux gosses turbulents d'aller se coucher.

« Que certains des grands veulent te tuer ?

— Ce sont juste des grandes gueules », répondit Ender. Mais il savait qu'il n'en était rien. Petra avait eu vent de quelque chose, et ce qu'il voyait dans les couloirs en cet instant ne relevait pas de son imagination.

« Peut-être bien, mais j'espère que tu ne t'opposeras pas à ce que cinq chefs de cohorte t'escortent jusqu'à ta chambre ce soir.

— C'est tout à fait inutile.

— Fais-nous plaisir. Tu nous en dois une.

— Je ne vous dois rien du tout. » Mais il serait stupide de repousser leur offre. « Faites comme vous voulez. » Il pivota sur lui-même et partit, suivi comme son ombre par ses chefs de cohorte. L'un d'eux fila devant pour ouvrir sa porte. Ils vérifièrent la pièce, lui firent promettre de la fermer à clé et le quittèrent juste avant l'extinction des feux.

Il y avait un message sur son bureau.

NE RESTE PAS SEUL. JAMAIS.
DINK

Ender sourit. Ainsi donc, Dink était toujours son ami. *Ne t'inquiète pas. Ils ne me feront rien. J'ai une armée avec moi.*

Mais il n'avait pas son armée dans l'obscurité. Il rêva de Stilson cette nuit-là, sauf qu'il voyait à présent combien Stilson était jeune, six ans à peine, combien ses poses de petit dur étaient ridicules ; et pourtant, dans son rêve, Stilson et ses amis attachaient Ender pour l'empêcher de leur rendre leurs coups ; puis, tout ce qu'Ender avait infligé à Stilson dans la réalité, ils le lui faisaient subir en songe. Et après ça Ender se voyait en train de bredouiller comme un idiot devant son armée, essayant de leur donner des ordres avec des mots dont aucun n'avait de sens.

Il se réveilla dans l'obscurité, la peur au ventre. Puis il se força au calme en se répétant que les professeurs faisaient manifestement grand cas de lui, sans quoi ils ne lui mettraient pas autant la pression ; ils n'allaient rien laisser lui arriver – rien de grave, en tout cas. Quand les grands l'avaient attaqué en salle de combat, des années auparavant, il y en avait probablement eu juste derrière la porte, prêts à intervenir ; ils l'auraient certainement fait si la situation avait dégénéré. *J'aurais très bien pu rester assis là à ne rien faire, et ils auraient veillé à ce que rien ne m'arrive. Ils vont me pousser autant qu'ils le pourront dans le jeu mais en dehors de ça ils me protégeront.*

Cette assurance en tête, il se rendormit, jusqu'à ce que la porte s'ouvre doucement et que la guerre du lendemain matin soit déposée par terre à son intention.

Ils l'emportèrent, bien entendu, mais ce fut tout sauf une partie de plaisir. La salle de combat avait à ce point été remplie d'un labyrinthe d'étoiles que l'opération de nettoyage leur avait pris quarante-cinq bonnes minutes. Ils avaient affronté l'Armée du Blaireau de Pol Slattery, qui leur avait opposé une résistance héroïque. Sans compter la nouvelle combine qui était venue épicer le jeu – quand ils mettaient un adversaire hors de combat, celui-ci décongelait au bout de cinq minutes, comme pendant les entraînements. L'ennemi ne restait définitivement hors jeu que lorsqu'il était complètement congelé. Sauf que cela ne concernait pas l'Armée du Dragon. Crazy Tom avait été le premier à comprendre ce qui se passait, quand des opposants dont il pensait s'être débarrassé une bonne fois pour toutes avaient commencé à leur tirer dans le dos. Au terme de la bataille, Slattery avait serré la main d'Ender en lui disant : « Je suis content que tu aies gagné. Si j'arrive un jour à te battre, je préfère que ce soit à la loyale.

— Sers-toi de ce qu'on te donne, avait dit Ender. Si tu as le moindre avantage sur l'ennemi, utilise-le.

— Oh, c'est ce que j'ai fait. (Slattery avait souri.) Je ne suis chevaleresque qu'avant et après les batailles. »

La bataille avait duré si longtemps qu'ils loupèrent le petit déjeuner. Considérant ses soldats fatigués, couverts de sueur, qui attendaient dans le couloir, Ender leur déclara : « Vous en savez assez pour aujourd'hui. Pas d'entraînement. Reposez-vous. Prenez du bon temps. Allez passer un examen. » Leur lassitude était telle qu'ils ne parvinrent même pas à sourire ou à applaudir – ils se contentèrent de regagner le dortoir et de se débarrasser de leurs vêtements. Ils seraient partis à l'entraînement s'il le leur avait demandé, mais ils étaient à bout de forces, et s'y rendre sans petit déjeuner aurait fini de les indigner.

Ender avait eu l'intention de prendre une douche immédiatement après, mais il se sentait trop fatigué pour ça. Il s'allongea sans même quitter sa combinaison flash, juste un instant – pour se réveiller à l'heure du déjeuner. Tant pis pour son projet d'étudier plus avant les doryphores dans la matinée. Juste le temps de se laver, d'aller manger et de se rendre en cours.

Il ôta sa combinaison, qui empestait la sueur. Son corps était glacé, ses muscles étonnamment faibles. *Je n'aurais pas dû dormir en plein milieu de la journée. Je commence à me relâcher. À m'épuiser. Je ne peux pas me le permettre.*

Il gagna le gymnase au petit trot et s'obligea à grimper trois fois la corde avant d'aller prendre sa douche. Il ne lui vint pas à l'esprit que son absence au mess des commandants serait remarquée, qu'en partant se laver à l'heure du déjeuner, pendant que son armée engloutissait son premier repas de la journée, il allait se retrouver totalement seul, sans défense.

Même en les entendant entrer dans la salle de bains, il ne leur prêta pas vraiment attention. Il laissait l'eau s'écouler sur sa tête, sur son corps ; le bruit étouffé de leurs pas était à peine audible. *Le déjeuner doit être terminé*, se dit-il. Il entreprit de se resavonner. *Quelqu'un a peut-être fini l'entraînement en retard.*

Mais peut-être pas. Il se retourna. Il y en avait sept, appuyés contre les lavabos métalliques ou debout à proximité des douches, les yeux fixés sur lui. Bonzo se tenait à leur tête. La plupart souriaient, le rictus condescendant du chasseur envers sa victime acculée. Pas Bonzo.

« 'lut », fit Ender.

Personne ne lui répondit.

Il ferma le robinet, malgré les restes de savon qui maculaient encore sa peau, et tendit la main vers sa serviette. Elle n'était plus là. Un des garçons l'avait prise. Bernard. Ne manquait plus pour compléter le tableau que le sourire de Peter et la stupidité manifeste de Stilson.

La serviette, comprit Ender, était leur point d'ouverture. Rien ne le ferait paraître plus faible que de lui courir après dans le plus simple appareil. C'était ce qu'ils voulaient, l'humilier, le briser. Mais il ne comptait pas jouer selon leurs règles. Il refusait de se sentir à leur merci sous prétexte qu'il était mouillé, glacé et dévêtu. Il leur fit face fermement, les bras le long du corps. Puis fixa son regard sur Bonzo. « À toi de jouer.

— Ce n'est pas un jeu, Ender, dit Bernard. On en a assez de toi. Tu passes ton examen aujourd'hui. Ici même. »

Ender ne daigna même pas le regarder. C'était Bonzo qui désirait sa mort, quand bien même il restait silencieux. Les autres étaient venus assister au spectacle, leur courage se limitant à voir jusqu'où ça pouvait aller. Bonzo *savait* jusqu'où il voulait aller.

« Ton père serait fier de toi », fit le jeune Wiggin d'une voix égale.

Bonzo se raidit.

« Il adorerait te voir sur le point d'attaquer un gosse à poil dans une douche, un gosse plus petit que toi, avec six amis à toi. Il dirait : "Oh, quel sens de l'honneur."

— Personne n'est venu se battre avec toi, fit Bernard. On est juste venus te demander de jouer le jeu normalement. De perdre une partie de temps à autre, peut-être. »

Tous se mirent à rire. Sauf Bonzo. Et Ender.

« Tu peux être fier de toi, mon joli Bonito. Tu vas pouvoir rentrer chez toi et dire à ton père : "Oui, j'ai passé Ender Wiggin à tabac. Il avait à peine dix ans, et moi treize, mais je n'avais que six amis pour m'aider. On a quand même fini par le battre, alors qu'il était nu, trempé et seul – Ender Wiggin est si *dangereux*, si *terrifiant*... C'était tout ce que nous pouvions faire à part lui tomber dessus à deux cents."

— La ferme, Wiggin, dit l'un des garçons.

— On n'est pas venu écouter les discours de ce petit connard, fit un autre.

— Fermez-la, les coupa Bonzo. Fermez-la et ne vous en mêlez pas. » Il commença à ôter son uniforme. « À poil, trempé et seul, Ender. Nous sommes à égalité – sauf pour la taille, mais ça, je n'y peux rien. Avec tout ton génie, tu trouveras bien un moyen de t'occuper de moi. » Il se tourna vers les autres. « Surveillez la porte. Ne laissez entrer personne d'autre. »

La salle des douches n'était pas grande, avec des tuyauteries qui saillaient de toute part. Elle avait été lancée d'un seul bloc, comme un satellite en orbite basse, remplie de matériel de recyclage de l'eau ; elle était conçue pour ne pas gâcher le moindre espace. La tactique qu'ils allaient mettre en œuvre était évidente. Projeter son adversaire contre les appareillages jusqu'à ce que l'un d'entre eux soit hors d'état de nuire.

Le moral d'Ender en prit un coup lorsqu'il vit la position de Bonzo. Lui aussi avait suivi des cours. Et sans doute plus récemment que son opposant. Son allonge était meilleure, il était plus fort que lui, et rempli de haine. Il n'allait pas y aller de main morte. *Il va m'attaquer à la tête*, se dit Ender. *Mon cerveau est sa cible prioritaire. Et il finira forcément par l'emporter si le combat se prolonge. Sa force lui permettrait de prendre le dessus. Si je veux sortir d'ici sur mes pieds, je vais devoir gagner rapidement, et définitivement.* Il se rappelait encore la manière écœurante dont les os de Stilson avaient cédé. *Mais cette fois ce sera* mon *corps qui se brisera, à moins que je ne puisse briser le sien en premier.*

Ender fit un pas en arrière, tourna la pomme de douche vers l'extérieur et ouvrit le robinet d'eau chaude.

Un nuage de vapeur commença presque aussitôt à se former. Il répéta l'opération avec la suivante, puis la suivante.

« L'eau chaude ne me fait pas peur », fit Bonzo d'une voix douce.

Mais Ender n'avait que faire de l'eau. C'était la chaleur qu'il voulait. Sa sueur humectait le savon qu'il avait encore sur la peau, la rendant plus glissante que ce à quoi Bonzo allait s'attendre.

Une voix s'éleva soudain depuis la porte. « Arrêtez ça ! » L'espace d'une seconde, Ender crut qu'il s'agissait d'un professeur venu mettre fin au combat, mais ce n'était que Dink Meeker. Les amis de Bonzo se saisirent de lui pour l'empêcher d'entrer. « Arrête ça, Bonzo ! s'écria Dink. Ne lui fais pas de mal !

— Et pourquoi ça ? » Bonzo s'autorisa son premier sourire. *Ah*, se dit Ender, *il adore voir quelqu'un admettre qu'il est le chef, qu'il a le pouvoir.*

« Parce que c'est le meilleur, voilà pourquoi ! Qui d'autre pourrait battre les doryphores ? C'est tout ce qui compte, espèce de crétin, les doryphores ! »

Bonzo cessa aussitôt de sourire. C'était ce qu'il détestait le plus chez Ender, l'importance qu'il avait aux yeux des autres – et que lui-même, en fin de compte, n'avait pas. *Tu as signé mon arrêt de mort en prononçant ces paroles, Dink. Que je puisse sauver le monde est exactement la chose que Bonzo refuse d'entendre.*

Où sont les professeurs ? Ils n'ont donc pas conscience que le premier coup porté ici risque aussi d'être le dernier ? Ça n'a rien à voir avec notre échauffourée en salle de combat, où personne n'était en mesure d'infliger de graves blessures à ses adversaires. Il y a de la pesanteur ici, le sol et les murs sont durs, avec du métal proéminent. Qu'ils y mettent un terme maintenant, ou pas du tout.

« Si tu le touches, c'est que tu es du côté des doryphores ! s'écria Dink. Un traître. Si tu le touches, tu mérites de mourir ! » Ils cognèrent son visage contre la porte et il se tut.

La vapeur dégagée par les douches obscurcissait la salle, et le corps d'Ender ruisselait de sueur. *Maintenant, tant que j'ai encore du savon sur moi. Tant que je reste trop glissant pour qu'il puisse me tenir.*

Ender recula d'un pas, laissant la peur qu'il ressentait envahir ses traits. « Bonzo, ne me fais pas de mal. Je t'en prie. »

C'était ce que Bonzo attendait, la reconnaissance de sa puissance. D'autres garçons que lui auraient pu se contenter de la soumission d'Ender ; à ses yeux, c'était juste le signe d'une victoire assurée. Il balança ses jambes comme pour donner un coup de pied, mais lui préféra un bond au tout dernier moment. Remarquant son changement d'appui, Ender se baissa davantage, de manière à accentuer le déséquilibre de son adversaire quand il tenterait de le saisir et de le projeter.

Les côtes dures de Bonzo vinrent se coller contre le visage d'Ender ; ses mains claquaient dans son dos, avides de l'agripper. Mais Ender se tortilla pour les forcer à lâcher prise. Il ne mit qu'un instant à se retourner complètement, sans pour autant s'être libéré de l'étreinte de Bonzo. L'action classique, en pareilles circonstances, aurait consisté à lever le talon dans l'entrejambe de Bonzo. Mais son éventuelle efficacité requérait une trop grande précision, surtout face à un adversaire qui s'y attendait. Celui-ci s'était déjà dressé sur la pointe des pieds, les hanches en arrière pour empêcher Ender d'atteindre son aine. Sans même le voir, le jeune Wiggin comprit que son mouvement allait avoir pour effet de rapprocher leurs deux visages, au point de presque emmêler leurs cheveux ; plutôt que de donner un coup de pied à Bonzo, il choisit donc de se redresser brusquement, de la poussée puissante du soldat rebondissant d'un mur, pour gratifier son opposant d'un violent coup de tête.

Ender se retourna à temps pour voir Bonzo chanceler en arrière, le nez en sang, haletant de surprise et de douleur. Dès lors, il se sut capable de mettre un terme à leur duel et de sortir vivant des douches. Comme il s'était échappé de la salle de combat après avoir fait couler le sang. Mais ce ne serait que partie remise. Encore et encore, jusqu'à ce que toute trace d'agressivité ait disparu. La seule façon d'en finir une bonne fois pour toutes était de faire suffisamment mal à Bonzo pour que sa peur l'emporte sur sa haine.

Ender prit donc appui contre la paroi derrière lui, puis utilisa ses bras pour se propulser en avant. Ses pieds percutèrent son adversaire à la poitrine et au ventre. Il pivota sur lui-même dans les airs de manière à atterrir à quatre pattes ; puis il se retourna, s'infiltra entre les jambes de Bonzo et le gratifia cette fois d'un coup de pied aussi fort que précis.

Bonzo ne hurla même pas de douleur. En fait, il n'eut aucune réaction à part un léger sursaut. Ender aurait aussi bien pu frapper dans un meuble. Bonzo s'effondra sur le côté, s'étalant directement sous le jet bouillant d'une douche. Il ne fit pas le moindre geste pour échapper à la chaleur meurtrière.

« Mon Dieu ! » hurla quelqu'un. Les amis de Bonzo bondirent aussitôt pour fermer le robinet. Ender se releva avec lenteur. Quelqu'un lui lança une serviette. Dink. « Sortons d'ici. » Ils entendirent derrière eux le lourd fracas d'adultes en train de descendre en hâte une échelle. Les professeurs allaient venir à présent. L'équipe médicale. Pour panser les plaies de l'ennemi d'Ender. Où étaient-ils avant le combat, quand il aurait encore été possible d'éviter toute blessure ?

Il n'y avait désormais plus le moindre doute dans l'esprit d'Ender. Il ne pouvait compter sur aucune aide. Quoi qu'il affronte à l'avenir, jamais personne ne viendrait l'en protéger. Peter était peut-être une ordure, mais il n'avait jamais cessé d'avoir raison ; le pouvoir de faire souffrir, de tuer, de détruire, était le seul qui importait, car si on n'arrivait pas à donner la mort on se retrouvait toujours soumis à ceux qui le pouvaient, et rien ni personne ne viendrait nous sauver.

Dink le conduisit dans sa chambre et le fit s'allonger sur sa couchette. « Tu es blessé quelque part ? »

Ender secoua la tête.

« Tu l'as démoli. Je ne donnais pas cher de ta peau, vu la prise qu'il t'a faite. Mais tu l'as démoli. Tu l'aurais tué s'il était resté debout plus longtemps.

— Il voulait me tuer.

— Je sais. Je le connais. Personne ne hait comme Bonzo. Mais plus maintenant. Si jamais ils ne le collent pas au frigo, il ne te regardera plus jamais dans les yeux. Toi, ou personne d'autre. Il fait vingt centimètres de plus que toi, et tu l'as fait ressembler à une vache estropiée occupée à ruminer son foin. »

Tout ce dont Ender se rappelait, cependant, c'était l'expression de Bonzo quand il l'avait frappé à l'aine. Son regard vide, mort. Il était déjà fini à ce moment-là. Déjà inconscient. *Ses yeux étaient ouverts mais il ne pensait déjà plus, son visage n'exprimait plus rien que le néant – comme celui de Stilson quand j'en ai eu terminé avec lui.*

« Ils vont le mettre au frigo, poursuivit Dink. Tout le monde sait que c'est lui qui a commencé. Je les ai vus sortir du mess des commandants. Ça m'a pris quelques secondes pour me rendre compte que tu n'étais plus là toi non plus, et une bonne minute pour découvrir où tu étais parti. Je t'avais dit de ne pas rester seul.

— Désolé.

— Ils vont devoir le mettre au frigo. Fauteur de troubles. Lui et son putain d'honneur. »

À la grande surprise de Dink, Ender se mit alors à pleurer. Étendu sur le dos, toujours couvert de sueur, il essayait de ravaler ses sanglots ; des larmes suintaient de ses paupières closes pour disparaître dans l'eau restée sur son visage.

« Ça va ?

— Je ne voulais pas le blesser ! s'écria Ender. Pourquoi ne m'a-t-il pas laissé tranquille ? »

Il entendit sa porte s'entrebâiller doucement, puis se refermer. Ses instructions pour sa prochaine bataille, à n'en pas douter. Il ouvrit les yeux, s'attendant à trouver l'obscurité du petit matin, avant 0600. Au lieu de quoi les lumières étaient allumées. Il était nu, et s'aperçut que son lit était trempé lorsqu'il bougea. Ses yeux étaient gonflés, douloureux d'avoir pleuré. Il regarda la montre de son bureau. 1820. *On n'a pas changé de jour. J'ai déjà eu une bataille aujourd'hui, j'ai eu* deux *batailles aujourd'hui – ces salopards savent ce que j'ai enduré, et ils me font un truc pareil.*

WILLIAM BEE, ARMÉE DU GRIFFON
TALO MOMOE, ARMÉE DU TIGRE
1900

Il s'assit sur le bord du lit. La note tremblait entre ses doigts. *Je ne peux pas faire ça*, se dit-il. Puis, à voix haute : « Je ne peux pas faire ça. »

Il se leva tant bien que mal et se mit en quête de sa combinaison flash. Puis il se souvint : il l'avait placée dans le nettoyeur pendant qu'il prenait sa douche. Elle devait toujours s'y trouver.

Le papier en main, il sortit de sa chambre. Le dîner tirait sur sa fin, et il y avait quelques personnes dans le couloir, mais aucune d'elles ne lui adressa la parole. Elles se contentaient de le fixer, peut-être par peur de ce qui s'était passé dans la salle des douches à midi, peut-être à cause de l'intensité de son regard. La plupart des garçons se trouvaient au dortoir.

« 'lut, Ender. On a un entraînement ce soir ? »

Wiggin tendit le papier à Hot Soup. « Les fils de pute, fit-il. Deux en même temps ?

— Deux armées ! hurla Crazy Tom.

— Ils vont réussir à se marcher dessus, dit Bean.

— Il faut que je prenne une douche, dit Ender. Faites-les se préparer et rassemblez tout le monde, je vous rejoindrai à la porte. »

Un tumulte de conversations s'éleva derrière lui dès qu'il fut sorti du dortoir. Il entendit Crazy Tom s'écrier : « Deux armées de bouffeurs de merde ! On va leur botter le cul ! »

La salle des douches était vide. Parfaitement nettoyée. Plus la moindre trace du sang qui s'était écoulé du nez de Bonzo. Plus rien. Aucun drame ne s'était déroulé ici.

Ender ouvrit les robinets et laissa l'eau charrier les excrétions du combat dans les canalisations. *Tout est parti, sauf qu'ils recyclent l'eau et que nous boirons du sang de Bonzo demain matin. Toute vie en a disparu, mais ça reste quand même son sang, son sang et ma sueur, emportés dans leur stupidité, leur cruauté, ou quoi qui les ait poussés à laisser ça arriver.*

Il se sécha, enfila sa combinaison flash et prit la direction de la salle de combat. Son armée attendait dans le couloir – la porte n'avait pas encore été ouverte. Ils le regardèrent sans mot dire passer devant eux pour aller s'immobiliser face au champ de force. Bien sûr, aucun d'entre eux n'ignorait l'épisode des douches ; ajouté à leur propre lassitude due à la bataille du matin, cela les réduisait au silence, alors même que la perspective d'affronter deux armées les emplissait de terreur.

Tout ce qu'ils peuvent faire pour me battre, se dit Ender. *Tout ce à quoi ils peuvent penser, toutes les règles qu'ils changent, peu leur importe pourvu qu'ils me battent. Eh bien, ce jeu me dégoûte. Aucun jeu ne vaut le sang de Bonzo sur le sol de la salle de bains. Foutez-moi au frigo, renvoyez-moi chez moi, je ne veux plus* jamais *jouer.*

La porte s'effaça. À trois mètres à peine se trouvaient quatre étoiles contiguës, qui leur bloquaient totalement la vue.

Deux armées ne suffisaient pas. Ils devaient forcer Ender à déployer ses forces à l'aveuglette.

« Bean, dit-il, emmène tes hommes voir ce qu'il y a derrière cette étoile. »

Bean déroula le fil qu'il portait autour de la taille, en attacha une extrémité à sa combinaison, tendit l'autre à un garçon de son escouade et fit un pas tranquille vers l'entrée, aussitôt suivi par son unité. Ils s'y étaient entraînés à de nombreuses reprises, aussi cela ne leur prit-il qu'un instant pour se retrouver accrochés à l'étoile. Bean s'élança à grande vitesse, presque parallèlement à la porte ; puis exerça une nouvelle poussée en atteignant le coin de la pièce, ce qui le propulsa droit sur l'ennemi. Les taches de lumière sur les murs témoignaient d'autant de tirs hostiles dans sa direction. À mesure que le fil se prenait successivement dans chaque face de l'étoile, sa longueur diminuait et les changements de trajectoire qu'il imprimait à Bean le rendaient virtuellement invulnérable. Son escouade l'attrapa adroitement lorsqu'il refit son apparition de l'autre côté de l'étoile. Pour aussitôt bouger bras et jambes afin de prouver à ceux qui attendaient à la porte que l'ennemi ne l'avait flashé nulle part.

Ender bondit à travers l'ouverture.

« C'est vraiment sombre, fit Bean, mais il y a juste assez de lumière pour nous empêcher de suivre les gens par les lumières de leur combinaison. Le pire possible pour la vision. La voie est complètement libre depuis cette étoile jusqu'au côté ennemi de la salle. Ils ont huit étoiles en forme de carré autour de leur porte. Je n'ai vu personne à part ceux qui jetaient un œil aux boîtes. Ils nous attendent patiemment là-bas. »

Comme pour corroborer les dires de Bean, l'ennemi se mit à leur hurler dessus : « Hé ! On a faim, venez vous faire bouffer ! Bougez votre cul de Dragon ! »

L'esprit d'Ender resta sans réaction. C'était stupide. Il n'avait pas la moindre chance à deux contre un, forcé d'attaquer un ennemi à couvert. « Dans une vraie guerre, un commandant possédant un minimum de cervelle battrait en retraite pour sauver son armée.

— Qu'est-ce que ça peut bien faire ? fit Bean. Ce n'est qu'un jeu.

— Ça a cessé d'en être un quand ils ont commencé à violer les règles.

— Eh bien, fais comme eux. »

Ender sourit. « D'accord. Pourquoi pas. Voyons comment ils réagissent à une formation. »

Bean était consterné. « Une formation ! Nous n'en avons jamais fait une seule depuis que nous sommes une armée !

— Il nous reste encore un mois avant le terme normal de notre période d'entraînement. Il est grand temps de nous mettre aux formations. Ça ne fait jamais de mal de connaître les formations. » Après avoir formé un A avec ses doigts, il les tourna vers la porte et fit un signe avec. Une cohorte sortit aussitôt, qu'il entreprit de disposer derrière l'étoile. Trois mètres ne leur semblait manifestement pas un espace suffisant pour se mouvoir – les garçons étaient effrayés, désorientés, et ça lui prit presque cinq minutes simplement pour leur faire comprendre ce qu'il attendait d'eux.

Les soldats du Tigre et du Griffon en étaient réduits à scander des noms d'oiseaux, tandis que leurs commandants discutaient de l'opportunité de profiter de leur supériorité numérique pour engager l'Armée du Dragon pendant qu'elle se trouvait encore derrière l'étoile. Momoe plaidait pour l'attaque – « Nous sommes à deux contre un » –, contrairement à Bee : « On ne peut pas perdre si on ne bouge pas ; au moindre mouvement de notre part, il trouvera le moyen de nous battre. »

Ils restèrent donc immobiles, jusqu'à ce qu'une grosse masse finisse par émerger de l'étoile d'Ender dans la lumière crépusculaire. Elle conserva sa forme même quand elle cessa brutalement de se déplacer sur le côté pour s'élancer droit sur l'espace vide situé au milieu des huit étoiles derrière lesquelles l'attendaient quatre-vingt-deux soldats.

« Waouh ! s'écria un Griffon. Ils sont en train de se mettre en formation.

— Ils ont dû la mettre au point ces cinq dernières minutes, fit Momoe. On aurait pu les détruire en les attaquant pendant qu'ils se préparaient.

— N'importe quoi, murmura Bee. Tu as vu la façon dont ce gosse volait. Il a fait un tour complet de l'étoile sans même toucher une paroi. Peut-être qu'ils ont tous des crochets, tu ne crois pas ? Ils ont quelque chose de nouveau en tout cas. »

Leur formation était étrange. En carré, avec des corps serrés les uns contre les autres à l'avant pour créer un mur. Et derrière, une espèce de cylindre – six garçons de circonférence et deux de profondeur, membres tendus et congelés de sorte qu'il leur était proprement impossible de se tenir. Et pourtant ils constituaient un ensemble aussi compact que s'ils avaient été attachés – ce qui, de fait, était bel et bien le cas.

Les Dragons tiraient avec une précision implacable depuis l'intérieur de la formation, forçant les Griffons et les Tigres à rester regroupés derrière les étoiles.

« Cet idiot n'a pas protégé ses arrières, fit Bee. Dès qu'ils se retrouveront entre les étoiles, nous allons pouvoir les contourner et…

— N'en parle pas, fais-le ! » fit Momoe. Qui suivit immédiatement ses propres conseils et ordonna à ses garçons de se lancer contre la paroi pour rebondir derrière la formation des Dragons.

Dans le chaos de leur envol, alors même que l'Armée du Griffon s'accrochait à ses étoiles, la formation du Dragon se transforma sans crier gare. Cylindre et fronton se fendirent en deux sous l'effet de la poussée des soldats qui se trouvaient à l'intérieur ; elle repartit presque aussitôt en sens inverse en direction de l'entrée des Dragons.

La plupart des Griffons entreprirent de leur tirer dessus ; et les Tigres, de prendre à revers les survivants.

Mais quelque chose n'allait pas. William Bee mit quelques instants à comprendre de quoi il s'agissait. Ces formations n'avaient pas pu faire demi-tour en plein vol sans que quelqu'un les pousse, et avec suffisamment de force – et de *vitesse* – pour faire reculer vingt hommes.

Six petits soldats du Dragon se trouvaient à proximité de la porte de William Bee. Du nombre de lumières qui éclairaient leurs combinaisons flash, il pouvait déduire que trois d'entre eux étaient hors de combat et deux blessés ; un seul était sain et sauf. Rien à craindre d'eux. Bee les visa avec désinvolture, pressa le bouton, et...

Rien ne se produisit.

Les lumières s'allumèrent.

La partie était terminée.

Alors même qu'il avait les yeux fixés sur eux, Bee mit un moment à comprendre ce qui venait d'arriver. Quatre soldats du Dragon avaient appuyé leur casque sur les coins de la porte. Et l'un d'entre eux venait de passer. Ils avaient exécuté le rituel de la victoire. Ils étaient en train de prendre une dérouillée, ils ne leur avaient infligé pratiquement aucunes pertes, et ils avaient eu le culot d'exécuter le rituel de la victoire sous leur nez, ce qui de facto mettait un terme à la partie.

Il lui vint alors à l'esprit que non seulement l'Armée du Dragon avait osé faire une chose pareille, mais que d'après les règles il était fort possible qu'elle l'ait emportée. Après tout, peu importait ce qui arrivait, on ne vous déclarait vainqueur que si vous aviez suffisamment de soldats non congelés pour toucher les coins de l'entrée et en faire pénétrer au moins un dans le couloir ennemi. Une manière de voir les choses permettait donc de considérer le rituel de fin *comme* une victoire. Un point de vue manifestement partagé par une bonne partie de la salle de combat.

La porte des professeurs s'ouvrit sur Anderson, qui s'engagea dans la pièce. « Ender ! » appela-t-il en regardant autour de lui.

Un des Dragons flashés tenta de lui répondre à travers des mâchoires scellées par la combinaison flash. Anderson utilisa les crochets pour s'approcher de lui et le décongela.

Ender souriait. « Je vous ai encore battu, Major.

— Absurde, Ender, fit calmement Anderson. Tu t'es battu contre le Griffon et le Tigre.

— Vous me croyez à ce point stupide ?

— Après cette petite manœuvre, annonça Anderson d'une voix forte, les règles vont être modifiées : tous les soldats ennemis devront avoir été congelés ou mis hors de combat avant que la porte ne puisse reculer.

— Ça ne pouvait marcher qu'une seule fois de toute façon », dit Ender.

Anderson lui tendit le crochet. Le jeune Wiggin décongela tout le monde en même temps. Au diable le protocole. Au diable tout le reste. « Hé ! lança-t-il à Anderson qui commençait à s'éloigner. Qu'est-ce qui nous attend la prochaine fois ? Mon armée dans une cage, sans armes, avec le reste de l'École de Guerre contre elle ? Que diriez-vous d'un peu d'équité ? »

Un lourd murmure d'approbation s'éleva alors des troupes, et pas uniquement des rangs de l'Armée du Dragon. Anderson ne prit même pas la peine de se retourner pour répondre au défi d'Ender. Ce fut en fin de compte William Bee qui parla : « Ender, dès lors que tu prends part à une bataille, elle ne sera de toute façon pas équitable.

— Exact ! » s'écrièrent les garçons. La plupart éclatèrent de rire. Talo Momoe se mit à applaudir. « Ender Wiggin ! » clama-t-il. Les autres battirent à leur tour des mains en criant le nom d'Ender.

Celui-ci passa la porte ennemie, suivi de ses soldats. Leurs hurlements l'accompagnèrent dans les couloirs.

« Entraînement ce soir ? » s'enquit Crazy Tom.

Ender secoua la tête.

« Demain matin, alors ?

— Non.

— Quand, alors ?

— Plus jamais, en ce qui me concerne. »

Il pouvait les entendre murmurer derrière lui.

« Hé, c'est pas juste, fit l'un des garçons. C'est pas notre faute si les profs bousillent le jeu. Tu vas quand même pas arrêter de nous apprendre des trucs parce que…

— Je n'en ai plus rien à faire, du jeu ! » s'écria Ender en claquant violemment la paroi du plat de la main. Sa voix avait résonné dans le couloir. Des garçons d'autres armées sortirent à leur porte. « Tu comprends ça ? ajouta-t-il dans un murmure. La partie est terminée. »

Il retourna seul dans sa chambre. Il avait envie de s'allonger, mais l'humidité du lit l'en dissuada – elle lui rappelait tout ce qui s'était passé dans la journée. De rage, il déchira matelas et couvertures et les jeta dans le couloir. Puis il roula un uniforme pour s'en faire un oreiller et s'affala sur le treillis métallique du sommier. Ce n'était guère confortable, mais Ender n'en avait cure.

Il n'était arrivé que depuis quelques minutes quand quelqu'un frappa à sa porte.

« Allez-vous-en », fit-il dans un murmure. Soit son visiteur ne l'entendit pas, soit il s'en moquait. Ender finit par lui dire d'entrer.

C'était Bean.

« Laisse-moi, Bean. »

Bean hocha la tête, mais au lieu de s'en aller il se mit à fixer ses chaussures. Ender faillit lui hurler dessus, l'agonir d'injures, lui crier de partir. Mais il remarqua à quel point Bean semblait épuisé ; son corps entier se courbait de lassitude, ses yeux étaient cernés par le manque de sommeil ; et pourtant sa peau restait douce et translucide – la peau d'un enfant –, ses joues gardaient leur rondeur, ses membres la finesse inhérente à la morphologie d'un petit garçon. Il n'avait pas encore huit ans. Peu importait à quel point il était brillant, sérieux, compétent. C'était un enfant. Il était *jeune*.

Non, songea Ender, *il ne l'est plus*. Petit, oui. Mais Bean venait de mener une armée à la bataille ; il s'en était sorti à merveille, et ils avaient gagné. *Il n'y a pas de jeunesse là-dedans. Pas d'enfance.*

Prenant le silence d'Ender comme une permission de rester, Bean fit un autre pas dans la pièce. Ender remarqua alors pour la première fois le petit morceau de papier dans sa main.

« Tu es transféré ? » Malgré son incrédulité, il avait parlé d'une voix indifférente, morte.

« Dans l'Armée du Lapin. »

Ender hocha la tête. Bien sûr. C'était évident. *S'ils n'arrivent pas à battre mon armée, ils me retirent mon armée.* « Carn Carby est un type réglo, dit Ender. J'espère qu'il saura reconnaître ce que tu vaux.

— Carn Carby a obtenu son diplôme aujourd'hui. Il a reçu sa notification pendant qu'on se battait.

— Et qui commande l'Armée du Lapin, dans ce cas ? »

Bean se tenait les mains sans trop savoir qu'en faire. « Moi. »

Ender leva les yeux au plafond et hocha la tête. « Bien sûr. Après tout, tu n'as que quatre ans de moins que l'âge normal.

— Ce n'est pas drôle. Je ne comprends pas ce qui se passe ici. Tous ces changements de règles, et maintenant ça. Je ne suis pas le seul à avoir été transféré, tu sais. La moitié des commandants a été diplômée, et pas mal de nos gars ont été transférés à la tête de leurs armées.

— Lesquels ?

— Eh bien… tous les chefs de cohorte et leurs adjoints, apparemment.

— Bien sûr. S'ils décident de démolir mon armée, ils feront table rase. Quoi qu'ils fassent, ils le font à fond.

— Tu finiras quand même par l'emporter, Ender. Personne n'en doute. Crazy Tom, il a dit : "Vous voulez dire que je suis censé trouver un moyen de battre l'Armée du Dragon ?" Tout le monde sait que tu es le meilleur. Ils ne peuvent pas te briser, peu importe ce qu'ils…

— C'est déjà fait.

— Non, Ender, ils ne peuvent pas…

— Je n'en ai plus rien à faire, de leur jeu, Bean. C'est fini pour moi. Plus d'entraînement. Plus de batailles. Ils peuvent poser par terre autant de leurs petits morceaux de papier qu'ils le veulent, je n'irai pas. J'ai pris ma décision avant de franchir la porte aujourd'hui. C'est pour ça que je vous ai envoyés vers l'entrée. Je ne pensais pas que ça marcherait, mais je m'en fichais. Je voulais juste faire une sortie en grande pompe.

— Tu aurais dû voir la tête de William Bee. Planté là, à essayer de comprendre comment il avait pu perdre alors que tu n'avais que sept soldats encore capables de remuer leurs orteils et lui, seulement trois qui ne le pouvaient pas.

— Et qu'est-ce que ça m'apporterait de voir la tête de William Bee ? Pourquoi devrais-je *vouloir* battre qui que ce soit ? (Ender pressa ses paumes contre ses yeux.) J'ai vraiment gravement blessé Bonzo, aujourd'hui, Bean. Vraiment.

— Il l'a cherché.

— Je l'ai assommé debout. C'était comme s'il était mort mais que son corps refusait de tomber. Et j'ai continué de le frapper. »

Bean demeura silencieux.

« Je voulais juste m'assurer qu'il ne me ferait plus jamais de mal.

— Ne t'inquiète pas pour ça, fit Bean. Ils l'ont renvoyé chez lui.

— Déjà ?

— Les professeurs ne nous ont pas expliqué grand-chose, comme d'habitude. La notification officielle indique qu'il a obtenu son diplôme, mais là où est marquée l'affectation – tu sais, école tactique, soutien, précommandement, navigation, ce genre de chose – ça disait juste *Carthagène, Espagne*. C'est chez lui.

— Je suis content qu'ils lui aient donné son diplôme.

— Merde, Ender, on est juste contents qu'il soit parti. Si on avait su ce qu'il te faisait subir, on l'aurait tué sur-le-champ. C'est vrai qu'il avait toute une bande de types avec lui ?

— Non. Il n'y avait que lui et moi. Il s'est battu avec honneur. » *Sans ça, ils s'y seraient mis à tous sur moi. Et je n'aurais pas donné cher de ma peau. Son sens de l'honneur m'a sauvé la vie.* « Contrairement à moi, ajouta Ender. Moi, je me suis battu pour gagner. »

Bean éclata de rire. « Et c'est ce que tu as fait. Tu l'as littéralement désorbité à coups de pied. »

Quelqu'un frappa à la porte, qui s'ouvrit avant qu'Ender ne puisse répondre. Il s'était attendu à la visite d'autres soldats de son armée. Or il s'agissait du major Anderson. Suivi du colonel Graff.

« Ender Wiggin », dit ce dernier.

Le garçon se leva. « Oui, Colonel.

— Ton accès de colère en salle de combat aujourd'hui relève de l'insubordination ; ça ne doit pas se reproduire.

— Oui, Colonel. »

Bean, toujours d'humeur indisciplinée, ne pensait pas qu'Ender méritait pareil reproche. « Je crois qu'il était plus que temps que quelqu'un fasse part à un professeur de notre sentiment vis-à-vis de ce que vous faites. »

Les adultes l'ignorèrent. Anderson tendit à Ender une feuille de papier. Une feuille entière. Pas une de ces petites bandes qui servaient à transmettre les consignes au sein de l'École de Guerre ; c'étaient des ordres en bonne et due forme. Bean savait ce que ça signifiait. Ender était transféré ailleurs.

« Diplômé ? » lui demanda Bean. Le jeune Wiggin acquiesça. « Pourquoi ont-ils mis si longtemps ? Tu n'as que deux ou trois ans d'avance. Tu as déjà appris à marcher, à parler et à t'habiller tout seul. Qu'est-ce qui va leur rester à t'enseigner ? »

Ender secoua la tête. « Tout ce que je sais, c'est que le jeu est terminé. (Il plia le papier.) Pas trop tôt. Puis-je en avertir mon armée ?

— Le temps presse, dit Graff. Ta navette part dans vingt minutes. En outre, mieux vaut pour toi ne pas leur parler après avoir reçu tes ordres. Ça rend les choses plus faciles.

— Pour eux ou pour vous ? » Sans attendre sa réponse, Ender se tourna en hâte vers Bean, lui serra un instant la main puis se dirigea vers la porte.

« Attends, fit Bean. Où est-ce que tu vas ? Tactique ? Navigation ? Soutien ?

— L'École de Commandement, répondit Ender.

— *Pré*-commandement ?

— Commandement. » Puis il sortit, Anderson sur ses talons.

Bean saisit Graff par la manche. « Personne ne va à l'École de Commandement avant ses seize ans ! »

Graff se libéra de sa prise d'un haussement d'épaules et s'en fut, fermant la porte derrière lui.

Bean demeura seul dans la pièce, à tenter de comprendre ce que tout cela pouvait bien signifier. Personne n'allait à l'École de Commandement sans avoir passé au préalable trois ans en Précommandement, dans la Tactique ou dans le Soutien. Mais bon, personne ne quittait l'École de Guerre avant au moins six ans, et Ender n'en avait fait que quatre.

Le système part en morceaux. Ça ne fait aucun doute. De deux choses l'une : soit une huile quelconque est en train de devenir folle, soit un truc est allé de travers avec la guerre, la véritable guerre, celle des doryphores. Pourquoi autrement démoliraient-ils le système de formation

– et le jeu – comme ils le font ? Pourquoi mettraient-ils un gosse à la tête d'une armée ?

Ces questions ne cessèrent de le tourmenter tandis qu'il arpentait les couloirs en direction du dortoir. Les lumières s'éteignirent au moment même où il arrivait près de sa couchette. Il se déshabilla dans l'obscurité, tâtonna pour ranger ses vêtements dans un placard qu'il ne pouvait voir. Il se sentait horriblement mal. Dans un premier temps, il se dit que c'était à cause de sa peur de commander une armée, mais tel n'était pas le cas. Il savait qu'il ferait un bon commandant. Il se surprit alors à avoir envie de pleurer. Ça ne lui était pas advenu depuis les quelques jours qui avaient suivi son arrivée, durant lesquels le mal du pays l'avait submergé. Il essaya de mettre un nom sur le sentiment qui lui nouait la gorge, qui lui arrachait des sanglots silencieux malgré tous ses efforts pour les retenir. Il se mordit la main pour y mettre fin, pour le remplacer par la douleur. Sans succès. Il n'allait jamais revoir Ender.

Nommer le sentiment lui permit de le contrôler. Après s'être allongé sur le dos, il se contraignit à effectuer ses exercices de décontraction jusqu'à ce que son envie de pleurer disparaisse. Puis il sombra dans le sommeil, une main près de sa bouche, posée sur l'oreiller, hésitante, comme si Bean ne pouvait se décider entre se ronger les ongles ou se sucer le bout des doigts. Son front était plissé, sillonné de rides. Sa respiration, rapide et légère. C'était un soldat, et si quiconque lui avait demandé ce qu'il voulait faire quand il serait grand, il n'aurait su quoi répondre.

Alors qu'il pénétrait dans la navette, Ender remarqua pour la première fois que les insignes ornant l'uniforme du major Anderson avaient changé. « Oui, on l'a nommé Colonel, expliqua Graff. Pour tout te dire, on l'a mis à la tête de l'École de Guerre cet après-midi même. On m'a confié d'autres responsabilités. »

Ender ne lui demanda pas en quoi elles consistaient.

Graff se sangla dans le siège situé en face du sien, de l'autre côté de l'allée. Il n'y avait qu'un seul passager en plus d'eux, un homme silencieux en vêtements civils qui se présenta sous le nom de Général Pace. Il transportait une serviette, mais pas davantage de bagages qu'Ender. Sans trop comprendre pourquoi, celui-ci trouvait réconfortant que Graff voyage lui aussi sans rien.

Ender n'ouvrit qu'une seule fois la bouche lors du retour. « Pourquoi rentrons-nous sur Terre ? Je croyais que l'École de Commandement se trouvait quelque part dans le champ d'astéroïdes.

— C'est exact, fit Graff. Mais l'École de Guerre n'est pas équipée pour l'arrimage des vaisseaux long-courriers. Ce qui te vaut une courte permission sur le plancher des vaches. »

Ender faillit lui demander si ça signifiait qu'il pourrait voir sa famille. Mais l'idée que ce soit peut-être possible lui fit soudain tellement peur qu'il renonça à poser la question. Il se contenta de fermer les yeux pour essayer de dormir. Derrière lui, le général Pace était en train de l'observer ; à quelle fin, Ender aurait été bien en peine de le deviner.

Ce fut par un bel après-midi d'été qu'ils atterrirent en Floride. Ender n'avait pas vu la lumière du soleil depuis si longtemps qu'elle l'aveugla presque. Il plissa les yeux, éternua, voulut retourner à l'intérieur. Tout était plat, lointain ; le sol, dénué de la courbe ascendante des planchers de l'École de Guerre, lui semblait au contraire descendre en pente, de sorte qu'il avait l'impression de se trouver au sommet d'une colline. L'attraction de la pesanteur terrestre lui donnait une démarche traînante. Ender détestait ça. Il voulait rentrer chez lui, à l'École de Guerre, le seul endroit dans tout l'univers où il se sentait à sa place.

« Arrêté ? »

« Eh bien, ça tombe sous le sens. Le Général Pace est le chef de la police militaire. Il y a eu un mort à l'École de Guerre. »

« On ne m'a pas dit si le Colonel Graff allait être promu ou traduit en cour martiale. Juste qu'il est transféré, avec ordre de se présenter au Polémarque. »

« Est-ce bon signe ou pas ? »

« Qui sait ? D'un côté, Ender Wiggin ne s'est pas contenté de survivre, il a franchi un palier, il a obtenu son diplôme dans une forme éblouissante – on ne peut pas enlever ça au vieux Graff. De l'autre, il y a le quatrième passager de la navette. Celui qui voyage dans un sac. »

« Le deuxième mort dans toute l'histoire de l'école, Au moins n'était-ce pas un suicide cette fois. »

« Je ne vois pas en quoi un meurtre est préférable, Major Imbu. »

« Ce n'était pas un meurtre, Colonel. Nous avons la scène en vidéo sous deux angles différents. Personne ne peut tenir Ender pour responsable. »

« Mais ça pourrait retomber sur Graff. Quand tout ceci sera terminé, les civils fouilleront dans nos archives et feront le tri entre nos bonnes et nos mauvaises actions. Ils donneront des médailles à ceux qu'ils estimeront dans leur bon droit, priveront de leurs retraites et mettront en prison ceux qu'ils considéreront comme fautifs. Au moins ont-ils eu le bon sens de ne pas révéler à Ender la mort du garçon. »

« C'est la deuxième fois. »

« On ne lui a rien dit non plus à propos de Stilson. »

« Ce gamin est terrifiant. »

« Ender Wiggin n'est pas un tueur. Il ne sait que gagner – totalement. Si quelqu'un doit avoir peur, je laisse ça aux doryphores. »

« On en viendrait presque à les plaindre, sachant qu'il va aller s'occuper d'eux. »

« Ender est le seul que j'aie envie de plaindre. Mais pas assez pour leur suggérer de lui lâcher la bride. Je viens

d'avoir accès au matériel dont Graff dispose depuis tout ce temps. À propos des mouvements de la flotte, ce genre de chose. Tant pis pour la qualité de mon sommeil. »

« Le temps presse ? »

« Je n'aurais pas dû mentionner cela. Je ne suis pas autorisé à vous communiquer des informations classifiées. »

« Je sais. »

« Vous allez devoir vous contenter de ceci : ils ne l'ont pas envoyé à l'École de Commandement un jour trop tôt, mais peut-être deux ans trop tard. »

13

VALENTINE

« Des enfants ? »

« Frère et sœur. Ils se sont créés cinq niveaux de protection à travers les réseaux – ils écrivaient pour des sociétés prêtes à payer pour leur adhésion, ce genre de chose. Ça m'a pris un temps fou pour les localiser. »

« Qu'est-ce qu'ils cachent ? »

« Difficile à dire. Leur âge, néanmoins, semble être le point le plus évident. Le garçon a quatorze ans, la fille douze. »

« Lequel des deux est Démosthène ? »

« La fille. »

« Excusez-moi. Je ne trouve vraiment pas ça drôle, mais je n'arrive pas à m'empêcher de rire. Tout ce temps à nous inquiéter, tout ce temps à essayer de convaincre les Russes de ne pas prendre Démosthène trop au sérieux, à mettre Locke en avant comme preuve que les Américains n'étaient pas tous des va-t-en-guerre insensés. Deux gosses pubescents… »

« Et leur nom de famille est Wiggin. »

« Ah. Coïncidence ? »

« Le Wiggin *est un* Troisième*. Ce sont les deux premiers. »*

« Oh, excellent. Les Russes ne croiront jamais… »

« Que nous ne contrôlons pas aussi bien Démosthène et Locke que le *Wiggin ? »*

« Avons-nous affaire à un complot ? Est-ce que quelqu'un les contrôle ? »

« Nous n'avons pu détecter aucun *contact entre ces deux enfants et un quelconque adulte susceptible de les manœuvrer. »*

« Ça ne veut pas dire que personne n'a été capable d'inventer quelque méthode indétectable. J'ai du mal à croire que deux enfants… »

« J'ai interrogé le Colonel Graff à son arrivée. S'il s'en fie à son expérience, rien de ce que ces enfants ont fait n'est hors de leur portée. Leurs aptitudes sont virtuellement identiques à celles… du Wiggin. Seul leur tempérament diffère. Ce qui l'a surpris, cependant, c'est l'orientation des deux personnages. Démosthène est sans doute aucun la fille, mais Graff prétend qu'elle a été refusée à l'École de Guerre parce qu'elle était trop pacifique, trop conciliante, et pardessus tout trop empathique. »

« Clairement pas Démosthène. »

« Et le garçon a une âme de chacal. »

« N'était-ce pas Locke qu'on a récemment affublé du glorieux titre de "seul esprit vraiment ouvert d'Amérique" ? »

« Comprendre ce qui se passe vraiment n'a rien de facile. Mais Graff nous a recommandés, et je suis de son avis, de les laisser tranquilles. De ne pas les démasquer. D'éviter pour l'instant de faire le moindre rapport, sinon pour confirmer que Locke et Démosthène n'ont aucune connexion avec l'étranger ou le moindre groupe intérieur, sauf ceux publiquement déclarés sur les réseaux. »

« En d'autres termes, leur donner une patente de bonne santé. »

« Je sais que Démosthène peut paraître dangereux, en partie à cause du nombre de ses partisans. Mais je trouve significatif que ce soit le plus ambitieux qui ait choisi le personnage modéré. Et ils n'ont rien fait d'autre que parler pour le moment. Ils ont de l'influence, mais aucun pouvoir. »

« Si j'en crois mon expérience, l'influence est *du pouvoir. »*

« Si jamais l'idée leur prend de franchir la ligne rouge, nous pourrons facilement les démasquer. »

« Ça ne durera pas – quelques années tout au plus. Plus nous attendons, plus ils prennent de l'âge et moins la découverte de leur identité sera choquante. »

« Vous êtes au fait des récents mouvements de troupes russes. Il reste toujours la possibilité que Démosthène ait raison. *Auquel cas... »*

« Nous ferions mieux de l'avoir de notre côté. Très bien. Nous allons les laisser faire pour le moment. Mais surveillez-les. Et moi, bien sûr, je vais devoir trouver un moyen de convaincre les Russes de garder leur calme. »

En dépit de tous ses doutes, Valentine prenait un réel plaisir à incarner Démosthène. Sa chronique était désormais reprise par presque tous les réseaux d'information du pays, et elle s'amusait de voir l'argent s'accumuler sur les comptes de son avocat. De temps à autre, Peter et elle faisaient au nom de Démosthène le don d'une somme soigneusement calculée à une cause ou à un candidat particuliers : suffisamment pour que la donation soit remarquée, mais pas assez pour que l'heureux élu puisse croire qu'on essayait d'acheter son vote. Elle recevait de si nombreux courriers que son réseau d'information avait engagé une secrétaire uniquement pour répondre à sa place à la correspondance ordinaire. Les lettres amusantes, celles qui émanaient de leaders nationaux ou internationaux – parfois hostiles, parfois amicales, mais qui tentaient toujours avec diplomatie de sonder l'esprit de Démosthène –, celles-là, elle et Peter se les réservaient avec délectation, à l'idée que des gens aussi *puissants* écrivaient sans le savoir à des enfants.

Parfois, cependant, elle avait honte. Père lisait régulièrement Démosthène – jamais Locke, du moins il n'en parlait pas s'il le faisait. Au dîner, il les régalait souvent de quelque point éloquent soulevé par Démosthène dans sa chronique du jour. Peter adorait le voir faire ça. « Tu vois,

ça montre à quel point le citoyen lambda est attentif. »
Mais Valentine se sentait humiliée pour Père. *Si jamais il découvre que c'est moi qui ai écrit les papiers dont il nous parle, et que je ne crois même pas la moitié de ce que je raconte, il serait furieux. De honte.*

Elle faillit avoir des ennuis à l'école le jour où son professeur d'histoire demanda à la classe de rédiger une dissertation mettant en contraste les opinions de Démosthène et Locke telles qu'exprimées dans deux de leurs premiers écrits. Imprudemment, Valentine en fit une analyse brillante. En conséquence de quoi elle eut toutes les peines du monde à dissuader le principal de faire publier son essai sur le réseau d'information même qui distribuait la chronique de Démosthène. Peter ne le prit pas bien, loin de là. « Tu écris trop comme lui, on ne peut pas publier ça. Tu deviens incontrôlable. Je devrais tuer Démosthène tout de suite. »

Si cette bévue le mit en rage, Peter continuait à l'effrayer davantage lorsqu'il sombrait dans le silence. Ce qui arriva quand Démosthène fut invité à prendre part au Séminaire Présidentiel sur l'Avenir de l'Enseignement, une assemblée éminente destinée à ne rien faire, mais avec splendeur. Valentine pensait que Peter prendrait cela comme une victoire, mais telle ne fut pas le cas. « Refuse, lui dit-il.

— Et pourquoi donc ? Ça ne va rien me demander comme travail, et ils sont même prêts à organiser toutes les rencontres sur le réseau pour respecter le désir bien connu de Démosthène de rester incognito. Ça ferait de lui une personne respectable, et…

— … et tu adores l'idée d'avoir obtenu ça avant moi.

— Peter, ce n'est pas de toi et de moi qu'il s'agit, mais de Démosthène et de Locke. Nous les avons *fabriqués*. Ils ne sont pas réels. Et puis cette désignation ne signifie pas qu'ils préfèrent Démosthène à Locke, juste que Démosthène a une base de soutien plus large. Ça ne devrait pas t'étonner. Son engagement fait plaisir à nombre de chauvins russophobes.

— Ce n'était pas censé marcher ainsi. Locke devait être celui qu'on respectait.

— Et c'est le cas ! Un respect véritable prend plus longtemps à obtenir qu'un respect officiel. Peter, ne te mets pas en colère contre moi parce que j'ai fait correctement les choses que tu m'as demandé de faire. »

Mais la colère de son frère dura des jours, et dès lors il la laissa élaborer seule toutes ses chroniques au lieu de lui dire quoi écrire. Sans doute présumait-il que ça exercerait une influence néfaste sur la qualité des papiers de Démosthène, mais personne n'y prit garde si tel fut le cas. Qu'elle n'aille jamais le supplier de l'aider n'était certainement pas pour rien dans l'amertume de son aîné. Elle était Démosthène depuis trop longtemps à présent pour avoir besoin que quiconque lui dise ce que Démosthène était censé penser.

Et à mesure que se développait sa correspondance avec d'autres citoyens politiquement actifs, elle commença à apprendre des choses, des informations tout simplement indisponibles pour le grand public. Certains des militaires avec lesquels elle communiquait lâchaient des bribes de renseignements sans même s'en rendre compte, renseignements qu'elle et Peter rassemblèrent pour se construire une image aussi fascinante que terrifiante des activités du Pacte de Varsovie. Ils préparaient bel et bien la guerre, une guerre terrestre impitoyable et sanguinaire. Démosthène n'avait donc pas tort de suspecter le Second Pacte de ne pas respecter les règles de la Ligue.

Et le personnage de Démosthène acquit progressivement une existence propre. Valentine se surprenait parfois à penser comme lui au terme d'une séance d'écriture, admettant des idées censées n'être que des poses calculées. Parfois, en lisant les chroniques de Locke, elle se surprenait même à s'agacer de son refus manifeste de voir ce qui était vraiment en train de se passer.

C'est peut-être impossible d'endosser une identité sans devenir celui qu'on feint d'être. Elle ressassa la question quelques jours, puis rédigea un papier en s'en servant comme prémisse, pour démontrer que les politiciens qui léchaient les bottes des Russes afin de préserver la paix finiraient inévitablement par leur être soumis à tout point de vue. C'était un coup subtil porté contre le parti au pouvoir, qui lui valut pas mal de courriers de qualité. Elle cessa aussi de redouter l'idée de devenir, jusqu'à un certain degré, Démosthène. *Il est plus intelligent que Peter et moi ne l'avons jamais imaginé*, se disait-elle.

Graff l'attendait à la sortie de l'école, appuyé contre sa voiture. Il était en civil et avait pris du poids, de sorte qu'elle ne le reconnut pas immédiatement. Mais il lui adressa un signe, et elle se souvint de son nom avant même qu'il n'ait eu le temps de se présenter.

« Je n'écrirai pas d'autre lettre, dit-elle. Je n'aurais jamais dû écrire la première.

— Dois-je en conclure que tu n'aimes pas les médailles ?

— Pas vraiment.

— Viens faire un tour avec moi, Valentine.

— Je n'ai pas le droit de suivre les étrangers. »

Il lui tendit un papier. Un formulaire d'autorisation, signé de la main de ses parents.

« Tant pis pour les étrangers, j'imagine. Où est-ce que nous allons ?

— Voir un jeune soldat en permission à Greensboro. »

Elle monta dans la voiture. « Ender n'a que dix ans, dit-elle. Je crois me rappeler vous avoir entendu dire qu'il n'y aurait droit qu'à douze.

— Il a sauté quelques échelons.

— J'en conclus qu'il s'en sort bien ?

— Tu le lui demanderas quand tu le verras.

— Pourquoi seulement moi ? Pourquoi pas la famille tout entière ? »

Graff soupira. « Ender a une façon bien à lui de voir le monde. Nous avons dû le persuader de te rencontrer. Voir Peter ou tes parents ne l'intéressait pas. La vie à l'École de Guerre était… intense.

— Qu'est-ce que vous voulez dire ? Qu'il a perdu la raison ?

— Bien au contraire. C'est la personne la plus saine que je connaisse. Suffisamment, en tout cas, pour savoir que ses parents ne sont pas particulièrement impatients de rouvrir un livre de sentiments soigneusement fermé il y a quatre ans. Quant à Peter… nous ne lui avons même pas proposé de le rencontrer, de sorte qu'il n'a pas eu l'occasion de nous dire d'aller nous faire voir. »

Ils prirent la route du lac Brandt et la quittèrent juste après l'avoir dépassé, pour suivre un chemin tortueux qui montait et descendait jusqu'à aboutir devant un manoir à bardeaux entièrement blanc étalé au sommet d'une colline. Elle dominait d'un côté le lac Brandt, et de l'autre une étendue d'eau privée de trois hectares. « Cette demeure a été construite par le propriétaire des Parfums Medly, lui expliqua Graff. La F.I. l'a achetée au cours d'une liquidation fiscale il y a de cela une vingtaine d'années. Ender a insisté pour que votre conversation ne soit pas enregistrée. Je lui en ai donné ma promesse. Histoire de créer un climat de confiance, vous allez tous les deux sortir sur un radeau qu'il a lui-même construit. Mais je préfère t'avertir. J'ai bien l'intention de te poser quelques questions après votre conversation. Tu ne seras pas obligée d'y répondre, mais j'espère que tu le feras.

— Je n'ai pas apporté de maillot de bain.

— Nous pouvons t'en fournir un.

— Un modèle sans micro ?

— Au bout d'un moment, la confiance finit par s'imposer. Je connais la véritable identité de Démosthène, par exemple. »

Malgré le frisson de peur qu'elle sentait parcourir son dos, Valentine se garda bien de réagir.

« On m'en a fait part à mon atterrissage. Il y a peut-être six personnes dans le monde à être au courant. Sans compter les Russes – Dieu seul sait ce qu'ils savent. Mais Démosthène n'a rien à craindre de nous. Il peut compter sur notre discrétion. Tout comme je compte sur Démosthène pour ne rien dire à Locke de notre petite rencontre d'aujourd'hui. Confiance mutuelle. Chacun de nous se *confie* des choses. »

Elle n'arrivait pas à déterminer si c'était Démosthène ou Valentine Wiggin qu'ils approuvaient. Dans le premier cas, elle ne leur ferait pas confiance ; dans le second, peut-être y parviendrait-elle. Le fait qu'ils veuillent lui interdire d'en parler avec Peter laissait suggérer qu'ils savaient possiblement en quoi celui-ci différait de sa sœur. Elle-même ne comptait plus prendre le risque de s'interroger sur la question.

« Vous avez dit qu'il avait construit un radeau. Depuis combien de temps se trouve-t-il ici ?

— Deux mois. Nous avions l'intention de ne lui accorder que quelques jours. Mais, vois-tu, la poursuite de son éducation ne semble guère l'intéresser.

— Ah. Et Valentine de rendosser le rôle de thérapie.

— Nous ne pouvons pas censurer ta lettre cette fois. Il va nous falloir prendre le risque. Nous avons vraiment besoin de ton frère. L'Humanité est au bord du gouffre. »

Cette fois, Val avait suffisamment grandi pour prendre la pleine mesure des dangers qui menaçaient le monde. Et elle avait été Démosthène suffisamment longtemps pour ne pas hésiter à faire son devoir. « Où est-il ?

— À l'embarcadère.

— Où est le maillot de bain ? »

Ender ne lui adressa pas le moindre geste de la main lorsqu'elle descendit la colline, pas plus qu'il ne sourit quand elle monta sur l'embarcadère flottant. Mais elle savait qu'il était content de la voir, elle le savait à ses yeux qui n'avaient pas un instant quitté son visage.

« Tu es plus grand que dans mes souvenirs, dit-elle bêtement.

— Toi aussi. Je me rappelais aussi ta beauté.

— La mémoire nous joue parfois des tours.

— Non. Ton visage n'a pas changé, c'est juste que je ne me rappelle plus ce que *beauté* signifie. Viens. Allons faire une sortie sur le lac. »

Elle jeta un coup d'œil inquiet au petit radeau.

« Évite juste de te tenir debout dessus. » Il embarqua à quatre pattes, sur les doigts et les orteils, à la manière d'une araignée. « C'est la première fois que je construis quelque chose de mes mains depuis le temps où nous jouions avec des cubes tous les deux. Des constructions à l'épreuve de Peter. »

Elle rit. Quand Ender se trouvait encore à la maison, ils prenaient plaisir à édifier des choses qui restaient debout même quand la plupart des points d'appui évidents avaient été enlevés. Peter, pour sa part, aimait retirer un bloc ici et là, pour rendre la structure tellement fragile que le moindre choc la ferait s'écrouler. Peter était un imbécile, mais il leur ouvrait une porte d'entrée sur leur enfance.

« Peter a changé, dit-elle.

— Ne parlons pas de lui, coupa Ender.

— Très bien. »

Elle se hissa sur le radeau, pas aussi adroitement que son frère. Il utilisa une pagaie pour les mener lentement au centre du lac privé. Elle fit à voix haute une remarque sur son bronzage et sa musculature.

« Les muscles viennent de l'École de Guerre. Le bronzage, de ce lac. Je passe beaucoup de temps sur l'eau. Nager me donne l'impression d'être en apesanteur. C'est une sensation qui me manque. Sans compter que quand je suis ici, sur ce lac, le paysage monte dans toutes les directions.

— C'est comme de vivre dans un bocal.

— Ça fait quatre ans que je vis dans un bocal.

— Alors on est devenus des étrangers l'un pour l'autre ?

— N'est-ce pas ce que nous sommes, Valentine ?

— Non. » Elle tendit la main pour lui toucher la jambe. Puis, sans crier gare, lui pinça le genou là où il avait toujours été le plus chatouilleux.

Mais presque simultanément il lui saisit le poignet d'une étreinte puissante, quand bien même ses mains étaient plus petites que les siennes, et ses bras minces et secs. Un instant durant il lui parut dangereux ; puis il se détendit. « Oh, oui, fit-il. Tu n'arrêtais pas de me chatouiller.

— C'est du passé, affirma-t-elle en reprenant sa main.

— Tu veux nager ? »

En guise de réponse, elle bascula par-dessus le bord du radeau. L'eau était claire, propre, sans la moindre trace de chlore. Valentine nagea un moment, puis regagna l'embarcation et s'allongea au soleil. Une guêpe tourna autour d'elle, puis se posa à proximité de sa tête. Elle pouvait sentir sa présence – en temps ordinaire, ça lui aurait fait peur. Mais pas aujourd'hui. *Promène-toi donc sur ce radeau, profite du soleil autant que moi.*

Le radeau se mit alors à tanguer. Elle se retourna, pour voir Ender calmement écraser l'insecte sous un de ses doigts. « C'est une espèce méchante, fit-il. Elles te piquent sans même attendre d'avoir été insultées. (Il sourit.) J'ai étudié les stratégies préventives. Je suis très fort. Le meilleur soldat qu'ils aient jamais eu. Personne ne m'a jamais battu.

— Comment pourraient-ils en attendre moins de toi ? Tu es un Wiggin.

— Quoi que ça puisse signifier.

— Ça signifie que tu vas changer le monde. » Et elle lui raconta ce qu'elle faisait avec son frère aîné.

« Quel âge a Peter, quatorze ans ? Et il projette déjà de dominer le monde ?

— Il se prend pour Alexandre le Grand. Et qu'est-ce qui devrait l'en empêcher ? Qu'est-ce qui devrait *t'en* empêcher ?

— Nous ne pouvons pas être Alexandre *tous les deux.*

— Les deux côtés de la même pièce. Et je suis le métal entre les deux. » Et, ce disant, elle se demanda si c'était bien exact. Elle avait partagé tellement de choses avec Peter ces dernières années qu'elle en était parvenue à le comprendre, quand bien même elle pensait le mépriser. Tandis qu'Ender n'avait été qu'un souvenir jusqu'à ce jour. Un garçon fragile, presque un bébé, qui avait besoin de sa protection. Pas ce petit homme bronzé, au regard froid, qui écrasait des guêpes sous ses doigts. *Peut-être que nous sommes tous les trois identiques, peut-être qu'on l'a toujours été. Peut-être nous estimions-nous différents les uns des autres uniquement par jalousie.*

« Le problème avec les pièces, c'est que les deux côtés ne peuvent pas être au-dessus en même temps. »

Et en cet instant tu te crois en dessous. « Ils veulent que je t'encourage à poursuivre tes études.

— Ce sont des jeux, pas des études. Rien que des jeux, du début à la fin, sauf qu'ils en changent les règles chaque fois que ça leur chante. » Il leva mollement une main. « Tu vois les fils ?

— Tu peux aussi te servir d'eux.

— Uniquement s'ils le veulent bien. S'ils pensent que ce sont eux qui se servent de toi. Non, c'est trop dur, j'en ai assez de jouer. À l'instant précis où je commence à être heureux, où j'ai l'impression de pouvoir gérer les choses, ils enfoncent un autre poignard. Je n'arrête pas d'avoir des cauchemars depuis que je suis arrivé ici. Je rêve que je me trouve en salle de combat, sauf qu'au lieu d'être en état d'apesanteur ils s'amusent à faire varier la gravité. Ils n'arrêtent pas d'en modifier l'orientation. Ce qui m'empêche invariablement d'atteindre le mur vers lequel je me suis élancé. Je n'arrive jamais là où je voulais aller. Et je les supplie sans cesse de me laisser rejoindre la porte, et ils refusent de me laisser sortir, ils n'arrêtent pas de me tirer en arrière. »

Valentine supposa que la colère qu'elle percevait dans sa voix lui était destinée. « Je suppose que c'est la raison de ma présence ici. Pour te tirer en arrière.

— Je ne voulais pas te voir.

— On me l'a dit.

— J'avais peur de toujours t'aimer.

— J'espérais bien que ce serait le cas.

— Ma peur, tes espoirs – comblés tous les deux.

— Ender, c'est la stricte vérité. Notre jeunesse ne nous rend pas impuissants. Lorsqu'on joue assez longtemps selon leurs règles, le jeu finit par nous appartenir. » Elle gloussa. « Je fais partie d'une commission présidentielle. Peter en est malade.

— On ne m'autorise pas à utiliser les réseaux. Il n'y a pas un seul ordinateur sur la propriété, à part les machines domestiques en charge du système de sécurité et de l'éclairage. Rien de récent. Ils datent de plus d'un siècle, quand on fabriquait encore des ordinateurs qui n'étaient connectés à rien. Ils m'ont pris mon armée, ils m'ont pris mon bureau, et tu sais quoi ? Ça m'est plus ou moins égal.

— Tu ne dois pas t'ennuyer avec toi-même.

— Pas moi. Mes souvenirs.

— Peut-être que c'est ce qui nous définit, ce dont on se souvient.

— Non. Mes souvenirs d'étrangers. Des doryphores. »

Valentine eut un frisson, comme si une soudaine brise glacée l'avait taquinée. « Je ne veux plus jamais voir de vidéos des doryphores. Elles sont toujours pareilles.

— Je les ai décortiquées pendant des heures. La manière dont leurs vaisseaux se déplacent dans l'espace. Et un truc marrant, qui ne m'est venu à l'esprit qu'ici, sur le lac. Je me suis rendu compte que toutes les batailles durant lesquelles les doryphores et les hommes se sont battus au corps à corps dataient de la Première Invasion.

Dans toutes les scènes tirées de la Deuxième, quand nos soldats portent l'uniforme de la F.I., les doryphores sont toujours déjà morts. Étendus par terre, effondrés sur leurs commandes. Aucun signe de lutte ou de quoi que ce soit. Et la bataille de Mazer Rackham… on ne nous en montre jamais la moindre séquence.

— Ils dissimulent peut-être une arme secrète.

— Non, non, peu m'importe la façon dont nous les avons tués. Ce sont les doryphores eux-mêmes qui m'intéressent. J'ignore absolument tout d'eux, et pourtant, d'une manière ou d'une autre, je suis censé les combattre. J'ai livré de nombreux combats dans ma vie. Il s'agissait parfois de jeux, parfois… non. Et chaque fois je l'ai emporté parce que j'arrivais à comprendre de quelle manière mon ennemi pensait. À partir de ce qu'il *faisait*. Je pouvais deviner ce qu'il me croyait en train de faire, de quelle manière il voulait que la bataille évolue. Et je jouais là-dessus. C'est un de mes points forts. Comprendre les pensées des autres.

— La malédiction des enfants Wiggin. » Elle plaisantait, mais l'idée qu'Ender puisse la comprendre aussi complètement que ses ennemis la terrifiait. Peter n'avait aucun mal à la comprendre, ou du moins le croyait-il, mais c'était un tel gouffre moral qu'elle ne s'était jamais sentie embarrassée face à lui, même quand il devinait ses pires pensées. Mais Ender… Elle ne voulait pas qu'il la comprenne. Ça lui donnerait l'impression de se dénuder devant lui. Ça l'emplirait de honte. « Tu ne penses pas pouvoir battre les doryphores sans les connaître.

— Ça va plus loin que ça. Me retrouver seul ici sans rien à faire m'a forcé à m'interroger sur moi-même. À essayer de comprendre pourquoi je me déteste à ce point.

— Non, Ender.

— Ne me dis pas : "Non, Ender." Ça m'a pris longtemps pour me le figurer, mais, crois-moi, c'est la stricte vérité. Et en fin de compte, ça se résume à ça : dès lors que je comprends vraiment mon ennemi, que je le comprends suffisamment bien pour le vaincre, je me mets alors aussitôt à l'aimer. Je ne crois pas qu'il soit possible d'appréhender totalement quelqu'un, ses désirs, ses convictions, sans l'aimer de la manière dont il s'aime lui-même. Et, à ce moment-là, quand je *commence* à l'aimer…

— Tu te débrouilles pour le battre. » Un instant durant, elle ne redouta plus sa perspicacité.

« Non, tu ne saisis pas. Je le *détruis*. Je me débrouille pour qu'il lui soit impossible de me faire à nouveau du mal. Je l'écrase, je l'écrase jusqu'à ce qu'il cesse *d'exister*.

— Bien sûr que non. » Et la peur réapparut, plus forte que jamais. *Peter s'est adouci, mais toi, ils t'ont transformé en tueur. Deux côtés de la même pièce. Mais comment les distinguer ?*

« J'ai blessé des gens pour de vrai. Val. Je n'invente rien.

— Je sais, Ender. Comment vas-tu *me* blesser ?

— Tu comprends ce qui m'arrive, Val ? souffla-t-il. Même toi, tu as peur de moi. » Il lui toucha si tendrement la joue qu'elle dut se retenir de pleurer. Comme la caresse de sa main de bébé quand il n'était encore qu'un enfant. Elle s'en souvenait, de cette main douce et innocente sur sa joue.

« Non », répliqua-t-elle. Ce qui, en cet instant précis, était la stricte vérité.

« Tu devrais. »

Non, je ne devrais pas. « Ta peau va finir par se flétrir si tu restes dans l'eau. Sans parler des attaques de requins. »

Il sourit. « Ça fait longtemps que les requins ont appris à me laisser tranquille. » Mais il se hissa néanmoins sur le radeau, qu'il recouvrit presque d'eau en l'enfonçant. Valentine en fut quitte pour un bain glacé dans le dos.

« Ender, Peter va réussir. Il est assez intelligent pour prendre le temps nécessaire, mais il finira par gagner sa place au sommet – si ce n'est pas tout de suite, ça viendra plus tard. Je n'arrive toujours pas à déterminer si c'est un bien ou un mal. Peter peut se montrer cruel, mais il sait comment obtenir et conserver le pouvoir – et tout porte à croire qu'une fois la guerre contre les doryphores finie, et peut-être même avant, le monde retombera dans le chaos. L'Empire russe était sur la voie de l'hégémonie avant la Première Invasion. S'ils s'y remettent ensuite…

— Même Peter serait sans doute un meilleur choix.

— Tu as découvert que tu portais un destructeur en toi, Ender. Eh bien, moi aussi. Peter n'en avait pas le monopole, malgré tout ce qu'ont pu penser ceux qui nous ont testés. Mais il a aussi une part de bâtisseur en lui. Il n'est pas *gentil*, mais il a cessé de casser toutes les bonnes choses qui lui passent entre les mains. Une fois qu'on a compris que le pouvoir finissait toujours par échoir à ceux qui le désirent le plus, je crois qu'il pourrait tomber entre de pires mains que celles de Peter.

— Avec une recommandation aussi fervente, même moi je pourrais voter pour lui.

— Ça me paraît parfois tellement ridicule. Un gosse de quatorze ans et sa petite sœur complotant pour dominer le monde. (Elle essaya de rire. Ce n'était pas drôle.) Nous ne sommes tout simplement pas des enfants ordinaires. Aucun de nous.

— Ça ne t'arrive jamais de le regretter ? »

Elle tenta de s'imaginer dans la peau d'une de ses camarades d'école. D'imaginer une vie où elle ne se sentirait pas responsable de l'avenir du monde. « Ça serait super ennuyeux.

— Je ne crois pas. » Et il s'étendit sur le radeau, comme s'il pouvait demeurer à jamais sur ce lac.

C'était donc vrai. Quoi qu'ils lui aient fait à l'École de Guerre, ça l'avait sevré de toute ambition. Il ne voulait vraiment pas quitter les eaux ensoleillées de son bocal.

Non, comprit-elle. *Non, il se* persuade *de vouloir rester ici, mais il y a encore trop de Peter en lui. Ou de moi.*

Aucun d'entre nous ne peut supporter longtemps de ne rien faire. À moins peut-être que nous ne puissions pas être heureux sans autre compagnie que nous-mêmes.

Elle repartit donc à la charge : « Cite-moi le seul nom connu du monde entier.

— Mazer Rackham.

— Et si tu gagnais la guerre à venir, tout comme Mazer Rackham l'a fait en son temps ?

— Mazer Rackham était un coup de chance. Un réserviste. Personne ne croyait en lui. Il s'est juste trouvé au bon endroit au bon moment.

— Mais suppose que tu y parviennes. Suppose que tu battes les doryphores et que ta renommée finisse par égaler celle de Mazer Rackham.

— Je laisse la célébrité aux autres. Peter veut être célèbre. Laissons-le sauver le monde.

— Je ne parle pas de célébrité, Ender. Ni même de pouvoir. Je parle d'accidents, comme celui qui s'est produit quand Mazer Rackham s'est trouvé là-bas quand il fallait quelqu'un pour arrêter les doryphores.

— Si je suis ici, je ne me trouverai pas là-bas. Ce sera quelqu'un d'autre. Que ce soit donc à *lui* que l'accident arrive. »

L'indifférence désenchantée qu'elle percevait dans sa voix la mit en colère. « Je te parle de *ma* vie, espèce de petit connard égoïste. » Si ses paroles le troublèrent, il n'en montra rien. Il se contenta de rester couché, les yeux clos. « Quand tu étais petit et que Peter te torturait, heureusement que *moi* je ne suis pas restée sans rien faire en attendant que Papa et Maman viennent te sauver. Ils n'ont jamais compris à quel point Peter était dangereux. Je savais que tu avais le moniteur, mais mieux valait quand même ne pas compter sur *eux*. Tu sais ce que Peter avait l'habitude de me faire sous prétexte que je l'empêchais de te faire du mal ?

— La ferme », murmura Ender.

Parce qu'elle voyait sa poitrine trembler, parce qu'elle savait qu'elle l'avait vraiment blessé, que, tout comme Peter, elle avait trouvé son point faible et l'avait frappé juste là, elle se tut.

« Je ne peux pas les battre, lâcha Ender. Un jour, je me retrouverai là-bas tout comme Mazer Rackham, tout le monde dépendra de moi et je serai incapable de le faire.

— Si tu n'y arrives pas, Ender, c'est que personne ne le peut. Si tu échoues, c'était qu'ils méritaient de gagner parce qu'ils sont plus forts, *meilleurs* que nous. Ça ne sera pas ta faute.

— Tu iras le dire aux morts.

— Qui le fera à ta place ?

— N'importe qui.

— Personne, Ender. Je vais te dire quelque chose. Ce ne sera pas ta faute si tu échoues en essayant. Mais si tu n'essaies pas et que nous perdons, alors tu seras entièrement responsable. Tu nous auras tous tués.

— Je suis un tueur, de toute façon.

— Et ça t'étonne ? Les êtres humains n'ont pas développé leur cervelle pour traîner sur un lac. Tuer a été la première chose que nous ayons apprise. Et nous avons bien fait, car sans ça nous serions morts et les tigres régneraient sur Terre.

— Je n'ai jamais pu battre Peter. Peu importe ce que je faisais ou disais. Je n'y suis jamais arrivé. »

Ainsi donc tout ramenait à Peter. « Il était plus vieux que toi. Et plus fort.

— Les doryphores aussi. »

Elle parvenait à saisir son raisonnement. Ou du moins son irrationalité. Il pouvait bien gagner tout ce qu'il voulait, il savait au plus profond de son cœur que toujours il y aurait quelqu'un capable de le détruire. Que jamais il ne l'emportait complètement, parce qu'il y avait Peter, le champion invaincu.

« Tu veux battre Peter ? lui demanda-t-elle.

— Non.

— Bats les doryphores. À ton retour, tu verras que plus personne ne prête encore la moindre attention à Peter Wiggin. Regarde-le dans les yeux quand le monde entier t'aimera et te vénérera. Ce sera la défaite que tu y liras, Ender. La voilà ta victoire.

— Tu ne comprends pas.

— Oh que si.

— Je te dis que non. Je ne veux pas battre Peter.

— Alors qu'est-ce que tu veux ?

— Je veux qu'il m'aime. »

Elle ne trouva rien à y répondre. Pour ce qu'elle en savait, Peter n'aimait personne.

Ender n'ajouta rien. Il restait juste couché, sans bouger.

En fin de compte, alors que les moustiques commençaient à leur tourner autour à l'approche du crépuscule, une Valentine couverte de sueur fit un ultime plongeon dans l'eau puis entreprit de pousser le radeau jusqu'au rivage. Ender fit mine de n'avoir pas conscience de ce qu'elle était en train de faire, mais l'irrégularité de sa respiration lui indiqua qu'il ne dormait pas. Elle grimpa sur l'embarcadère une fois la rive atteinte. « *Moi* je t'aime, Ender. Plus que jamais. Quelle que soit ta décision. »

Il ne répondit pas. Valentine doutait qu'il l'ait crue. Elle repartit par la colline, furieuse contre ceux qui l'avaient fait venir auprès d'Ender dans ces conditions. Parce qu'elle s'était comportée comme ils l'attendaient d'elle. Elle avait parlé à son frère pour le convaincre de reprendre sa formation, ce qu'il ne lui pardonnerait pas avant longtemps.

Ender passa la porte encore mouillé de sa dernière baignade dans le lac. Il faisait sombre dehors, tout comme dans la pièce où Graff l'attendait.

« Est-ce qu'on part maintenant ? s'enquit Ender.

— Si tu veux, répondit Graff.

— Quand ?

— Quand tu seras prêt. »

Ender alla prendre une douche et s'habiller. Il avait fini par s'habituer à la façon dont les vêtements civils s'ajustaient, mais il se sentait toujours bizarre sans uniforme ou combinaison flash. *Je n'en porterai plus jamais*, se dit-il. *C'était le jeu de l'École de Guerre, et j'en ai terminé avec ça*. Il entendit des criquets striduler furieusement dans les bois ; puis, à proximité, le bruit caractéristique des pneus d'une voiture roulant lentement sur du gravier.

Que devrait-il emporter d'autre ? Il avait lu plusieurs livres de la bibliothèque, mais ils appartenaient à la maison. Ses possessions se résumaient au radeau, qu'il avait construit de ses propres mains. Et ça aussi allait rester ici.

Les lumières s'allumèrent dans la pièce où Graff l'attendait. Lui aussi avait remis son uniforme.

Ils prirent place dans la voiture, qui emprunta des routes de campagne pour les conduire à l'aéroport par l'arrière. « Malgré l'augmentation de la population, fit Graff, ils n'ont jamais touché aux forêts et aux fermes de cette zone. Terres inondables. Les pluies font grossir les rivières – il y a beaucoup de cours d'eau souterrains dans le coin. Cette planète est profonde, *vivante*, Ender. Nous autres n'habitons que sa surface, comme les insectes qui arpentent l'écume des eaux calmes à proximité du rivage. »

Ender ne fit aucun commentaire.

« Nous entraînons nos commandants comme nous le faisons parce qu'il le faut – ils doivent avoir une certaine disposition d'esprit, on ne peut pas laisser mille choses venir les distraire, ce qui nous contraint à les isoler. À t'isoler, *toi*. On te tient à l'écart du reste. Et ça fonctionne. Mais c'est si facile, quand on ne rencontre jamais personne, quand on ne connaît pas *vraiment* la Terre, quand on vit derrière des parois métalliques qui nous protègent du froid de l'espace, c'est si facile d'oublier pourquoi la Terre mérite d'être sauvée. Pourquoi les gens sont peut-être dignes du prix que tu paies. »

C'est donc pour ça que vous m'avez amené ici, se dit Ender. *C'est pour ça que vous avez sacrifié trois mois malgré l'urgence, pour me faire aimer la Terre. Eh bien, ça a marché. Toutes vos ruses ont fonctionné. Y compris Valentine ; elle faisait partie du plan, elle aussi, histoire de me rappeler que ce n'est pas pour moi que je vais à l'école.*

« Peut-être me suis-je servi de Valentine, poursuivit Graff, et peut-être me détestes-tu à cause de ça, Ender, mais garde bien ceci en tête : ça n'a fonctionné que parce que ce que vous partagez est réel, c'est la seule chose qui compte. C'est pour des milliards de ce genre de rapports humains que tu te bats, pour qu'ils continuent d'exister. »

Ender tourna son visage vers la vitre pour regarder les allées et venues des hélicoptères et des dirigeables.

Ils prirent un hélico pour se rendre au spatioport de la F.I., à Stumpy Point. Son nom officiel était celui d'un Hégémon décédé, mais tout le monde l'appelait Stumpy Point à cause de la misérable petite ville qui avait été sacrifiée pour construire les voies d'accès aux énormes îles de béton et d'acier qui parsemaient Pamlico Sound. Des oiseaux aquatiques continuaient d'arpenter tant bien que mal les eaux salées, là où des arbres moussus s'inclinaient comme pour boire. Une pluie légère se mit à tomber, qui rendit le béton noir et glissant ; on n'aurait su dire où il s'arrêtait pour laisser place au bras de mer.

Graff le guida à travers tout un labyrinthe de contrôles. Son habilitation était une petite boule de plastique qu'il faisait choir dans des glissières pour ouvrir les portes. Des gens se levaient alors pour le saluer, puis les glissières recrachaient la boule et Graff poursuivait son chemin. Ender remarqua que si tous avaient regardé le colonel dans un premier temps, les coups d'œil se concentraient de plus en plus sur lui à mesure qu'ils s'enfonçaient dans le spatioport. Ç'avait d'abord été l'homme de pouvoir qui avait attiré leur attention, mais, dès lors que tout le monde *avait* du pouvoir, c'était sa cargaison qui les intéressait.

Ce n'est qu'au moment où Graff s'attacha dans le siège de navette voisin du sien qu'Ender comprit qu'il partait avec lui.

« Jusqu'où ? lui demanda le jeune Wiggin. Jusqu'où allez-vous m'accompagner ? »

Graff eut un faible sourire. « Jusqu'au bout, Ender.

— Ils vous ont nommé administrateur de l'École de Commandement ?

— Non. »

Ainsi donc on avait muté Graff uniquement pour qu'il puisse accompagner Ender à son affectation suivante. *Comme je suis important*, s'émerveilla-t-il. Et tel un murmure de Peter dans son esprit, il entendit la question : *Comment vais-je pouvoir m'en servir ?*

Dans un frisson, il essaya de penser à autre chose. Peter avait sans doute des fantasmes de domination du monde, mais Ender ne les partageait pas. Néanmoins, au souvenir de ce qu'il avait vécu à l'École de Guerre, il prit conscience que, quand bien même il n'avait jamais recherché le pouvoir, il l'avait toujours eu. Mais, décida-t-il, ce pouvoir procédait de l'excellence, pas de la manipulation. Il n'avait aucune raison d'en avoir honte. Jamais, sauf peut-être dans le cas de Bean, il ne l'avait utilisé *contre* quelqu'un. Et les choses avaient fini par s'arranger avec Bean. Au bout du compte, il était devenu son ami à la place d'Alai, qui lui-même avait pris celle de Valentine. Valentine, qui aidait Peter à comploter. Valentine, qui ne cessait de l'aimer quoi qu'il arrive. Suivre ce cheminement de pensées le ramena sur Terre, à ces heures tranquilles passées sur les eaux claires d'un lac entouré de collines boisées. *Voilà à quoi ressemble la Terre*, se dit-il. *Pas à un globe de milliers de kilomètres de circonférence, mais à une forêt avec un lac scintillant, une maison dissimulée au sommet d'une colline, au milieu des arbres, une pente herbeuse qui part de l'eau, des poissons sauteurs et des oiseaux en vol plané, occupés à capturer les insectes qui vivent à la frontière de l'eau et du ciel.* Le bruit incessant des criquets, des vents, des volatiles. Et la voix d'une petite fille, qui lui parlait depuis les tréfonds de son enfance. La voix qui le protégeait jadis de la terreur. Il ferait tout pour la garder en vie, même retourner à l'école, même quitter la Terre pour quatre, quarante ou quatre mille années supplémentaires. Même si elle préférait Peter.

Ses yeux étaient fermés, et il n'avait pas émis le moindre son en dehors de sa respiration ; Graff tendit néanmoins le bras pour lui toucher la main. Ender se crispa sous l'effet de la surprise, et le colonel battit aussitôt en retraite. Mais, pendant un bref instant, le jeune garçon avait été frappé par l'impression troublante que Graff avait peut-être quelque affection pour lui. Mais, non, ce n'était qu'un geste calculé de plus. Graff était en train de faire de ce gosse un commandant. Nul doute que le Module 17 du processus de formation incluait une manifestation de tendresse de la part du professeur.

La navette ne mit que quelques heures à atteindre le satellite LIP. Lancement Inter-Planétaire était une ville de trois mille habitants, qui respiraient l'oxygène produit par les plantes qui servaient également à les nourrir, buvaient une eau qui avait déjà parcouru leur corps des milliers de fois, ne vivant là que pour réviser les remorqueurs qui se chargeaient de l'intégralité de la logistique à l'intérieur du Système Solaire, ainsi que les navettes qui transportaient marchandises et passagers sur la Terre ou la Lune. C'était un monde sur lequel, même brièvement, Ender se sentit comme chez lui – les planchers se courbaient vers le haut, comme à l'École de Guerre.

Leur remorqueur était pratiquement neuf ; la F.I. remplaçait constamment ses vieux véhicules par les modèles les plus récents. Il venait de décharger une énorme quantité d'acier traité par un vaisseau-usine qui démantelait de petites planètes dans la ceinture d'astéroïdes, pour ensuite acheminer sa cargaison jusqu'à la Lune. Présentement, le remorqueur était relié à quatorze barges. Mais Graff laissa tomber sa boule dans le lecteur, ce qui eut pour effet immédiat de les détacher du vaisseau. Celui-ci allait cette fois effectuer un trajet rapide dont Graff ne spécifierait la destination qu'une fois qu'ils se seraient séparés du LIP.

« C'est un secret de polichinelle, fit le capitaine du remorqueur. Chaque fois que la destination est inconnue, c'est pour un LIS. » Par analogie avec le LIP, Ender présuma que ces lettres devaient signifier Lancement Inter-Stellaire.

« Pas cette fois, dit Graff.

— Où ça, alors ?

— Quartier Général de la F.I.

— Je n'ai même pas le niveau d'accréditation pour savoir où il se trouve, Colonel.

— Votre vaisseau le sait, fit Graff. Contentez-vous d'informer votre ordinateur de ceci et suivez la trajectoire qu'il déterminera. » Il lui tendit la boule en plastique.

« Et je suis censé fermer les yeux durant l'intégralité du voyage pour ne pas comprendre où nous allons ?

— Oh non, bien sûr que non. Le Quartier Général de la F.I. est situé sur l'astéroïde Éros, qui devrait se trouver à environ trois mois d'ici à notre vitesse maximale. Vitesse que nous allons employer, bien entendu.

— Éros ? Mais je croyais que les doryphores l'avaient transformé en désert radioact... Oh. Quand ai-je obtenu le niveau d'accréditation nécessaire pour savoir ça ?

— Jamais. Aussi y serez-vous assigné de façon permanente lorsque nous serons arrivés. »

Le capitaine comprit aussitôt, à son grand déplaisir. « Je suis un pilote, espèce de fils de pute ; vous n'avez pas le droit de m'enfermer sur un rocher !

— Je vais fermer les yeux sur les insultes dont vous venez de gratifier un officier de grade supérieur. Je vous présente toutes mes excuses, mais j'avais pour ordre de prendre le remorqueur militaire le plus rapide que je puisse trouver à mon arrivée. Et c'est tombé sur le vôtre. Ce n'est pas comme si quiconque vous en voulait personnellement. Prenez les choses du bon côté. La guerre sera peut-être finie dans une quinzaine d'années, et la position du Quartier Général de la F.I. n'aura alors plus besoin d'être tenue secrète. À propos, mieux vaut que vous sachiez, au cas où vous feriez partie de ces pilotes ne jurant que par l'appontage à vue, qu'Éros a été obscurcie. Son albédo est à peine supérieur à celui d'un trou noir. Vous ne la verrez pas.

— Merci », fit le capitaine.

Qui mit un bon mois de voyage à parvenir à parler poliment au colonel Graff.

L'ordinateur de bord avait une bibliothèque limitée – essentiellement consacrée aux loisirs, bien plus qu'à l'éducation. Aussi Graff et Ender prirent-ils l'habitude de discuter après le petit déjeuner et les exercices matinaux. De l'École de Commandement. De la Terre. D'astronomie, de physique, de tout ce qu'Ender voulait savoir.

Et, par-dessus tout, il voulait en apprendre davantage sur les doryphores.

« Nous n'en *savons* pas grand-chose, admit Graff. Nous n'avons jamais fait un seul prisonnier vivant. Même lorsque nous en attrapions un désarmé et vivant, il mourait au moment précis où sa capture ne faisait plus de doute. Même le *il* est sujet à caution – le plus probable, en fait, reste que la plupart des soldats soient des femelles, avec des organes sexuels atrophiés ou résiduels. Impossible à dire. C'est un aperçu de leur psychologie qui te serait le plus utile, et nous n'avons pas vraiment eu d'occasion de les interroger.

— Dites-moi tout ce que vous savez, ça m'apprendra peut-être quelque chose dont j'ai besoin. »

Graff s'exécuta. Les doryphores étaient des organismes qui auraient théoriquement pu prospérer sur Terre si l'Évolution avait pris un autre chemin un milliard d'années plus tôt. Au niveau moléculaire, ils ne présentaient aucune surprise. Même le matériel génétique s'était révélé identique. Ce n'était pas par hasard s'ils évoquaient des insectes aux yeux des humains. Leurs organes étaient certes beaucoup plus complexes, spécialisés, et ils avaient développé un squelette interne en lieu et place de leur exosquelette originel, mais leur structure physique rappelait toujours leurs ancêtres, qui devaient avoir beaucoup ressemblé aux fourmis terrestres. « Mais ne te fie pas aux apparences, ajouta Graff. C'est à peu près aussi significatif que si je te disais que nos ancêtres devaient beaucoup ressembler à des écureuils.

— Si c'est tout ce sur quoi nous pouvons nous appuyer, fit Ender, c'est déjà *quelque chose*.

— Les écureuils n'ont jamais construit de vaisseaux spatiaux, ironisa Graff. Passer de la cueillette de noisettes et de graines à l'exploitation d'astéroïdes et à l'installation de centres de recherche permanents sur les lunes de Saturne suppose quelques changements en cours de route. »

Les doryphores devaient probablement percevoir le même spectre lumineux que les humains, et ils disposaient d'un éclairage artificiel tant dans leurs vaisseaux que dans leurs installations au sol. Leurs antennes, par contre, semblaient presque résiduelles. Rien dans leur corps ne laissait supposer que l'odorat, le goût et l'ouïe soient particulièrement importants pour eux. « Évidemment, nous ne pouvons pas en avoir la certitude. Mais nous n'avons rien trouvé qui puisse suggérer l'utilisation du son comme moyen de communication. Le plus étrange reste que leurs vaisseaux n'embarquaient pas un seul appareil de transmission. Pas de radios, rien qui puisse émettre ou recevoir le moindre signal.

— Leurs vaisseaux communiquent. J'ai vu les vidéos, ils se parlent entre eux.

— Exact. Mais d'esprit à esprit. C'est la chose la plus importante que nous ayons découverte à leur propos. Quelle que soit la manière dont ils procèdent, ils maîtrisent la communication instantanée. Comme s'ils faisaient fi de la vitesse de la lumière. Quand Mazer Rackham a vaincu leur flotte d'invasion, ils ont tous fermé boutique. D'un coup. Sans même avoir le temps d'envoyer un quelconque signal. Tout s'est simplement arrêté. »

Ender se rappelait les vidéos des doryphores indemnes, morts à leur poste.

« Nous avons compris alors qu'il était possible de communiquer plus vite que la lumière. Ça remonte à soixante-dix ans, et, dès que nous avons su que c'était faisable, nous l'avons fait. Pas *moi*, bien sûr. Je n'étais pas encore né à l'époque.

— Comment est-ce possible ?

— Je serais bien incapable de t'expliquer la physique philotique. Personne n'en comprend la moitié de toute façon. L'important, c'est que nous avons construit l'ansible. Son nom officiel est Communicateur Instantané à Parallaxe Philotique, mais quelqu'un a exhumé le terme *ansible* d'un vieux bouquin, et le mot est resté. Quand bien même la plupart des gens ignorent jusqu'à l'existence de cette machine.

— Ça permet donc à des vaisseaux de communiquer d'un bout à l'autre du Système Solaire ? s'enquit Ender.

— Ça permet à des vaisseaux de communiquer d'un bout à l'autre de la *Galaxie*. Et les doryphores n'ont pas besoin de machines pour le faire.

— Donc ils ont été avertis de leur défaite au moment même où elle se produisait. J'ai toujours pensé… Tout le monde croit qu'ils viennent sans doute à peine de découvrir leur défaite d'il y a vingt-cinq ans.

— Ça prévient toute panique, fit Graff. Je suis en train de te dévoiler des choses que tu n'as pas le droit de savoir, à propos – si tu avais dans l'idée de quitter le Quartier Général de la F.I. avant la fin de la guerre. »

Ender était en colère à présent. « Si vous me connaissez un tant soit peu, vous savez que je peux garder un secret.

— C'est le règlement. Les gens de moins de vingt-cinq ans sont considérés comme une population à risque. C'est très injuste à l'égard de nombre d'enfants responsables, mais ça permet de limiter le nombre de personnes susceptibles de laisser échapper quelque chose.

— Quel intérêt de garder tout ça secret, de toute façon ?

— Nous avons pris des risques terribles, Ender, et nous n'avons aucune envie de voir chaque réseau terrestre commencer à critiquer après coup ces décisions. Vois-tu, dès que nous avons eu un ansible opérationnel, nous l'avons installé à bord de nos meilleurs vaisseaux spatiaux avant de les lancer à l'assaut des systèmes d'origine des doryphores.

— Est-ce qu'on sait où ils se trouvent ?

— Oui.

— Nous n'attendons donc pas la Troisième Invasion.

— Nous *sommes* la Troisième Invasion.

— Nous sommes en train de les attaquer. C'est top secret. Tout le monde pense que nous avons une gigantesque flotte de vaisseaux de guerre en attente dans la barrière de comètes…

— Pas un seul. Nous sommes totalement sans défense ici.

— Et s'ils ont envoyé une flotte nous attaquer ?

— Alors nous sommes morts. Mais nos vaisseaux n'ont pas vu le moindre signe d'une telle flotte.

— Peut-être ont-ils décidé de nous laisser tranquilles ?

— Peut-être. Tu as vu les vidéos. Est-ce que tu jouerais le destin de l'espèce humaine là-dessus ? »

Ender essaya de prendre la mesure du temps qui s'était écoulé. « Et les vaisseaux voyagent depuis soixante-dix ans…

— Certains d'entre eux. D'autres depuis quarante ans, et d'autres encore depuis vingt. Nous construisons de meilleurs vaisseaux à présent. Nous avons appris à tirer un peu mieux parti de l'espace. Mais tous les vaisseaux spatiaux déjà construits sont en route pour leurs planètes ou leurs avant-postes. Le moindre de nos vaisseaux, le ventre rempli de croiseurs et de chasseurs, se trouve actuellement en approche de l'ennemi. En train de décélérer. Parce qu'ils sont presque arrivés. Nous avons envoyé les premiers d'entre eux sur les objectifs les plus éloignés, les moins anciens sur les plus proches. Notre timing n'était pas mauvais. Ils vont tous arriver en zone de combat à quelques mois d'intervalle. Malheureusement, ce sera notre équipement le plus primitif qui va attaquer leur planète d'origine. Non pas qu'il soit complètement dépassé – nous avons des armes dont les doryphores ignorent tout.

— Quand arriveront-ils ?

— D'ici à cinq ans, Ender. Tout est prêt au QG de la F.I. L'ansible principal s'y trouve, en contact avec toute notre flotte d'invasion ; chaque vaisseau est en ordre de marche, prêt au combat. La seule chose qui nous manque, Ender, c'est celui qui les commandera. Quelqu'un qui sache quoi foutre de toutes ces armes quand elles auront atteint leur but.

— Et si personne ne sait quoi en faire ?

— Eh bien, nous ferons de notre mieux, avec le meilleur commandant que nous aurons trouvé. »

Moi, se dit Ender. *Ils veulent que je sois prêt dans cinq ans.* « Colonel Graff, je ne vois pas comment je pourrais être prêt à temps. »

Graff haussa les épaules. « Bon. Fais de ton mieux. Si tu n'es pas prêt, nous nous débrouillerons avec ce que nous aurons. »

Ce qui rasséréna Ender.

Mais à peine quelques instants. « Bien sûr, Ender, nous n'avons personne d'autre pour le moment. »

Ender savait qu'il s'agissait d'un autre des petits jeux de Graff. *Me faire croire que tout repose sur mes épaules, pour que je ne puisse pas me relâcher, que j'exige le maximum de moi.*

Jeu ou pas, cependant, ça pouvait être vrai. Il allait donc devoir travailler aussi dur que possible. C'était ce que Val attendait de lui. *Cinq ans. Juste cinq ans avant l'arrivée de la flotte, et j'ignore encore presque tout.* « Je n'aurai que quinze ans à ce moment-là.

— Pas loin de seize, fit Graff. Tout dépendra de ce que tu auras appris.

— Colonel Graff, j'ai juste envie de retourner nager dans le lac.

— Quand nous aurons gagné la guerre, Ender. Ou quand nous l'aurons perdue. On aura quelques décennies devant nous avant qu'ils ne reviennent en finir avec nous. La maison t'attendra ; je te promets que tu pourras aller y nager tout ton comptant.

— Mais je serai toujours trop jeune pour obtenir une accréditation.

— On te gardera constamment sous surveillance armée. Les militaires savent gérer ce genre de choses. »

Tous deux éclatèrent de rire ; Ender dut se rappeler que Graff faisait juste semblant d'être son ami, que tout ce qu'il disait n'était que mensonges ou tricheries destinés à le transformer en une machine de combat efficace. *Je vais devenir l'exact outil que vous voulez,* lui lança Ender en son for intérieur, *mais au moins je ne serai pas* dupe. *Je le ferai parce que je l'aurai choisi, pas parce que vous m'aurez trompé, espèce de salaud sournois.*

Le remorqueur atteignit Éros avant qu'ils ne puissent voir l'astéroïde. Le capitaine leur montra le scan visuel, auquel il superposa ensuite celui du détecteur de chaleur. Ils se trouvaient pratiquement dessus – à peine à quatre mille kilomètres – mais Éros, d'une longueur ne dépassant pas les vingt-quatre kilomètres, demeurait invisible quand il ne réfléchissait pas la lumière du soleil.

Le capitaine amarra le vaisseau à l'une des trois plates-formes qui entouraient Éros. Conçu pour tirer des cargaisons, il ne pouvait se poser directement car il n'aurait pu échapper au puits gravitationnel de l'astéroïde qui disposait d'une pesanteur augmentée. L'homme leur lança un au revoir irrité, mais Ender et Graff ne se départirent pas de leur bonne humeur. Si lui pestait à l'idée de devoir se séparer de son remorqueur, tous deux se sentaient, quant à eux, dans la peau de détenus enfin libérés sur parole. En embarquant dans la navette qui allait les emmener sur Éros, ils ne cessaient de répéter des citations détournées des vidéos que le capitaine avait regardées tout au long du voyage, ce qui les faisait rire comme des fous. Vexée, leur cible battit en retraite en feignant de s'endormir. Puis, presque comme si ça lui venait après coup, Ender posa une ultime question à Graff : « Pourquoi combattons-nous les doryphores ?

— J'ai entendu toutes sortes de raisons, fit Graff. Parce que la surpopulation de leur système les contraint à coloniser d'autres mondes. Parce qu'ils ne supportent pas l'idée qu'il puisse exister d'autres formes de vie intelligente dans l'univers. Parce qu'ils ne *nous* considèrent pas comme une forme de vie intelligente. Parce qu'ils ont quelque religion bizarre. Parce qu'ils ont capté nos anciennes émissions vidéo et nous ont jugés effroyablement violents. Toutes sortes de raisons.

— Et qu'est-ce que vous croyez, vous ?

— Ce que je crois n'a aucune importance.

— Je veux quand même savoir.

— Ils doivent se parler directement, Ender, d'esprit à esprit. Ce que l'un pense, un autre peut également le penser ; et ils partagent leurs souvenirs. Qu'est-ce qui aurait bien pu les pousser à élaborer un langage dans ces conditions ? À apprendre à lire et à écrire ? Comment sauraient-ils en quoi consistent la lecture et l'écriture s'ils y étaient confrontés ? Ou les signaux ? Ou les nombres ? Ou quoi que nous utilisions pour communiquer ? Ce n'est pas juste une affaire de traduction d'une langue dans une autre. Ils n'ont *pas* de langage. Nous avons essayé tout ce à quoi nous avons pu penser pour communiquer avec eux, mais ils n'ont pas de machines pour savoir que nous cherchons à entrer en contact avec eux. Et peut-être ont-ils essayé de nous *envoyer* des pensées, et qu'ils ne comprennent pas pourquoi nous ne répondons pas.

— Donc toute cette guerre est due au fait que nous ne pouvons pas communiquer.

— Si un type ne peut pas te raconter son histoire, tu n'auras jamais la certitude qu'il ne cherche pas à te tuer.

— Et si nous nous contentions de les laisser tranquilles ?

— Nous n'avons pas commencé, Ender, *ils* sont venus à nous. S'ils avaient voulu nous laisser tranquilles, ils auraient pu le faire il y a un siècle, avant la Première Invasion.

— Peut-être ne savaient-ils pas que nous étions une forme de vie intelligente. Peut-être…

— Ender, crois-moi, ça fait plus d'un siècle que cette question alimente les débats. Personne ne connaît la réponse. Au fond, cependant, il n'y a qu'une seule décision possible. Si l'un d'entre nous doit être détruit, faisons tout pour nous assurer que *nous* serons les survivants à la fin. Nos gènes ne nous laisseront de toute façon pas agir autrement. La nature ne laisse jamais évoluer une espèce qui n'a pas de volonté de survivre. On peut toujours élever des gens dans l'idée d'un sacrifice individuel, mais prise dans sa globalité une race ne prendra *jamais* la décision de cesser d'exister. De sorte que, si nous n'arrivons pas à tuer les doryphores jusqu'au dernier, ce sont eux qui le feront.

— À titre personnel, observa Ender, je suis favorable à la survie.

— Je sais, dit Graff. C'est pour ça que tu te trouves ici. »

14

Le professeur d'Ender

« Eh bien, on peut dire que vous avez pris votre temps, Graff. Ce n'est pas un petit voyage, mais les trois mois de vacances me semblent un peu excessifs. »

« Je ne voulais pas vous livrer une marchandise endommagée. »

« Certaines personnes n'ont tout simplement pas le sens de l'urgence. Après tout, il ne s'agit que du sort du monde... Ne faites pas attention à moi. Essayez de comprendre notre impatience. L'ansible nous permet de recevoir ici des rapports réguliers sur la progression de nos vaisseaux. Nous avons à faire face chaque jour à l'imminence de la guerre. Si on peut appeler cela des jours. Ce gosse est tellement *jeune. »*

« Il y a de la grandeur en lui. Une ampleur spirituelle. »

« Ainsi qu'un instinct de tueur, espérons-le. »

« Oui. »

« Nous lui avons préparé un programme d'étude particulier. Entièrement soumis à votre approbation, bien entendu. »

« Je regarderai ça. Je ne prétends pas connaître le sujet en question, Amiral Chamrajnagar. Je ne suis ici que parce que je connais Ender. Vous n'avez donc pas à redouter que je critique après coup l'ordre de votre présentation. Juste son rythme. »

« Qu'est-ce qu'on peut lui dévoiler ? »

« Ne lui faites pas perdre son temps avec la physique du voyage interstellaire. »

« Et l'ansible ? »

« Je lui en ai déjà parlé, ainsi que des flottes. Je lui ai dit qu'elles arriveraient à destination dans cinq ans. »

« Eh bien, ça ne nous laisse pas grand-chose à lui apprendre. »

« Parlez-lui des systèmes d'armes. Il doit les connaître suffisamment bien pour prendre des décisions intelligentes. »

« Ah. Nous sommes utiles à quelque chose en fin de compte, comme c'est gentil de votre part. Nous avons affecté un des cinq simulateurs à son usage exclusif. »

« Et les autres ? »

« Les autres simulateurs ? »

« Les autres enfants. »

« Vous avez été amené ici pour vous occuper d'Ender Wiggin. »

« Simple curiosité. N'oubliez pas qu'ils ont tous été mes élèves à un moment ou un autre. »

« Et maintenant ce sont les miens. On est en train de les initier aux mystères de la flotte, Colonel Graff, auxquels le soldat que vous êtes n'a jamais été introduit. »

« À vous entendre, on dirait un sacerdoce. »

« Et un dieu. Et une religion. Même ceux parmi nous qui commandent par ansible connaissent la majesté du vol parmi les étoiles. Je vois bien que vous trouvez mon mysticisme dégoûtant. Je vous assure que cette répugnance ne fait que révéler votre ignorance. Ender Wiggin ne tardera pas à savoir ce que je sais ; bientôt il dansera une élégante danse fantomatique au fin fond de l'espace, et la grandeur en lui s'en retrouvera libérée, révélée, exposée à l'univers tout entier. Vous avez un cœur de pierre, Colonel Graff, mais je chante aussi bien pour les pierres que pour d'autres chanteurs. Vous pouvez aller vous installer dans vos quartiers. »

« Je n'ai rien apporté à part les vêtements que je porte. »

« Vous ne possédez rien ? »

« On me verse mon salaire sur un compte bloqué quelque part sur Terre. Je n'en ai jamais eu besoin. Sauf pour acheter des vêtements civils pendant mes... vacances. »

« Un non-matérialiste. Et pourtant vous êtes désagréablement gras. Un ascète glouton ? Quel paradoxe. »

« Le stress a tendance à me donner faim. Alors que vous, ça vous fait débiter des ordures. »

« Vous me plaisez, Colonel Graff. Je crois que nous allons nous entendre. »

« Je m'en moque un peu, Amiral Chamrajnagar. Je suis venu ici pour Ender. Aucun de nous n'est venu pour vous. »

Ender détesta Éros dès l'instant où il sortit de la navette. La Terre l'avait mis assez mal à l'aise – les sols y étaient plats –, mais l'astéroïde se révéla pire encore. C'était un rocher plus ou moins en forme de fuseau, d'à peine six kilomètres et demi d'épaisseur à son point le plus étroit. Comme l'intégralité de la surface du planétoïde était affectée à l'absorption de la lumière solaire et à sa transformation en énergie, tout le monde vivait dans les pièces aux murs lisses qui étaient reliées entre elles par les tunnels entrelaçant l'intérieur de l'astéroïde. Ender n'avait aucun problème avec le confinement – ce qui le dérangeait, c'était que tous ces tunnels épousent une pente notablement descendante. Il souffrait de vertiges dès qu'il se déplaçait, surtout dans les couloirs qui ceinturaient la circonférence réduite d'Éros. Sans même parler de la pesanteur, moitié moindre que sur Terre – tout cela lui donnait l'illusion d'être sur le point de tomber presque à chaque instant.

Il y avait aussi quelque chose de perturbant dans les proportions mêmes des pièces – les plafonds étaient trop bas par rapport à leur largeur, les galeries trop étroites. Ces lieux n'avaient rien de confortable.

Le pire de tout, cependant, restait le nombre de gens. Ender se souvenait à peine de la dimension des villes terrestres. L'École de Guerre avait représenté à ses yeux un environnement satisfaisant – il y connaissait tout le monde de vue. Mais ici, dix mille personnes vivaient à l'intérieur de l'astéroïde. Ils ne se marchaient pas dessus, malgré toute la place dévolue aux équipements de vie et autre machinerie. Ce qui troublait Ender, c'était d'être continuellement entouré d'inconnus.

On ne le laissait jamais lier connaissance avec qui que ce soit. Il voyait souvent les autres élèves de l'École de Commandement, mais comme il n'assistait pas régulièrement aux leçons, ceux-ci restaient des visages anonymes. S'il allait de temps en temps écouter une conférence, il recevait d'ordinaire des cours particuliers de divers professeurs, ou parfois d'un autre étudiant qu'il ne revoyait jamais. Il prenait ses repas seul, ou avec le colonel Graff. Son unique loisir se résumait au gymnase, mais il était rare qu'il y rencontre deux fois les mêmes personnes.

Il comprit qu'on l'isolait à nouveau, non pas en amenant ses camarades à le haïr désormais, mais en ne leur donnant aucune occasion de se lier d'amitié avec lui. Il aurait de toute façon difficilement pu se rapprocher de la plupart d'entre eux : à l'exception de lui, tous les élèves étaient entrés dans l'adolescence.

Il se réfugia donc dans ses études, apprenant vite et bien. La navigation spatiale et l'histoire militaire, il les assimila comme de l'eau ; les mathématiques abstraites lui opposèrent davantage de résistance, mais chaque fois qu'on lui confiait un problème impliquant des données spatio-temporelles il constatait que son intuition se montrait plus fiable que ses calculs – il lui arrivait souvent de voir immédiatement une solution qu'il ne parvenait à démontrer qu'après des minutes, voire des heures, de manipulation de chiffres.

Et pour le plaisir il y avait le simulateur, le jeu vidéo le plus parfait auquel il ait jamais joué. Professeurs et élèves le formaient étape par étape à son utilisation. Dans un premier temps, inconscient de la puissance extraordinaire du programme, il l'avait exploré uniquement sur un plan tactique, n'exploitant qu'un chasseur pour trouver son opposant et le détruire au prix d'incessantes manœuvres. Contrôlé par l'ordinateur, son adversaire se montrait sournois, redoutable, et chaque fois qu'Ender tentait une nouvelle tactique il découvrait dans les minutes suivantes que l'intelligence artificielle la retournait contre lui.

Le jeu consistait en un affichage holographique, dans lequel le chasseur d'Ender était représenté par un minuscule point lumineux et l'ennemi par un autre, d'une couleur différente ; tous deux dansaient, tournoyaient et manœuvraient dans un cube d'espace qui devait faire une dizaine de mètres de côté. Les commandes étaient parfaites. Il pouvait faire pivoter la projection dans n'importe quelle direction, ce qui lui permettait de choisir à loisir son angle de vue ; il pouvait déplacer le centre pour rapprocher ou éloigner de lui le duel en cours.

Le jeu gagnait progressivement en complexité, à mesure qu'Ender apprenait à mieux contrôler la vitesse, la trajectoire, l'orientation et les armes de son chasseur. Il pouvait se retrouver confronté à deux adversaires à la fois ; à des obstacles, des débris spatiaux. Il en arriva à devoir se préoccuper de sa consommation de carburant et des limites de son armement ; l'ordinateur lui confiait des tâches de plus en plus précises à accomplir, de sorte qu'il devait éviter toute distraction pour atteindre son but.

Quand il eut maîtrisé le maniement d'un unique chasseur, on lui permit de prendre la tête d'une escadrille de quatre appareils. Il donnait des ordres à leurs pilotes virtuels, et déterminait lui-même la tactique à appliquer au lieu de simplement exécuter les instructions de l'ordinateur ; décidant de l'importance relative de chaque objectif, il dirigeait son escadrille en conséquence. Il pouvait à tout moment s'emparer des commandes d'un des chasseurs pendant une courte période, ce dont il abusa dans un premier temps ; mais ça avait pour conséquence presque systématique de provoquer la destruction des trois autres. Aussi, à mesure que les difficultés augmentaient, consacra-t-il de plus en plus de son temps à la conduite de l'escadrille dans son ensemble. Et il l'emporta de plus en plus souvent.

Au bout d'une année à l'École de Commandement, il maîtrisait chacun des quinze niveaux du simulateur, depuis le contrôle d'un chasseur unique jusqu'à la responsabilité d'une flotte entière. Il avait compris depuis longtemps que le simulateur jouait à l'École de Commandement le même rôle que la salle de combat à l'École de Guerre. Les cours étaient précieux, mais son éducation passait en fait essentiellement par le jeu. Des gens venaient le voir s'exercer de temps à autre. Ils ne parlaient jamais – presque personne ne le faisait, à moins d'avoir quelque leçon spécifique à lui apprendre. Les spectateurs se contentaient de rester là en silence, le regardaient travailler sur une simulation difficile, puis s'en allaient dès qu'il en avait terminé. *Qu'est-ce que vous faites ?* avait-il envie de leur dire. *Vous me jaugez ? Pour voir si vous pouvez me confier la flotte ? Merci de ne pas oublier que je n'ai rien demandé.*

Il découvrit qu'une bonne partie de ce qu'il avait appris à l'École de Guerre pouvait s'appliquer au simulateur. Il le réorientait systématiquement au bout de quelques minutes, le faisant pivoter de manière à ne pas se retrouver piégé dans une simple disposition verticale, à reconsidérer constamment sa position du point de vue ennemi. C'était grisant d'avoir un tel contrôle sur la bataille, d'être en mesure d'en voir tous les aspects.

Mais également frustrant d'avoir aussi peu de latitude, car ces chasseurs virtuels n'étaient pas plus habiles que ce que l'ordinateur les autorisait à être. Ils ne prenaient aucune initiative. N'avaient aucune intelligence. Il se prit à regretter l'absence de ses chefs de cohorte, qui l'auraient déchargé de la supervision de quelques escadrilles.

Au terme de cette première année, il ne perdait plus la moindre bataille, et jouait comme si le simulateur faisait partie intégrante de son corps. Un jour, alors qu'il prenait son repas avec Graff, il lui demanda : « C'est tout ce qu'il a dans le ventre ?

— Comment ça ?

— La façon dont il joue à présent. C'est *facile*, et ça fait un certain temps que la difficulté n'augmente pas.

— Ah. »

Graff ne semblait pas se sentir concerné. Mais Graff n'avait jamais l'air concerné. Tout changea le lendemain. Il s'en alla, et on donna à Ender un nouveau compagnon.

Celui-ci se trouvait dans sa chambre quand Ender se réveilla au matin. C'était un vieil homme, assis par terre en tailleur. Le garçon le regarda, attendant qu'il veuille bien parler. En vain. Ender se leva, alla prendre une douche et s'habiller, se satisfaisant du fait que l'homme garde le silence si tel était son désir. Il avait depuis longtemps compris que lorsque quelque chose d'inhabituel se produisait, quelque chose qui relevait des projets de quelqu'un d'autre que lui, il recueillait toujours davantage d'informations en jouant la patience plutôt qu'en posant des questions. Les adultes perdaient presque toujours la leur avant lui.

L'individu n'avait pas encore ouvert la bouche quand Ender, fin prêt, se dirigea vers la porte pour sortir. Elle demeura close. Il se tourna vers le vieillard assis par terre. Celui-ci semblait avoir une soixantaine d'années, de loin l'homme le plus âgé qu'Ender avait croisé sur Éros. Sa barbe de trois jours rendait son visage à peine moins grisonnant que ses cheveux coupés court. Ses traits étaient légèrement affaissés, ses yeux entourés d'un réseau de rides. Il regardait Ender avec une expression qui ne dénotait que de l'apathie.

Ender se retourna vers la porte et réessaya de l'ouvrir. « Très bien, fit-il, dépité. Pourquoi est-elle fermée ? »

Le vieillard continua de le fixer d'un air absent.

Ainsi donc c'est un jeu, songea Ender. *Eh bien, s'ils veulent que j'aille en cours, ils finiront bien par déverrouiller la porte. Sinon ils ne le feront pas. Je m'en fiche.*

Il n'aimait guère les jeux dont il ne connaissait pas les règles, dont les objectifs n'étaient clairs que pour ses adversaires. Aussi ne comptait-il pas jouer. Ni même se mettre en colère. Appuyé contre la porte, il entama un exercice de relaxation, qui eut tôt fait de le calmer. Le vieillard continuait de le regarder impassiblement.

Cela parut durer des heures, Ender refusant de parler, l'inconnu ayant toutes les apparences d'un muet débile. Le garçon se demandait parfois s'il pouvait s'agir d'un malade mental échappé de quelque hôpital d'Eros, pour accomplir un fantasme dément dans sa propre chambre. Mais plus les minutes s'écoulaient, sans personne pour venir à la porte le délivrer, et plus il acquérait la certitude que c'était là quelque chose de délibéré, destiné à le déconcerter. Ender ne voulut pas laisser la victoire à ce vieillard. Histoire de passer le temps, il entreprit de faire des exercices. Si certains étaient irréalisables sans le matériel du gymnase, d'autres ne posaient aucun problème, spécialement ceux qu'il avait appris pendant ses cours de corps à corps.

Lesdits exercices lui faisaient arpenter la pièce de long en large. Il travaillait les feintes et les coups de pied. Un mouvement le rapprocha du vieillard, comme cela avait déjà pu arriver à plusieurs reprises, mais cette fois l'antique griffe jaillit comme une flèche pour attraper la jambe d'Ender en plein milieu d'un levé. Le garçon décolla de terre et s'effondra lourdement par terre.

Il se releva aussitôt, furieux. Pour trouver le vieillard calmement assis, les jambes croisées, la respiration régulière, comme s'il n'avait jamais bougé. Ender se tenait en position de combat, mais l'immobilité de son adversaire rendait toute attaque impossible. Qu'est-ce qu'on attendait de lui ? Qu'il décoche un coup de pied dans la tête de ce fossile ? Puis qu'il aille expliquer à Graff que c'était ce type qui avait commencé, qu'Ender voulait juste lui rendre la pareille ?

Il reprit ses exercices, sous le regard attentif de l'inconnu.

Épuisé, furieux de cette journée gâchée, prisonnier de sa propre chambre, Ender finit par regagner son lit pour prendre son bureau. Alors qu'il se penchait pour le récupérer, il sentit une main s'immiscer brutalement entre ses cuisses et une autre le saisir par les cheveux. Un instant suffit pour qu'il se retrouve la tête en bas. Les genoux du vieillard pressaient son visage et ses épaules contre le sol, tandis que ses bras lui pliaient atrocement le dos en lui tenant les jambes. Ender n'avait aucun moyen d'utiliser ses propres bras, et son dos bloqué ne lui donnait aucune marge de manœuvre pour faire usage de ses jambes. En moins de deux secondes, le patriarche avait totalement vaincu Ender Wiggin.

« D'accord, souffla Ender. Vous avez gagné. »

Le genou de l'homme s'enfonça un peu plus. « Depuis quand, lui demanda-t-il de sa douce voix rauque, doit-on prévenir l'ennemi qu'il a gagné ? »

Ender demeura silencieux.

« Je t'ai surpris une fois, Ender Wiggin. Pourquoi ne pas m'avoir tué tout de suite après ? Uniquement parce que j'avais l'air pacifique ? Tu m'as tourné le dos. Stupide. Tu n'as rien appris. Tu n'as jamais eu de professeur. »

Ender ne fit aucun effort pour contrôler ou même dissimuler la colère qui venait de s'emparer de lui. « J'ai eu beaucoup trop de professeurs, comment étais-je censé savoir que vous alliez vous transformer en...

— En ennemi, Ender Wiggin, murmura le vieillard. Je suis ton ennemi, le premier auquel tu dois faire face qui soit plus intelligent que toi. Il n'est d'autre professeur que l'ennemi. Seul l'ennemi te dira ce qu'il compte faire. Seul l'ennemi va t'apprendre comment détruire et conquérir. Seul l'ennemi te montrera là où sont tes faiblesses. Seul l'ennemi te dira quels sont *ses* points forts. Et les règles du jeu se résument à ce que tu peux lui faire et à ce que tu peux l'empêcher de te faire. Je suis ton ennemi à partir de maintenant. Ton professeur. »

Puis le vieillard relâcha les jambes du garçon. Parce qu'il appuyait encore la tête d'Ender contre le sol, le garçon ne pouvait les utiliser pour compenser, aussi touchèrent-elles le plancher avec un craquement sonore – à la hauteur de la douleur qu'il ressentit alors. Puis l'inconnu se redressa, laissant Ender en faire de même.

Le jeune Wiggin ramena lentement ses jambes sous son corps avec un léger grognement. Il resta un moment à quatre pattes pour récupérer, puis son bras jaillit en direction de son ennemi. Qui sautilla promptement en arrière, de sorte que la main d'Ender se referma sur du vide. Le pied de son professeur en profita pour s'abattre vers son menton.

Mais son menton n'était plus là. Ender était allongé sur le dos, en train de tourner sur lui-même. Mettant à profit le déséquilibre de son adversaire, il décocha un coup de pied dans sa jambe d'appui. Le vieil homme tomba lourdement – mais suffisamment près pour se débattre et frapper Ender au visage. Le garçon ne parvenait pas à trouver un bras ou une jambe assez longtemps immobiles pour qu'il puisse s'en saisir, et pendant ce temps un déluge de coups s'abattait sur ses côtes et ses bras. Il était plus petit – ce qui l'empêchait de pénétrer la garde de son adversaire. Il finit néanmoins par réussir à se dégager, pour se traîner jusqu'à la porte.

Le vieillard avait repris sa position en tailleur, mais toute apathie l'avait quitté. Il souriait. « Tu progresses, mon garçon. Mais ça reste lent. Tu vas devoir faire mieux avec une flotte qu'avec ton corps, sans quoi personne ne sera en sécurité sous ton commandement. Leçon comprise ? »

Ender hocha lentement la tête. Son corps entier le faisait souffrir.

« Bien, fit l'inconnu. Ça nous épargnera un nouveau combat de ce genre. Tout le reste passera par le simulateur. C'est *moi* qui vais programmer tes batailles désormais, pas l'ordinateur ; je concevrai la stratégie de ton ennemi, et tu vas apprendre à détecter promptement les pièges qu'il te tend. N'oublie pas, mon garçon. À partir de maintenant, l'ennemi sera plus fort que toi. Et tu seras toujours sur le point de perdre. »

Le visage du vieillard redevint grave. « Tu seras sur le point de perdre, Ender, mais tu l'emporteras. Tu vas apprendre à vaincre l'ennemi. Il t'enseignera comment. »

Le professeur se leva. « La tradition de cette école veut qu'un jeune élève soit choisi par un de ses aînés. Tous deux deviennent des compagnons, et le plus âgé enseigne tout ce qu'il sait au plus jeune. Ils n'arrêtent pas de se battre, de rivaliser, ils passent tout leur temps ensemble. Je t'ai choisi. » Puis il marcha vers la porte.

« Vous êtes trop vieux pour être un élève.

— On ne l'est jamais trop pour être l'élève de l'ennemi. Ce sont les doryphores qui me l'ont appris. Et je compte bien te le transmettre. »

Tandis que le vieillard posait la paume sur la porte pour l'ouvrir, Ender bondit dans les airs et le frappa des deux pieds au niveau des reins. Suffisamment fort pour qu'il retombe sur ses pieds, alors même que sa victime s'écroulait au sol en poussant un cri de douleur.

L'homme se redressa lentement en s'aidant de la poignée de porte, ses traits déformés par la souffrance. Il semblait hors de combat, mais Ender ne lui faisait pas confiance. Et pourtant, malgré cela, la rapidité de son adversaire le prit par surprise. En un instant, il se retrouva par terre de l'autre côté de la pièce, le nez et la lèvre en sang là où son visage avait heurté le lit. Il parvint à se tourner suffisamment pour voir le vieil homme dans l'embrasure de la porte, occupé à se tenir le dos en grimaçant. Pour mieux lui adresser un large sourire.

Qu'Ender lui rendit aussitôt. « Professeur, fit-il. Vous avez un nom ?

— Mazer Rackham », répondit le vieillard. Puis il s'en fut.

À partir de là, Ender passa son temps seul ou avec Mazer Rackham. Celui-ci n'ouvrait pas souvent la bouche, mais il n'était jamais loin ; aux repas, lors des travaux dirigés, au simulateur, dans sa chambre après les cours. Les rares fois où Mazer le laissait, la porte de sa chambre était fermée à clé et personne ne venait le voir avant le retour de son professeur. Ender passa toute une semaine à l'appeler Rackham le Geôlier. Mazer répondait à ce nom aussi volontiers que si ç'avait été le sien, et ne montrait pas le moindre signe d'agacement à ce sujet. Ender eut tôt fait d'abandonner.

Il y avait des compensations. Mazer lui fit visionner les vidéos des vieilles batailles de la Première Invasion, et des défaites désastreuses de la F.I. pendant la Deuxième. Il ne s'agissait pas d'extraits des vidéos publiques censurées – celles-ci étaient complètes, sans coupures. Les batailles majeures faisant l'objet de plusieurs filmages, ils purent étudier la tactique et la stratégie des doryphores sous de multiples angles. Pour la première fois de sa vie, Ender expérimentait le fait d'avoir un professeur qui lui montre des choses qu'il n'avait pas déjà lui-même vues. Pour la première fois, Ender croisait un esprit *vivant* qu'il pouvait admirer.

« Pourquoi n'êtes-vous pas mort ? Votre bataille date de soixante-dix ans. Je ne suis même pas sûr que vous en ayez soixante.

— Le miracle de la relativité, répondit Mazer. Ils m'ont gardé ici pendant vingt ans après la bataille, alors que je les suppliais de me laisser commander un des vaisseaux spatiaux qu'ils lançaient contre les planètes des doryphores. Puis ils ont… commencé à expérimenter de quelle manière un soldat peut parfois réagir face au stress du combat.

— À savoir ?

— On ne t'a pas enseigné suffisamment de psychologie pour que tu puisses comprendre. Tu devras te contenter de ça : ils ont fini par comprendre que, même s'il m'aurait été impossible de commander la flotte – je serais mort bien avant son arrivée –, j'étais la seule personne capable d'exploiter ce que je comprenais des doryphores. Que j'étais la seule personne à être jamais parvenue à les vaincre par l'intelligence plutôt que par la chance. Ils avaient besoin de moi ici pour… former la personne qui *allait* commander la flotte.

— Donc ils vous ont fait partir dans un vaisseau spatial et vous ont fait atteindre une vitesse relativiste…

— Et puis j'ai fait demi-tour jusqu'ici. Un voyage fort ennuyeux, Ender. Cinquante ans dans l'espace. Il ne s'est en principe écoulé que huit années pour moi, mais ça m'a donné l'impression de durer cinq siècles. Tout ça pour que je puisse apprendre tout ce que je sais au commandant suivant.

— Moi ?

— Disons que tu es notre meilleure chance actuellement.

— Y en a-t-il d'autres en formation ?

— Non.

— Ça fait donc de moi le seul choix possible, non ? »

Mazer haussa les épaules.

« À part vous. Vous êtes toujours en vie, non ? Pourquoi pas vous ? »

Le vieillard secoua la tête.

« Pourquoi pas ? Vous avez déjà fait vos preuves.

— Il y a des raisons tout à fait pertinentes qui m'empêchent de commander la flotte.

— Montrez-moi comment vous avez vaincu les doryphores, Mazer. »

Le visage de Mazer devint impénétrable.

« Vous m'avez montré chaque autre bataille au moins sept fois. Je crois avoir trouvé des moyens de contrer ce que les doryphores faisaient avant, mais vous ne m'avez jamais montré comment *vous* les avez battus.

— La vidéo est classifiée, Ender.

— Je sais. Je l'ai reconstituée, du moins en partie. Vous, avec votre minuscule unité de réserve, eux avec leur armada d'énormes vaisseaux spatiaux ventripotents, en train de lancer leurs essaims de chasseurs. Vous fondez sur un vaisseau, vous lui tirez dessus, une explosion. C'est toujours là que l'extrait s'arrête. Ensuite, ça passe directement à nos soldats qui pénètrent dans leurs vaisseaux et les y trouvent morts. »

Mazer eut un large sourire. « Tant pis pour les secrets classifiés. Suis-moi, allons voir la vidéo. »

Ils étaient seuls dans la salle vidéo. Ender posa sa paume sur le mécanisme de fermeture de la porte. « Très bien, regardons. »

La vidéo dévoilait exactement ce qu'il avait reconstitué. Le plongeon suicidaire de Mazer au cœur de la formation ennemie, l'unique explosion, et puis…

Rien. Le vaisseau de Mazer continuait sur sa lancée, esquivait l'onde de choc et se frayait un chemin parmi ses opposants. Qui ne lui tirèrent pas dessus, pas plus qu'ils ne changèrent de trajectoire. Deux d'entre eux entrèrent en collision et se désintégrèrent – une perte inutile, que les deux pilotes auraient pu éviter. Or aucun des deux n'avait fait le moindre mouvement.

Mazer mit le film en avance rapide. « Nous avons attendu trois heures, dit-il. Personne n'arrivait à y croire. » Puis les vaisseaux de la F.I. commencèrent à s'approcher des engins ennemis, les Marines à procéder aux opérations de découpage et d'abordage. Les vidéos montrèrent alors les doryphores déjà morts à leurs postes.

« Tu vois, fit Mazer, tu savais déjà tout ce qu'il y avait à savoir.

— Qu'est-ce qui s'est passé ?

— Personne ne le sait. J'ai mon propre avis sur la question. Mais quantité de scientifiques m'estiment moins que qualifié pour avoir des opinions.

— C'est vous qui avez gagné la bataille.

— Je pensais moi aussi que ça me qualifiait pour en parler, mais tu sais comment ça fonctionne. Xénobiologistes et xénopsychologues n'accepteront jamais l'idée qu'un pilote spatial puisse leur couper l'herbe sous le pied avec une simple hypothèse. Je crois qu'ils me détestent tous, parce qu'après avoir vu ces vidéos ils ont été contraints de passer le reste de leur existence ici, sur Éros. La sécurité, tu comprends. Ils n'ont pas apprécié.

— Je vous écoute.

— Les doryphores ne parlent pas. Ils communiquent par télépathie instantanée, un peu comme l'effet philotique. Ou l'ansible. Mais la plupart des gens voient encore cela comme une communication contrôlée, comme un langage – je te transmets une pensée, à laquelle tu me réponds. Personnellement, je n'y ai jamais cru. La façon dont ils réagissent tous ensemble est trop… *immédiate*. Tu as vu les vidéos. Ils ne perdent pas de temps à converser pour choisir parmi plusieurs solutions possibles. Chaque vaisseau agit comme un élément d'un organisme unique. Il répond exactement comme le fait ton corps pendant un combat – différentes parties accomplissant automatiquement, sans réfléchir, ce qu'elles sont censées accomplir. Il ne s'agit pas de conversations mentales entre des gens ayant des processus de pensée différents. *Toutes* leurs pensées sont présentes, ensemble, en même temps.

— Une seule personne, et chaque doryphore agissant comme une main ou un pied ?

— Oui. Je n'ai pas été le premier à le suggérer, mais j'ai été le premier à le croire. Ce n'est pas tout, cependant. Une chose tellement infantile, si stupide que les xénobiologistes m'ont ri au nez quand je leur en ai parlé après la bataille. Les doryphores sont des *insectes*. Ils sont comme des fourmis, ou des abeilles. Une reine, des ouvrières. Ça s'est peut-être produit il y a cent millions d'années, mais c'est avec ce type d'organisation qu'ils ont commencé. Il ne fait aucun doute que les doryphores que *nous* avons vus étaient proprement incapables d'engendrer une quelconque descendance. Pourquoi n'auraient-ils pas conservé leur reine quand ils ont développé cette aptitude à penser ensemble ? Pourquoi ne serait-elle pas restée au cœur du groupe ? Qu'est-ce qui aurait bien pu les pousser à changer ça ?

— Donc c'est la reine qui contrôle l'intégralité du groupe.

— Et j'en avais la preuve. Mais pas une preuve que quiconque puisse *voir*. Elle n'a pas accompagné la Première Invasion, parce qu'il s'agissait d'une simple mission d'exploration. Mais la Deuxième était une colonie. Pour fonder une nouvelle ruche, ou ce qui en tient lieu pour eux.

— Et donc ils ont amené une reine.

— Les vidéos de la Deuxième Invasion, quand ils détruisaient nos flottes dans la barrière de comètes. (Il ouvrit le fichier idoine, puis commença à afficher les schémas d'organisation des doryphores.) Montre-moi le vaisseau de la reine. »

C'était subtil. Ender mit un long moment à le voir. Les vaisseaux des doryphores n'arrêtaient pas de se déplacer, aucun ne restait immobile. Pas de vaisseau amiral flagrant, aucun centre nerveux apparent. Mais peu à peu, à mesure que Mazer passait encore et encore les images, Ender commença à percevoir que toutes les manœuvres se concentraient sur un même point central, ou bien partaient de lui. Ledit point ne cessait de se mouvoir, mais à force d'attention il devenait évident que le regard de la flotte, le *moi* de la flotte, la perspective depuis laquelle toutes les décisions étaient prises, était un vaisseau précis. Ender l'indiqua à Mazer.

« Tu le vois. Je le vois. Ça fait deux personnes sur toutes celles qui ont vu cette vidéo. Mais c'est évident, n'est-ce pas ?

— Ils font bouger ce vaisseau comme n'importe quel autre.

— Ils savent que c'est leur point faible.

— Mais vous avez raison. C'est bien la reine. Ce que je ne comprends pas, c'est que lorsque vous avez foncé sur elle, ils auraient aussitôt dû concentrer toute leur puissance de feu sur vous. Ils auraient pu vous rayer du ciel.

— Je sais. Je ne comprends pas non plus. Non pas qu'ils n'aient rien tenté pour m'arrêter – ils me tiraient dessus. Mais c'est comme s'ils n'avaient pas vraiment cru, jusqu'à ce qu'il soit trop tard, que j'allais *vraiment* tuer la reine. Peut-être que chez eux, les reines ne sont jamais tuées, juste capturées. J'ai fait quelque chose qu'ils n'auraient jamais imaginé un ennemi capable de faire.

— Et quand elle est morte, tous les autres ont fait de même.

— Non, ils sont juste devenus stupides. Les doryphores étaient toujours vivants dans les premiers vaisseaux que nous avons pris à l'abordage. *Physiquement*. Mais ils ne bougeaient pas, ils ne réagissaient à aucun stimulus, même quand nos scientifiques en ont vivisecté certains pour voir si nous pouvions en apprendre un peu plus sur eux. Ils ont tous fini par mourir. Plus de volonté. Il ne reste plus rien dans ces petits corps après la mort de la reine.

— Pourquoi ne vous croient-ils pas ?

— Parce que nous n'avons pas trouvé de reine.

— Elle a été réduite en poussière.

— Fortune des armes. La biologie passe après la survie. Mais certains d'entre eux *commencent* à partager mon point de vue. On ne peut pas vivre ici sans que les preuves nous sautent aux yeux.

— Éros ?

— Regarde autour de toi, Ender. Ce ne sont pas des êtres humains qui ont construit cet endroit. Déjà, nous préférons des plafonds plus hauts. Nous nous trouvons ici dans le poste avancé des doryphores pendant la Première Invasion. Ils l'ont creusé avant même que nous ne soyons au courant de leur existence. Nous vivons dans une ruche doryphore. Mais nous avons déjà payé le loyer. Les Marines ont perdu un millier hommes pour les évacuer de ces rayons, une pièce après l'autre. Les doryphores ont disputé chaque mètre de cet endroit. »

Ender comprenait à présent l'impression d'étrangeté que produisaient les pièces sur lui. « Je savais qu'il y avait quelque chose d'*étranger* ici.

— C'est un vrai trésor. Ils ne l'auraient sans doute jamais construit s'ils avaient pu imaginer que nous gagnerions la première guerre. Nous avons appris à manipuler la gravité parce qu'ils l'ont augmentée ici. Nous avons appris à utiliser efficacement l'énergie stellaire parce qu'ils ont obscurci cette planète. C'est d'ailleurs comme ça que nous *les* avons découverts. Éros a progressivement disparu des télescopes sur une période de trois jours. Nous avons envoyé un remorqueur découvrir pourquoi. Ce qu'il a fait. Il nous a transmis des vidéos, dont celle où on voyait les doryphores l'aborder et massacrer son équipage. Et il a continué à émettre pendant que les doryphores examinaient le navire de fond en comble. L'émission n'a pas cessé avant qu'ils ne l'aient totalement démantelé. Un problème d'aveuglement – ils n'avaient jamais eu à transmettre quoi que ce soit par le biais des machines, de sorte qu'une fois l'équipage mort il ne leur est pas venu à l'esprit que quelqu'un pouvait regarder.

— Pourquoi ont-ils tué l'équipage ?

— Pourquoi ne l'auraient-ils pas fait ? Pour eux, perdre quelques hommes d'équipage ne les dérange pas plus que toi de te couper les ongles. Pas de quoi s'émouvoir. Ils ont probablement cru couper nos communications en supprimant ceux qui faisaient fonctionner le remorqueur – en les prenant sans doute pour l'équivalent de leurs ouvrières. Ils n'assassinaient pas des êtres vivants conscients, avec un avenir génétique indépendant. Ce genre de meurtre ne leur pose guère de problèmes. Seule la destruction d'une reine en est vraiment un à leurs yeux, parce que c'est la seule chose qui puisse interrompre une voie d'évolution génétique donnée.

— Ils ne savaient donc pas ce qu'ils faisaient.

— Ne commence pas à leur chercher des excuses, Ender. Le simple fait qu'ils ignoraient tuer des êtres humains ne signifie pas qu'ils n'en tuaient pas. Nous *avons* le droit de nous défendre de notre mieux, et la seule manière efficace que nous ayons trouvée pour ça est de tuer les doryphores avant qu'ils ne nous tuent. Vois les choses comme ça. Dans toutes les guerres qui nous ont opposés à eux jusqu'ici, ils ont tué des milliers et des milliers d'êtres humains vivants intelligents. Alors que nous, au cours de ces mêmes guerres, nous n'en avons tué qu'un.

— Si vous n'aviez pas tué la reine, Mazer, aurions-nous perdu la guerre ?

— Je dirais que nos chances de l'emporter étaient de deux sur cinq. Je persiste à penser que j'aurais pu sérieusement amocher leur flotte avant qu'ils ne nous fassent sauter. Ils ont un temps de réponse assez incroyable, ainsi qu'une énorme puissance de feu, mais nous ne sommes nous-mêmes pas tout à fait impuissants. Le moindre de nos vaisseaux contient un être humain intelligent, capable de réfléchir par lui-même. Chacun d'entre nous est potentiellement capable de proposer une solution brillante à un problème. Eux ne peuvent en suggérer qu'une seule à la fois. Les doryphores réfléchissent vite, mais ils sont loin d'être tous intelligents. Alors que de *notre* côté, même quand des commandants incroyablement timorés ou stupides ont perdu les batailles majeures de la Deuxième Invasion, certains de leurs subordonnés sont parvenus à infliger de lourdes pertes à la flotte doryphore.

— Et quand notre flotte les atteindra ? On va se contenter de tuer à nouveau la reine ?

— Ce n'est pas en étant stupides que les doryphores ont appris à voyager dans l'espace. C'était une stratégie qui ne pouvait marcher qu'une seule fois. Je serais fort étonné qu'on puisse de nouveau approcher d'une reine à moins d'atteindre leur planète d'origine. Après tout, la reine n'a pas besoin de se trouver *avec* eux pour conduire une bataille. Sa présence n'est nécessaire que pour mettre au monde des bébés doryphores. La Deuxième Invasion était une colonie – la reine venait peupler la Terre. Mais cette fois… non, ça ne marchera pas. Il va falloir combattre flotte contre flotte. Et, vu qu'ils ont les ressources d'une douzaine de systèmes solaires à leur disposition, je suppute qu'ils seront nettement plus nombreux que nous, dans chaque combat. »

Ender se souvint aussitôt de la bataille qu'il avait livrée contre deux armées. *Et moi qui croyais qu'ils trichaient. Ce sera toujours comme ça quand la vraie guerre débutera. Et je n'aurai pas de porte pour m'échapper.*

« Il n'y a que deux choses en notre faveur, Ender. Nous n'avons pas à viser particulièrement bien. Nos armes ont une grande portée.

— Nous n'allons pas utiliser de missiles nucléaires, comme pendant les deux Invasions ?

— Le Docteur Méca est beaucoup plus puissant. Après tout, les armes nucléaires étaient suffisamment faibles pour être utilisées sur Terre à une époque. Ça serait impossible avec le Petit Docteur, sur quelque planète que ce soit. J'aurais quand même aimé en avoir un pendant la Deuxième Invasion.

— Comment fonctionne-t-il ?

— Je ne sais pas, pas assez bien pour en construire un en tout cas. Au foyer de deux rayons, il produit un champ qui fait perdre leur cohésion aux molécules. Ça rend impossible tout partage d'électrons. Quel est ton niveau en physique, sur ce sujet ?

— Nous avons passé l'essentiel de notre temps sur l'astrophysique, mais j'en sais assez pour saisir l'idée.

— Ce champ se dilate en forme de sphère, mais il s'affaiblit dans le processus. Sauf quand il entre en contact avec une concentration de molécules – ça lui redonne de la force et le cycle repart de zéro. Plus le vaisseau est gros, plus le nouveau champ est puissant.

— Donc chaque fois qu'il touche un vaisseau, il produit une nouvelle sphère…

— Et si les vaisseaux sont trop proches les uns des autres, ça peut déclencher une réaction en chaîne susceptible de tous les détruire. Puis le champ s'atténue, les molécules se réassemblent, et là où tu avais un vaisseau tu te retrouves avec une masse de poussière fortement chargée en molécules de fer. Pas de radioactivité, pas de saletés. Juste de la poussière. Nous serons peut-être capables de les piéger en groupe lors de la première bataille, mais ils apprennent vite. Ils garderont leurs distances ensuite.

— Alors, le Docteur Méca n'est pas un missile – je ne peux pas tirer dans les coins avec.

— Parfaitement. Les missiles n'auraient plus la moindre utilité à présent. Nous avons beaucoup appris de la Première Invasion, mais l'inverse est également vrai – les doryphores savent à présent dresser un Bouclier Extatique, par exemple.

— Le Petit Docteur peut le traverser ?

— Comme s'il n'existait pas. On ne peut pas *voir* à travers le bouclier pour diriger les rayons, mais comme son générateur se trouve toujours exactement en son centre, ce n'est pas très difficile de deviner sa position.

— Pourquoi n'ai-je jamais été entraîné à ça ?

— Tu n'as pas cessé de l'être. Mais l'ordinateur est censé s'en occuper pour toi. Ta tâche consiste à effectuer une analyse stratégique globale et à choisir un objectif. Les ordinateurs de bord sont bien meilleurs que toi pour pointer le Docteur.

— Pourquoi le surnomme-t-on Docteur Méca ?

— Lors de son développement, on l'appelait Dispositif de Réduction Mécanique. »

Ender ne comprenait toujours pas.

« D.R. Mécanique. Ça a donné Docteur Méca. Une plaisanterie, en quelque sorte. » Qui persistait à échapper à Ender.

Ils avaient changé le simulateur. Ender pouvait encore contrôler la perspective et la qualité des détails, mais les commandes du vaisseau avaient disparu, pour être remplacées par un nouvel ensemble de leviers auxquels s'ajoutait un casque muni d'écouteurs et d'un petit micro.

Le technicien en faction devant lui expliqua rapidement comment mettre le casque.

« Mais comment est-ce que je fais pour contrôler les vaisseaux ? » s'enquit Ender.

Mazer le lui précisa. Il n'allait plus *contrôler* de vaisseaux. « Tu as atteint la phase suivante de ton entraînement. Tu as expérimenté chaque domaine stratégique indépendamment, et il est temps pour toi de te concentrer sur le commandement de l'ensemble d'une flotte. Tout comme tu travaillais avec des chefs de cohorte en salle de combat, tu vas désormais œuvrer avec des chefs d'escadrille. On t'en a assigné trente-six à former. Tu dois leur apprendre des tactiques intelligentes ; tu dois leur enseigner leurs forces et leurs limites ; tu dois faire d'eux un groupe.

— Quand arriveront-ils ici ?

— Ils sont déjà en place dans leurs propres simulateurs. Tu communiqueras avec eux par transmission radio. Tes nouvelles commandes te permettent de partager le point de vue de n'importe lequel de tes chefs d'escadrille. Ça reproduit plus précisément les situations que tu risques de devoir affronter dans une vraie bataille, où tu n'auras que tes vaisseaux pour te servir d'yeux.

— Et comment puis-je travailler avec des chefs d'escadrille que je ne vois jamais ?

— Et pourquoi aurais-tu besoin de les voir ?

— Pour savoir qui ils sont, comment ils réfléchissent…

— La façon dont ils travaillent avec le simulateur t'apprendra tout ce que tu as besoin de savoir sur eux. Mais ça ne devrait pas te poser de problèmes, si tu veux mon avis. Ils t'écoutent en ce moment même. Mets ton casque pour les entendre. »

Ender s'exécuta.

« *Salaam*, murmura quelqu'un dans ses oreilles.

— Alai !

— Et moi, le nain.

— Bean. »

Et Petra et Dink ; Crazy Tom, Shen, Hot Soup, Fly Molo, tous les meilleurs élèves avec ou contre qui Ender s'était battu, tous ceux à qui Ender avait fait confiance à l'École de Guerre. « J'ignorais que vous étiez ici, leur dit-il. Je ne savais pas que vous alliez venir.

— Ça fait trois mois qu'ils nous tuent au travail sur le simulateur, expliqua Dink.

— Et je suis de loin la meilleure en tactique, fit Petra. Dink fait de son mieux, mais il a encore l'esprit d'un enfant. »

Ils commencèrent donc à travailler de concert, chaque chef d'escadrille commandant ses pilotes, et Ender à la tête de l'ensemble. Plus le simulateur les confrontait à des situations variables, et plus ils apprenaient de manières d'œuvrer conjointement. Il leur confiait parfois de larges flottes à gérer, qu'Ender répartissait alors en trois ou quatre escadres elles-mêmes composées d'autant d'escadrilles. Parfois il ne leur laissait qu'un unique vaisseau spatial, et le jeune Wiggin choisissait alors trois chefs d'escadrille avec quatre chasseurs chacun.

C'était plaisant ; c'était un jeu. L'ennemi virtuel n'était guère brillant, et ils finissaient toujours par l'emporter en dépit de leurs erreurs et autres malentendus. Mais, au bout de trois semaines d'entraînement commun, Ender en vint à très bien les connaître. Dink, qui exécutait adroitement les ordres mais n'était guère prompt à improviser ; Bean, qui n'arrivait pas à contrôler efficacement des groupes importants de vaisseaux, mais pouvait en manipuler quelques-uns à la manière d'un scalpel et réagissait admirablement à tout ce que l'ordinateur lui envoyait ; Alai, qui était presque aussi bon stratège qu'Ender, qui lui aurait confié les yeux fermés la moitié d'une flotte avec seulement de vagues recommandations.

Mieux Ender les connaissait, plus vite il pouvait les déployer, mieux il parvenait à les utiliser. Le simulateur affichait la situation sur l'écran. Le jeune Wiggin découvrait alors pour la première fois en quoi allait consister sa flotte et de quelle manière celle de l'ennemi était déployée. Ça ne lui prenait dès lors que quelques minutes pour appeler les chefs d'escadrille dont il avait besoin, les affecter à certains vaisseaux ou groupes de vaisseaux, puis leur donner leurs instructions. Ensuite, à mesure que la bataille progressait, il passait d'un point de vue à l'autre, faisant des suggestions à ses chefs d'escadrille, les gratifiant occasionnellement d'un ordre quand cela se révélait nécessaire. Comme ses subordonnés ne percevaient l'affrontement que de leur seule perspective, il lui arrivait de leur intimer de faire quelque chose qui n'avait aucun sens pour eux ; mais eux aussi apprirent à lui faire confiance. S'il leur demandait de se replier, ils se repliaient, car soit ils se savaient alors exposés, soit leur repli aurait pour conséquence de mettre l'ennemi en mauvaise posture. Ils savaient également qu'Ender se fiait à eux pour prendre les bonnes décisions lorsqu'il ne leur donnait pas d'ordres. Si leur style de combat ne convenait pas à la situation dans laquelle ils se retrouvaient, Ender ne les aurait pas choisis pour cette mission.

La confiance était totale, le fonctionnement de la flotte prompt et réactif. Au bout de trois semaines, Mazer lui repassa leur bataille la plus récente, mais du point de vue de l'ennemi cette fois.

« Voilà ce qu'il a vu pendant que vous attaquiez. Qu'est-ce que cela te rappelle ? La vitesse de réaction, par exemple ?

— On ressemble à une flotte de doryphores.

— Tu les égales, Ender. Tu es aussi rapide qu'eux. Et ici – regarde ça. »

Ender regarda toutes ses escadrilles se mouvoir en même temps, chacune réagissant à sa propre situation, répondant toutes globalement à ses ordres mais se montrant audacieuses, capables d'improvisations, de feintes, d'attaquer avec une indépendance dont aucune flotte doryphore n'avait jamais fait preuve.

« L'esprit de ruche des doryphores est très efficace, mais il ne peut se concentrer que sur quelques questions à la fois. Alors que toutes tes escadrilles peuvent se concentrer *intelligemment* sur ce qu'elles sont en train de faire, avec des missions à accomplir elles aussi issues d'un esprit intelligent. Tu vois, tu n'es pas totalement sans ressources. Un armement supérieur, mais pas irrésistible ; une rapidité comparable et davantage d'intelligence à ta disposition. Voilà tes avantages. Ton désavantage, c'est qu'ils te surpasseront toujours, *toujours* en nombre, et que chaque bataille leur en apprendra un peu plus sur toi, sur ta manière de te battre. Et qu'ils mettront immédiatement ces changements en application. »

Le jeune Wiggin attendait sa conclusion.

« Et à présent, Ender, nous allons commencer ta formation. Nous avons programmé l'ordinateur pour qu'il simule le genre de situations qui risquent à notre sens de se produire face à l'ennemi. Nous utilisons les schémas de déplacement qu'ils ont utilisés lors de la Deuxième Invasion. Mais plutôt que de les suivre bêtement, c'est moi qui contrôlerai les avatars des doryphores. Dans un premier temps, tu verras des situations dont tu ne devrais pas avoir de mal à venir à bout, du moins l'espérons-nous. Tire toutes les conséquences possibles de ces expériences, parce que je serai toujours dans le coin, avec un pas d'avance sur toi, en train d'abreuver l'ordinateur de schémas toujours plus difficiles, plus sophistiqués, de sorte que la bataille suivante soit plus difficile, que tu sois poussé jusqu'aux limites de tes capacités.

— Et au-delà ?

— Le temps nous est compté. Tu dois apprendre aussi vite que possible. Ma femme et mes enfants sont tous morts pendant que je me trouvais dans l'espace, dans l'unique but d'être encore en vie quand tu apparaîtrais. Et mes petits-enfants avaient le même âge que moi à mon retour. Je n'avais rien à leur dire. J'avais été coupé de tous les gens que j'aimais, de tout ce que je connaissais, contraint de vivre dans cette catacombe extraterrestre sans rien pouvoir faire d'important sinon former un élève après l'autre, tous si prometteurs, tous si décevants en fin de compte. Je m'évertue à enseigner, mais personne n'apprend jamais rien. Toi aussi tu es très prometteur, Ender, comme tant de tes prédécesseurs, mais la graine de l'échec pousse peut-être également déjà en toi. C'est mon boulot de la trouver, de te détruire si j'en ai l'occasion – et, crois-moi, si tu peux être détruit je le ferai.

— Donc je ne suis pas le premier.

— Non, bien sûr que non. Mais tu es le dernier. Nous n'aurons pas le temps de te trouver un remplaçant si tu n'y arrives pas. Aussi ai-je foi en toi, ne serait-ce que parce que tu es notre dernier espoir.

— Et les autres ? Mes chefs d'escadrille ?

— Lequel d'entre eux serait capable de te remplacer ?

— Alai.

— Sois honnête. »

Ender ne sut que lui répondre.

« Je ne suis pas un homme heureux, Ender. Et l'Humanité ne nous demande pas de l'être. Elle nous demande simplement de mettre notre intelligence à son service. D'abord la survie, puis le bonheur si nous réussissons. J'ose donc espérer que tu ne m'incommoderas pas avec des jérémiades pendant ton entraînement, comme quoi tu ne t'amuserais pas. Fais-toi plaisir autant que tu le peux entre deux séances, mais travailler est ta priorité, *apprendre* est ta priorité, seul compte le fait de l'emporter parce que sans ça il n'y aura plus rien. Quand tu pourras me rendre feu mon épouse, Ender, alors tu pourras te plaindre auprès de moi de ce que cette formation t'a coûté.

— Je n'essayais pas de me défiler.

— Mais tu *vas* essayer, Ender. Parce que je vais te réduire en poussière si j'en ai l'occasion. Je vais te frapper avec tout ce que tu peux imaginer, et n'attends pas la moindre pitié de ma part car quand tu seras face aux doryphores ils penseront à des choses que je ne *peux pas* imaginer. Toute compassion pour les êtres humains leur est impossible.

— Vous n'arriverez pas à m'écraser, Mazer.

— Oh, vraiment ?

— Parce que je suis plus fort que vous. »

Mazer sourit. « Nous verrons ça, Ender. »

Mazer vint le réveiller au petit matin ; la pendule indiquait 0340, et Ender se sentait groggy en arpentant le couloir derrière son professeur. « Se coucher tôt, se lever tôt, chantonnait ce dernier, rend un homme stupide et aveugle. »

Il avait rêvé que les doryphores le disséquaient. Sauf qu'au lieu de découper son corps ils taillaient en pièces ses souvenirs, les exposaient comme des hologrammes et tentaient de leur donner un sens. C'était un rêve très étrange, dont Ender avait bien du mal à se débarrasser, même quand il arpentait les tunnels menant à la salle du simulateur. Les doryphores le tourmentaient dans son sommeil, et Mazer prenait le relais dès qu'il ouvrait les yeux. L'un dans l'autre, il n'avait aucun repos. Mazer avait apparemment été sérieux en lui parlant de son intention de le briser – et le forcer à jouer fatigué, à moitié endormi était exactement le genre de tour minable et bon marché auquel Ender aurait dû s'attendre. Eh bien, ça ne marcherait pas en ce jour.

Une fois devant le simulateur, il découvrit que ses chefs d'escadrille étaient déjà connectés, à l'affût de ses ordres. L'ennemi n'ayant pas encore fait son apparition, il les divisa en deux armées et les lança dans une bataille factice, commandant les deux camps afin de pouvoir contrôler le test que chacun de ses chefs allait passer. Ils commencèrent lentement ; pour bientôt retrouver toute leur vigilance.

Puis le champ du simulateur s'effaça, les vaisseaux disparurent, et tout se modifia d'un seul coup. Du côté de la projection le plus proche d'eux, ils pouvaient à présent voir les formes holographiques de trois navires spatiaux appartenant à la flotte humaine, chacun d'entre eux sans doute équipé de douze chasseurs. L'ennemi, manifestement conscient d'une présence étrangère, avait formé une sphère au centre de laquelle se trouvait un unique vaisseau. Ender n'était pas dupe – il ne s'agissait pas du bâtiment royal. Les doryphores surpassaient en nombre ses chasseurs dans une proportion de deux pour un, mais ils étaient regroupés beaucoup trop près les uns des autres – le Docteur Méca allait pouvoir faire beaucoup plus de dégâts que ce à quoi s'attendait leur opposant.

Après avoir sélectionné un vaisseau, le faisant clignoter dans le champ du simulateur, Ender commença à parler dans le micro : « Alai, celui-là est le tien ; donne à Petra et à Vlad les chasseurs que tu veux. » Il affecta les deux autres, y compris leurs chasseurs, à l'exception d'un de chaque qu'il confia à Bean. « Passe le long du mur pour les contourner par le bas, Bean, sauf s'ils commencent à te poursuivre – puis reviens aussitôt te mettre à l'abri. Ou alors positionne-toi là où je pourrai rapidement faire appel à toi. Alai, lance un assaut resserré sur un point de leur sphère. Ne tire pas avant que je te le dise. C'est juste une manœuvre.

— Plutôt facile, Ender, fit Alai.

— Ça te dispense d'être prudent ? J'aimerais la réaliser sans perdre un seul vaisseau. »

Ender regroupa ses réserves en deux forces censées couvrir Alai de loin ; Bean avait déjà disparu de son écran, mais le jeune Wiggin passait de temps à autre sur son point de vue pour garder trace de sa position.

C'était à Alai, cependant, que revenait la part délicate. Il avait adopté une formation en balle de fusil, et mettait à l'épreuve la sphère ennemie. Les vaisseaux des doryphores se retiraient chaque fois qu'il s'en approchait, comme pour l'attirer vers celui qui se trouvait au centre. Alai esquivait alors par le côté ; ses adversaires le suivaient, battant en retraire à chacune de ses tentatives de jonction, puis rétablissant leur formation en sphère après son passage.

Feinte, repli, effleurement de la sphère en un autre point, nouveau repli, nouvelle feinte ; puis Ender dit : « Continue à l'intérieur, Alai. »

Sa balle la pénétra alors qu'il disait à Ender : « Tu sais qu'ils vont me laisser entrer simplement pour m'encercler et me dévorer vivant ?

— Contente-toi d'ignorer le vaisseau du milieu.

— Comme tu veux, patron. »

La sphère commença à se contracter, comme attendu. Ender fit avancer ses réserves ; les vaisseaux ennemis se regroupèrent au point de la formation le plus proche. « Attaquez-les là-bas, là où ils sont le plus concentrés.

— Ça va à l'encontre de quatre mille ans d'histoire militaire, fit remarquer Alai en portant en avant ses chasseurs. Nous sommes censés attaquer là où nous les surpassons en nombre.

— Ils ignorent manifestement ce que nos armes peuvent faire dans cette simulation. Ça ne fonctionnera qu'une seule fois, mais faisons en sorte que ce soit spectaculaire. Feu à volonté. »

Alai s'exécuta. La simulation réagit à merveille ; tout d'abord un, puis deux, puis une douzaine, puis presque tous les vaisseaux ennemis explosèrent alors dans une lumière aveuglante à mesure que le champ bondissait d'un bâtiment au suivant. « Écartez-vous », fit Ender.

Les vaisseaux situés de l'autre côté de la formation en sphère ne furent pas affectés par la réaction en chaîne, mais les traquer pour les détruire ne présentait guère de difficultés. Bean s'occupa des traînards qui essayaient de fuir sa portion d'espace. La bataille était gagnée. Plus facilement que la plupart de leurs exercices récents.

Mazer haussa les épaules quand Ender lui en fit part. « C'était une simulation d'invasion. Il fallait que ce soit une bataille dans laquelle ils ignoraient ce que nous pouvions faire. C'est maintenant que le vrai travail commence. Essaie de ne pas trop te monter la tête avec cette victoire. Les véritables défis ne sauraient tarder. »

Ender s'entraînait dix heures par jour avec ses chefs d'escadrille, mais pas tous en même temps ; il leur accordait quelques heures de repos dans l'après-midi. Les simulations de batailles supervisées par Mazer avaient lieu tous les deux ou trois jours, et, tout comme il l'avait promis, la suivante était toujours plus dure. L'ennemi abandonna rapidement ses tentatives d'encerclement d'Ender, cessa de regrouper ses forces pour éviter de s'exposer à une réaction en chaîne. Il y avait chaque fois quelque chose de nouveau, de plus exigeant. Il ne disposait parfois que d'un vaisseau et de huit chasseurs ; à une occasion, son adversaire s'échappa par une ceinture d'astéroïdes ; il larguait de temps à autre des pièges stationnaires, de grosses installations qui explosaient si Ender laissait ses escadrilles s'en approcher trop près, au risque de les endommager ou de les détruire. « Tu ne peux pas absorber les pertes ! lui hurla Mazer après une bataille. Quand tu te retrouveras dans une *vraie* bataille, tu n'auras pas le luxe de disposer d'une réserve inépuisable de chasseurs générés par ordinateur. Tu auras ce que tu auras apporté, et *rien de plus*. Il va falloir t'habituer à combattre sans pertes inutiles.

— Ce n'en était pas une, protesta Ender. Je ne peux pas remporter de batailles si la peur panique de perdre un vaisseau m'empêche de prendre le moindre risque. »

Mazer sourit. « Excellent, Ender. Tu commences à apprendre. Mais dans une vraie bataille il y aurait des officiers supérieurs et, pire encore, des civils, pour te hurler dessus ce genre de choses. Bon, si l'ennemi avait été un tant soit peu intelligent, il vous aurait surpris *ici*, l'escadrille de Tom n'aurait pas fait long feu. » Tous deux examinèrent ensemble la bataille ; lors du prochain entraînement, Ender ferait part à ses chefs d'escadrille de ce que Mazer lui aurait montré, ce qui leur permettrait d'apprendre à y faire face à l'avenir.

Ils pensaient pourtant être prêts, avoir travaillé harmonieusement en équipe. Mais le fait de relever *de concert* de véritables défis ne fit qu'accroître la confiance qu'ils s'accordaient mutuellement, faisant de chaque bataille une expérience exaltante. Ils révélèrent à Ender que ceux qui ne jouaient pas venaient dans la salle du simulateur pour regarder. Le jeune Wiggin s'imaginait entouré de ses amis, en train d'applaudir, de rire ou d'avoir le souffle coupé d'appréhension ; il pensait parfois que ça ne ferait que le distraire, mais il se surprenait souvent à le souhaiter de tout son cœur. Jamais il ne s'était senti aussi seul, même lorsqu'il passait toutes ses journées couché sur le radeau, au milieu du lac. Mazer Rackham était son compagnon, son professeur ; mais ce n'était pas son ami.

Pourtant il ne se plaignait jamais. Mazer lui avait dit qu'il ne pourrait compter sur aucune pitié de sa part, et que ses malheurs personnels n'intéressaient personne. La plupart du temps, au demeurant, ils ne l'intéressaient même pas lui-même. Il demeurait concentré sur le jeu, s'efforçait d'apprendre de chaque bataille. Et pas seulement des leçons qu'il pouvait tirer d'un affrontement particulier, mais en essayant aussi d'imaginer ce que les doryphores auraient pu faire s'ils s'étaient montrés plus intelligents – et la façon dont lui-même réagirait à l'avenir dans pareil cas. Éveillé comme endormi, il vivait au milieu des batailles passées et des batailles futures, et surmenait ses chefs d'escadrille au point de parfois susciter un esprit de rébellion.

« Tu es trop gentil avec nous, lui dit un jour Alai. Pourquoi ne nous reproches-tu pas de ne pas être brillants à *chaque* instant de *chaque* entraînement ? Si tu continues de nous dorloter ainsi, on va finir par croire que tu nous apprécies. »

Des rires s'élevèrent dans les micros. Bien sûr, l'ironie n'échappa pas à Ender, qui se contenta d'y répondre par un long silence. Lorsqu'il prit finalement la parole, il feignit même de ne pas en tenir compte. « Encore une fois, fit-il, et sans auto-apitoiement pour changer. » Dont acte, et avec succès.

Mais, à mesure que grandissait leur confiance dans ses qualités de commandant, leur amitié à son égard, qui datait de leur séjour à l'École de Guerre, disparaissait peu à peu. C'était entre eux que des liens se créaient ; entre eux qu'ils échangeaient des confidences. Ender était leur professeur et commandant, aussi distant d'eux que Mazer l'était de lui, et aussi exigeant.

Ils se battaient d'autant mieux. Et rien ne venait distraire Ender de son travail.

Du moins pas tant qu'il était éveillé. Lorsqu'il sombrait dans le sommeil chaque soir, des images du simulateur s'invitaient immanquablement dans son esprit. Pendant la nuit, par contre, il songeait à d'autres choses. Souvent il se rappelait le cadavre du Géant, sa décomposition régulière ; il ne s'en souvenait pas, cependant, comme le personnage pixelisé sur l'écran de son bureau. Il était bel et bien réel, une faible odeur de mort persistait à planer autour de lui. Le petit village qui s'était développé entre ses côtes accueillait à présent des doryphores, qui lui faisaient signe avec gravité, tels des gladiateurs saluant César avant de mourir pour sa distraction. Il ne les haïssait pas, dans son rêve ; et quand bien même il savait qu'ils lui avaient caché leur reine, il n'essayait pas pour autant de la trouver. Il se hâtait toujours de quitter le corps du Géant, et il y avait toujours les enfants à l'aire de jeux lorsqu'il y parvenait, lupins et moqueurs ; avec des visages qu'il connaissait. Parfois Peter et parfois Bonzo, parfois Stilson et Bernard ; presque aussi souvent, néanmoins, ces créatures sauvages prenaient les traits d'Alai, de Shen, de Dink et de Petra ; l'une d'elles devenait parfois Valentine, et dans son rêve il la maintenait sous l'eau elle aussi, en attendant qu'elle se noie. Elle se débattait entre ses mains, luttait pour regagner la surface, mais finissait par s'immobiliser. Il la tirait alors du lac et la hissait sur le radeau, où elle gisait, le visage déformé par un rictus de mort. Il hurlait, pleurait sur elle, sanglotant sans cesse que ce n'était qu'un jeu, *un jeu*, qu'il ne faisait que jouer…

Mazer Rackham le secoua pour le réveiller. « Tu criais dans ton sommeil.

— Désolé, fit Ender.

— Ce n'est pas grave. Il est temps de livrer une nouvelle bataille. »

Le rythme s'accélérait régulièrement. Il y avait généralement deux batailles par jour à présent, et Ender réduisit les séances d'entraînement au minimum. Il préférait utiliser les périodes de repos à étudier les enregistrements des parties précédentes, pour tenter de repérer ses propres faiblesses, de deviner ce qui allait arriver ensuite. Il était parfois parfaitement préparé aux innovations de l'ennemi ; parfois pas.

« Je crois que vous trichez, dit-il un jour à Mazer.

— Ah ?

— Vous pouvez observer mes séances d'entraînement. Vous pouvez voir sur quoi je travaille. Vous avez l'air de vous attendre à tout ce que je fais.

— Presque tout ce que tu vois se résume à des simulations informatiques, lui expliqua Mazer. L'ordinateur est programmé pour ne répondre à tes innovations que lorsque tu les as utilisées une fois au combat.

— Alors c'est l'ordinateur qui triche.

— Tu manques de sommeil, Ender. »

Mais il n'arrivait pas à dormir. Il restait chaque nuit éveillé de plus en plus longtemps, et son sommeil se faisait moins réparateur. Il n'arrêtait pas de se réveiller, sans trop savoir si c'était pour réfléchir au jeu ou pour s'échapper de ses rêves. C'était comme si quelqu'un l'y harcelait, le forçait à errer parmi ses pires souvenirs, à les revivre comme s'ils avaient été réels. Sa vie nocturne devenait progressivement tellement tangible que ses jours finissaient par ressembler à des songes. Il commença à redouter de ne plus avoir les idées claires pour jouer, d'être trop fatigué. Chaque fois qu'une nouvelle partie débutait, son intensité avait tôt fait de le réveiller – mais si ses aptitudes mentales se mettaient à lui échapper, il se demandait s'il s'en rendrait vraiment compte.

Et elles semblaient bel et bien peu à peu s'évanouir. Il ne livrait plus la moindre bataille sans perdre au moins quelques chasseurs. À plusieurs reprises, l'ennemi parvint à le forcer par la ruse à s'exposer plus que de nécessaire ; ou bien à l'épuiser dans une guerre d'usure au point que sa victoire finissait par dépendre autant de la chance que de ses stratégies. Auquel cas Mazer regardait la partie avec un air de mépris sur le visage. « Non mais regarde-moi ça, disait-il. Tu n'étais pas obligé de le faire. » Et Ender de reprendre l'entraînement avec ses chefs d'escadrille, s'efforçant de leur remonter le moral, mais laissant parfois poindre la déception que lui inspiraient leurs faiblesses – le simple fait qu'ils puissent commettre des fautes.

« On fait parfois des erreurs », lui murmura une fois Petra. C'était un appel à l'aide.

« Et parfois on n'en fait pas », lui répondit Ender. Si elle obtenait assistance, ce ne serait pas de sa part. Lui devait enseigner ; qu'elle se fasse donc des amis parmi les autres.

Puis eut lieu une bataille qui manqua tourner à la catastrophe. Petra fit trop avancer son unité, l'exposant inutilement, et s'en rendit compte à un moment où Ender ne se trouvait pas à ses côtés. Quelques instants suffirent à lui faire perdre tous ses vaisseaux à l'exception de deux. Quand Ender l'eut rejointe, il lui ordonna de les déplacer dans une direction donnée ; elle ne réagit pas. Il n'y eut aucun mouvement. Et, presque aussitôt, elle perdait ses deux derniers chasseurs.

Ender comprit tout de suite qu'il lui en avait demandé trop – en raison de son excellence, il avait réclamé d'elle qu'elle joue beaucoup plus souvent, et dans des conditions infiniment plus difficiles, que la plupart des autres. Mais il n'avait pas le temps de s'inquiéter pour Petra, de se sentir coupable à cause de ce qu'il lui avait fait subir. Après avoir ordonné à Crazy Tom de commander les deux chasseurs restants, il repartit au combat pour tenter de sauver ce qui pouvait l'être ; Petra avait occupé une position centrale dans sa stratégie, et celle-ci tombait à présent en morceaux. Ender aurait perdu si l'ennemi ne s'était montré aussi impatient d'exploiter son avantage. Mais Shen parvint à isoler un groupe d'adversaires en formation trop serrée et les descendit d'une unique réaction en chaîne. Crazy Tom envoya par la brèche ses deux chasseurs survivants, qui firent des ravages dans les rangs ennemis. Si ses vaisseaux, comme ceux de Shen, finirent par succomber aux tirs adverses, leur action mit Fly Molo en situation de nettoyer définitivement le terrain.

Au terme de la bataille, il pouvait entendre les sanglots de Petra alors qu'elle essayait de prendre un micro : « Dites-lui que je suis désolée, j'étais tellement fatiguée, je n'arrivais même plus à réfléchir. Dites-lui juste ça, que je suis désolée. »

Elle rata quelques séances d'entraînement, et ne se montra plus aussi rapide qu'avant à son retour, plus aussi audacieuse. L'essentiel de ce qui faisait d'elle un bon commandant l'avait quittée. Petra ne lui était plus d'aucune utilité, sauf dans le cadre de missions de routine étroitement supervisées. Elle savait ce qui était arrivé. Mais également qu'Ender n'avait pas d'autre choix, ce qu'elle ne manqua pas de lui dire.

Il n'en restait pas moins qu'elle avait craqué, alors qu'elle était loin d'être la plus médiocre de ses chefs d'escadrille. Ender devait prendre cela comme un avertissement – il ne pouvait pousser ses commandants au-delà de leurs limites. Désormais, chaque fois qu'il lui fallait faire appel aux compétences de ses leaders, il se forçait à se remémorer le nombre de batailles qu'ils avaient livrées. Il devait les économiser, ce qui impliquait parfois d'aller au combat avec des commandants à qui il faisait un peu moins confiance. En réduisant la pression qu'il exerçait sur eux, il augmentait d'autant celle qu'il subissait lui-même.

Une douleur le réveilla une fois tard dans la nuit. Il y avait du sang sur son oreiller, son goût emplissait sa bouche. Ses doigts l'élançaient. Il avait rongé son propre poing dans son sommeil. Le liquide vermeil s'en écoulait encore avec lenteur. « Mazer ! » s'écria-t-il. Rackham appela immédiatement un médecin.

« Je me fiche de ce que tu manges, Ender, lui dit Mazer pendant que le praticien soignait sa blessure. L'auto-cannibalisme ne te fera pas quitter cette école.

— Je dormais, dit Ender. Je ne veux pas quitter l'École de Commandement.

— Bien.

— Les autres. Ceux qui n'ont pas réussi.

— Je ne comprends pas.

— Avant moi. Vos élèves précédents, ceux qui n'ont pas réussi à aller au bout de l'entraînement. Que leur est-il arrivé ?

— Ils n'ont pas réussi. C'est tout. Nous ne punissons pas ceux qui échouent. Ils ne… continuent pas, ni plus ni moins.

— Comme Bonzo.

— Bonzo ?

— Il est rentré chez lui.

— Pas comme Bonzo.

— Alors *quoi* ? Qu'est-ce qui leur est arrivé quand ils ont échoué ?

— Ça n'a pas d'importance, Ender. »

Celui-ci ne fit aucun commentaire.

« Aucun d'entre eux n'a échoué à *ce* stade, Ender. Tu as commis une erreur avec Petra. Elle va se rétablir. Mais tu n'es *pas* Petra.

— C'est à *elle* que je dois une partie de moi. Tout ce qu'elle m'a appris.

— Tu ne vas pas échouer, Ender. Pas si tôt. Tu en as vu de dures, mais tu as toujours fini par l'emporter. Tu ne connais pas encore tes limites, et ça me décevrait fort que tu les aies déjà atteintes.

— Est-ce qu'ils meurent ?

— Qui ?

— Ceux qui échouent.

— Non, ils ne meurent pas. Seigneur, mon garçon, ce n'est qu'un jeu.

— Je crois que Bonzo est mort. J'en ai rêvé la nuit dernière. Je me suis rappelé l'air qu'il avait quand je lui ai donné un coup de tête. J'ai dû lui enfoncer le nez dans le cerveau. Il avait du sang qui lui sortait des yeux. Je crois qu'il est mort sur le coup.

— Ce n'était qu'un rêve.

— Mazer, je n'en peux plus de rêver de tout ça. J'ai peur d'aller dormir. Je n'arrête pas de penser à des choses dont je ne veux pas me souvenir. Ma vie se déroule comme si j'étais un magnétoscope et que quelqu'un d'autre persistait à vouloir en regarder sans cesse les moments les plus horribles.

— Nous ne pouvons pas te donner de somnifères, si c'est ce que tu espères. Je suis désolé pour tes cauchemars. Veux-tu que nous laissions la lumière allumée pendant la nuit ?

— Ne vous moquez pas de moi ! s'exclama Ender. J'ai l'impression de devenir fou. »

Le médecin en avait terminé avec le pansement. Mazer lui dit qu'il pouvait partir.

« Et ça te fait peur ? » s'enquit le vieillard.

Ender hésita. « Dans mes rêves, je ne suis jamais sûr d'être vraiment moi-même.

— Les rêves bizarres servent de soupape de sûreté, Ender. Je te mets vraiment sous pression pour la première fois de ton existence. Ton corps trouve des moyens de compenser, voilà tout. Tu es un grand garçon à présent. Il est temps d'arrêter d'avoir peur du noir.

— D'accord », fit le jeune Wiggin. Qui décida de ne plus jamais lui parler de ses cauchemars à l'avenir.

Les jours s'écoulèrent, avec leur lot de batailles, jusqu'à ce qu'Ender finisse par s'installer dans une routine d'autodestruction. Il commença à avoir des maux d'estomac. On le mit à la diète – il perdit de toute façon bientôt tout appétit. « Mange », lui disait Mazer, et Ender enfournait mécaniquement la nourriture dans sa bouche. Mais si personne ne le lui avait ordonné, il ne l'aurait pas fait.

Deux chefs d'escadrille supplémentaires s'écroulèrent de la même manière que Petra ; ce qui ne fit qu'accroître d'autant la pression qui pesait sur les autres. L'ennemi les surpassait chaque fois en nombre désormais – dans une proportion de trois, voire quatre pour un ; en outre, il battait en retraite plus promptement quand les choses tournaient mal, se regroupant pour faire durer encore et encore les batailles. Celles-ci se prolongeaient parfois pendant des heures avant qu'ils ne parviennent en fin de compte à détruire le dernier vaisseau ennemi. Ender commença à intervertir ses chefs d'escadrille au sein d'une même bataille, remplaçant ceux qui devenaient trop lents par des troupes fraîches.

« Tu sais, lui dit une fois Bean alors qu'il prenait le contrôle des quatre chasseurs restants de Hot Soup, ce jeu devient vraiment de moins en moins drôle. »

Puis, un jour, pendant l'entraînement, alors qu'Ender faisait faire des manœuvres à ses chefs d'escadrille, la pièce s'assombrit autour de lui et il reprit connaissance sur le sol, le visage ensanglanté là où il avait heurté les commandes.

On le mit alors au lit, qu'il ne quitta pas pendant trois jours. Il se rappela par la suite avoir vu des visages dans ses rêves – mais pas de *vrais* visages, il le savait alors même qu'ils lui apparaissaient. Il crut voir Valentine, et aussi Peter ; parfois ses amis de l'École de Guerre, et parfois des doryphores occupés à le disséquer. À une occasion, il eut même l'impression de voir le colonel Graff penché sur lui, en train de lui parler doucement, comme une sorte de père. Mais il n'ouvrit les yeux que pour trouver en face de lui son ennemi, Mazer Rackham.

« Je suis réveillé, dit Ender.

— C'est ce que je vois, répondit Mazer. Tu as mis le temps. Tu as une bataille aujourd'hui. »

Ender se leva, livra bataille et l'emporta. Mais il n'y en eut pas de deuxième ce jour-là, et on le laissa même aller au lit plus tôt. Ses doigts tremblaient pendant qu'il se déshabillait.

Pendant la nuit, il eut l'impression de sentir des mains le toucher doucement. Des mains pleines d'affection, de tendresse. Il rêva qu'il entendait des voix.

« Vous ne l'avez pas ménagé.

— Ça ne faisait pas partie de ma mission.

— Encore combien de temps peut-il continuer comme ça ? Il est en train de craquer.

— Le temps qu'il faudra. C'est presque fini.

— Déjà ?

— Plus que quelques jours et ce sera fini.

— Comment va-t-il faire alors qu'il est déjà dans cet état ?

— Je lui fais entière confiance. Il n'a jamais mieux combattu qu'aujourd'hui. »

Dans son rêve, les voix ressemblaient à celles du colonel Graff et de Mazer Rackham. Mais c'était ainsi que fonctionnaient les songes, les choses les plus folles pouvaient arriver. Il crut d'ailleurs entendre une voix dire : « Je ne supporte plus de voir ce que ça lui fait. » Et l'autre voix de répondre : « Je sais. Je l'aime, moi aussi. » Pour ensuite se transformer en celles de Valentine et d'Alai, qui dans son rêve étaient en train de l'enterrer, sauf qu'une colline se mit à grandir là où ils avaient déposé son corps, et qu'en se desséchant il devint un foyer pour les doryphores, tout comme le Géant.

Rien que des rêves. Si quelqu'un avait de l'amour ou de la pitié pour lui, c'était juste dans ses rêves.

Il se réveilla, livra une nouvelle bataille et gagna une fois encore. Puis il se coucha, dormit et rêva, puis se réveilla et gagna à nouveau, dormit encore… il finissait par ne plus faire la différence entre le sommeil et l'éveil. Non pas que ça lui importât.

Bien qu'il l'ignorât, le lendemain allait être sa dernière journée à l'École de Commandement. Mazer Rackham ne se trouvait pas dans sa chambre à son réveil. Il prit sa douche, s'habilla, puis attendit que Rackham vienne déverrouiller sa porte. En vain. Ender essaya de l'ouvrir. Elle n'était pas fermée.

Était-ce par accident que Mazer l'avait laissé libre ce matin ? Personne pour lui dire qu'il devait manger, aller s'entraîner, dormir. La liberté. Le problème, c'était qu'il ne savait pas quoi en faire. Il envisagea un instant de partir en quête de ses chefs d'escadrille, de leur parler face à face, mais il ignorait où ils se trouvaient. Pour ce qu'il en savait, ils auraient pu être à vingt kilomètres de là. Aussi, après avoir erré un certain temps dans les couloirs, se rendit-il au mess prendre son petit déjeuner à proximité de quelques Marines qui racontaient des cochoncetés auxquelles il ne comprit absolument rien. Puis il gagna la salle du simulateur pour s'entraîner. Quand bien même il était libre, il ne trouvait rien à faire d'autre.

Mazer était en train de l'attendre. Ender pénétra lentement dans la pièce, traînant légèrement les pieds de fatigue.

Mazer fronça les sourcils. « Tu es réveillé, Ender ? »

Il y avait d'autres personnes dans la salle du simulateur. Le cadet des Wiggin s'interrogea sur la raison de leur présence, mais il ne prit pas la peine de poser la question. Ça n'aurait servi à rien ; personne ne lui aurait répondu de toute façon. Il alla s'installer aux commandes du simulateur, prêt à débuter.

« Ender Wiggin, dit Mazer. Retourne-toi s'il te plaît. La partie d'aujourd'hui nécessite une petite explication. »

Ender s'exécuta. Il jeta un coup d'œil sur les hommes rassemblés au fond de la pièce. La plupart lui étaient inconnus. Certains d'entre eux avaient même des vêtements civils. Tombant sur Anderson, il se demanda ce qu'il faisait ici, et qui s'occupait de l'École de Guerre en son absence. Il vit Graff et se souvint du lac dans la forêt à la sortie de Greensboro. *Ramenez-moi*, lui lança-t-il silencieusement. *Dans mon rêve, vous disiez que vous m'aimiez. Ramenez-moi chez moi.*

Mais Graff se contenta de lui adresser un signe de tête – un salut, pas une promesse ; quant à Anderson, il fit comme s'il ne le connaissait même pas.

« Concentre-toi, Ender, s'il te plaît. Aujourd'hui va avoir lieu ton examen de sortie de l'École de Commandement. Ces observateurs sont venus évaluer ce que tu as appris. Si tu préfères ne pas les avoir dans la pièce, on peut les installer sur un autre simulateur.

— Ils peuvent rester. » L'examen final. Après ça, peut-être allait-il enfin pouvoir se reposer.

« Pour que ce test nous donne une idée précise de tes aptitudes, la bataille d'aujourd'hui introduit un nouvel élément – histoire de ne pas répéter ce que tu as déjà pratiqué à de nombreuses reprises. Tu vas être confronté à des situations que tu n'as jamais rencontrées. Cette partie va se dérouler autour d'une planète, ce qui aura une influence sur la stratégie de l'ennemi et va te forcer à improviser. Reste bien concentré aujourd'hui, s'il te plaît. »

Ender fit signe à Mazer de s'approcher. « Suis-je le premier élève à aller aussi loin ? lui demanda-t-il d'une voix égale.

— Si tu gagnes aujourd'hui, Ender, tu seras le premier élève à y parvenir. C'est plus que je n'ai la liberté de t'en dire.

— Eh bien moi, j'ai celle de l'entendre.

— Tu pourras faire preuve d'autant de mauvaise humeur que tu le voudras, demain. Aujourd'hui, par contre, j'apprécierais que tu restes concentré sur l'examen. Ne gâchons pas tout ce que tu as déjà accompli. Bon, comment vas-tu t'y prendre avec la planète ?

— Il me faut quelqu'un derrière, sans quoi j'aurai un angle mort.

— Exact.

— Et la pesanteur va affecter les niveaux de carburant – ça revient moins cher de descendre que de monter.

— Oui.

— Est-ce que le Petit Docteur fonctionne contre une planète ? »

Le visage de Mazer se figea. « Ender, les doryphores n'ont jamais délibérément attaqué de population civile, dans aucune de leur tentative d'invasion. C'est à toi de décider s'il est judicieux d'adopter une stratégie susceptible d'appeler des représailles.

— La planète est-elle le seul élément nouveau ?

— Tu te souviens d'une seule bataille que je t'aurais soumise avec un seul élément nouveau ? Je peux t'assurer, Ender, que je ne serai pas gentil avec toi aujourd'hui. J'ai envers la flotte la responsabilité de ne pas laisser un élève de seconde zone obtenir son diplôme. Je vais faire de mon mieux contre toi, Ender, je n'ai aucune envie de te choyer. Contente-toi de garder en tête tout ce que tu sais à propos de toi-même et des doryphores, et tu auras des chances d'aboutir à quelque chose. » Et Mazer quitta la pièce.

« Vous êtes là ? s'enquit Ender dans le micro.

— Tous sans exception, répondit Bean. Toi, par contre, tu es à la bourre à l'entraînement ce matin… »

Ainsi donc les chefs d'escadrille n'avaient pas été prévenus. Ender caressa l'idée de leur dire à quel point cette bataille était importante pour lui, pour finalement estimer qu'avoir cette question en tête ne ferait rien pour les aider. « Désolé, fit-il. Je ne me suis pas réveillé. »

Ils éclatèrent de rire. Ils ne le croyaient pas.

Ender leur fit exécuter des manœuvres pour les préparer à la bataille à venir. S'il mit plus longtemps que d'habitude à se désembrumer l'esprit, à se concentrer sur son commandement, il se retrouva bientôt pleinement opérationnel, prompt à réagir, les idées claires. *Du moins en ai-je l'impression.*

Le champ du simulateur s'éclaira. Ender attendit que la partie commence. *Qu'est-ce qui va se passer si je réussis l'épreuve d'aujourd'hui ? Y aura-t-il une autre école ? Une nouvelle année d'entraînement éreintant, une nouvelle année d'isolement, de gens qui me poussent ici ou là, une nouvelle année sans le moindre contrôle sur ma propre existence ?* Il s'efforça de rappeler son âge. Onze ans. Depuis combien d'années avait-il onze ans ? Combien de jours ? Son anniversaire avait dû avoir lieu ici, à l'École de Commandement, mais il ne parvenait pas à s'en souvenir. Peut-être ne l'avait-il même pas remarqué. Personne n'y prenait garde, sauf éventuellement Valentine.

Alors même qu'il voyait les données de la partie apparaître, il se surprit à souhaiter la perdre, à vouloir subir une défaite sévère, totale, pour qu'on mette fin à son entraînement, comme Bonzo, et qu'on le laisse repartir chez lui. Bonzo avait été affecté à Carthagène. Lui voulait recevoir des ordres de route sur lesquels Greensboro aurait été inscrit. L'emporter signifiait la continuation de tout ceci. L'échec, un retour parmi les siens.

Non, ce n'est pas vrai, se dit-il. *Ils ont besoin de moi, et si j'échoue je n'aurai peut-être plus de foyer où rentrer.*

Mais il en doutait fortement. Sa conscience lui disait que c'était la vérité, mais en d'autres lieux, en des lieux bien plus profonds, il ne croyait pas qu'on ait besoin de lui. L'impatience de Mazer n'était qu'un piège de plus. *Juste un nouveau moyen de me forcer à accomplir leur volonté. De me priver de repos. De m'empêcher de ne rien faire pendant très, très longtemps.*

Puis la formation adverse fit son apparition, et la lassitude d'Ender se mua en désespoir.

L'ennemi le surpassait en nombre dans une proportion de mille pour un ; le simulateur resplendissait littéralement de vert. Ils étaient regroupés en une douzaine de formations différentes, qui ne cessaient de changer de forme et de position, se déplaçant selon des schémas à première vue aléatoires dans le champ du simulateur. Ender n'arrivait pas à trouver un chemin pour les traverser – un espace qui paraissait un instant dégagé se refermait soudain, un nouveau se manifestait ailleurs, les formations qui semblaient pénétrables se rassemblaient sans crier gare. La planète était située à l'autre bout du champ, et pour ce qu'Ender en savait il devait y avoir autant de vaisseaux ennemis au-delà.

Sa propre flotte, quant à elle, se composait de vingt vaisseaux, chacun avec quatre chasseurs seulement. Il connaissait bien ce modèle – démodé, lymphatique, équipé de Petits Docteurs dont la portée était inférieure de moitié à celle des appareils plus récents. Quatre-vingts chasseurs contre au moins cinq mille, peut-être dix mille bâtiments ennemis.

Il entendit ses chefs d'escadrille respirer bruyamment, puis un juron étouffé s'élever des observateurs derrière lui. Ça lui faisait plaisir de savoir qu'au moins un des adultes avait remarqué le caractère inéquitable de ce test. Non pas que ça fasse la moindre différence. L'équité n'avait à l'évidence pas sa place dans cette partie. Ils ne faisaient même pas semblant de lui laisser une quelconque chance de l'emporter. *Quand je pense à tout ce par quoi je suis passé… ils n'ont* jamais *eu l'intention de me donner mon examen.*

Il s'imaginait Bonzo et sa petite bande de brutes en train de l'affronter, de le menacer ; il avait réussi à piquer l'amour-propre de Bonzo pour le forcer à le combattre seul. Ça ne risquait pas de fonctionner ici. Pas plus qu'il ne pouvait compter sur son talent pour surprendre l'ennemi, comme il avait pu le faire en salle de combat avec les garçons plus âgés. Mazer le connaissait trop bien pour ça.

Derrière lui, les observateurs se mirent à tousser, à s'agiter nerveusement. Ils commençaient à comprendre qu'Ender ne savait pas quoi faire.

Je n'en ai plus rien à faire, de toute façon. Vous pouvez garder votre jeu. Pourquoi devrais-je jouer si on ne me laisse même pas la moindre chance ?

Comme sa dernière partie à l'École de Guerre, quand on lui avait fait affronter deux armées simultanément.

Et alors même qu'il se rappelait cet épisode, Bean s'en souvint lui aussi apparemment, car sa voix s'éleva dans le casque pour dire : « N'oublie pas, l'entrée de l'ennemi est *en bas*. »

Molo, Soup, Vlad, Dumper et Crazy Tom… tous éclatèrent de rire. Ils se souvenaient eux aussi.

Et Ender fit de même. *C'était* drôle. Les adultes prenant tout ça tellement au sérieux, et les enfants jouant le jeu, encore et encore, y croyaient également jusqu'à ce que soudain les adultes aillent trop loin, en fassent trop, et que les enfants finissent par voir clair dans leur jeu. *Laissez tomber, Mazer. Je me fiche de réussir votre examen, je me fiche de suivre vos règles. Si vous avez le droit de tricher, alors moi aussi. Je ne vous laisserai pas me battre déloyalement – je vous aurai vaincu avant.*

Dans cette ultime bataille à l'École de Guerre, il l'avait emporté sans tenir compte de l'ennemi ou de ses propres pertes ; il avait manœuvré directement sur l'entrée adverse.

Et l'entrée adverse se trouvait *en bas*.

Si je brise cette règle, ils ne me permettront jamais de devenir commandant. Ce serait trop dangereux. Je n'aurai plus jamais à jouer au moindre jeu. La voilà, ma victoire.

Il murmura quelques ordres rapides dans le micro. Ses commandants s'approprièrent leur part de la flotte et se regroupèrent en un large projectile cylindrique dirigé vers la plus proche des formations ennemies. Loin de tenter de l'arrêter, celle-ci le laissa passer afin de le prendre complètement au piège. *Au moins Mazer tient-il compte du fait qu'ils sont censés avoir appris à me respecter*, songea Ender. *Ça me permet de gagner du temps.*

Ender feinta vers le bas, au nord, à l'est, puis à nouveau vers le bas, sans avoir l'air de suivre le moindre plan, mais se retrouvant toujours plus proche de la planète ennemie. Au bout du compte, ses adversaires commençaient à le serrer d'un peu trop près. Alors, sans crier gare, la formation d'Ender éclata. Sa flotte parut se fondre dans le chaos. Les quatre-vingts chasseurs semblaient désormais tirer au hasard sur les vaisseaux ennemis, se frayant individuellement un chemin impossible parmi les appareils des doryphores.

Au bout de quelques minutes, cependant, Ender murmura un nouvel ordre à ses chefs d'escadrille ; une douzaine de chasseurs se remit aussitôt en formation. Mais ils se trouvaient à présent de l'autre côté d'un des groupes les plus imposants de la force adverse ; ils n'avaient réussi à passer qu'au prix de pertes terribles – couvrant dans la manœuvre plus de la moitié de la distance qui les séparait de la planète hostile.

L'ennemi nous voit maintenant, se dit Ender. *Mazer a certainement compris mes intentions.*

Mais peut-être m'en croit-il incapable. Eh bien, tant mieux pour moi.

La minuscule flotte d'Ender filait dans tous les sens, lâchant soudain deux ou trois chasseurs dans un simulacre d'attaque, pour aussitôt les récupérer. L'ennemi approchait, rappelant vaisseaux et formations jusque-là largement éparpillés, les rassemblant pour la mise à mort. L'essentiel de leurs troupes était concentré au-delà d'Ender, de manière à le priver de toute échappatoire. *Excellent*, se dit-il. *Plus près. Venez plus près.*

Dans un murmure, il ordonna à ses bâtiments de mettre le cap sur la surface. Chasseurs et vaisseaux spatiaux se mirent à tomber comme des pierres malgré leur totale inaptitude à supporter la chaleur d'un passage à travers l'atmosphère d'une planète. Mais ce n'était nullement dans les intentions d'Ender. Presque aussitôt après qu'ils eurent commencé à chuter, ils braquaient leurs

Docteurs Méca sur un seul et unique objectif : la planète elle-même.

Un, deux, quatre, sept chasseurs volèrent en éclats. Que le moindre de ses vaisseaux puisse survivre assez longtemps pour arriver à portée de tir n'était plus qu'une affaire de chance à présent. Ça ne prendrait qu'un instant une fois qu'ils seraient parvenus à cibler la surface. *Juste une seconde avec le Docteur Méca, c'est tout ce dont j'ai besoin.* Ender se demanda alors si l'ordinateur était équipé pour représenter le sort d'un monde attaqué par le Petit Docteur. *Qu'est-ce que je devrai faire dans ce cas ? Hurler « pan, t'es mort ? »*

Ender lâcha les commandes et se pencha pour regarder ce qui était en train de se passer. La perspective s'était rapprochée de la planète, dont le puits gravitationnel attirait irrésistiblement le vaisseau. *Il est certainement à portée de tir désormais. Et l'ordinateur n'arrive plus à gérer.*

Puis la surface de la planète, qui emplissait à présent la moitié du champ du simulateur, commença à se boursoufler ; la déflagration qui s'ensuivit projeta des milliers de débris en direction des chasseurs d'Ender. Celui-ci essayait d'imaginer ce qui était en train de se passer à l'intérieur de ce monde. Le champ ne cessant de grossir, l'explosion de molécules dont les atomes désormais indépendants n'avaient nulle part où aller.

La planète tout entière mit moins de trois secondes à sauter, à se transformer en une boule de poussière étincelante en expansion rapide. Les chasseurs d'Ender furent parmi les premiers à disparaître ; leur perspective s'évanouit sans crier gare, ne laissant au simulateur que la possibilité d'afficher celle des vaisseaux spatiaux stationnés en attente à la lisière de la bataille. Ender n'aurait de toute façon pas voulu s'approcher davantage. La sphère de l'explosion se dilatait plus vite que les capacités d'accélération des bâtiments ennemis. Et elle charriait dans son sillage le Petit Docteur, plus si petit à présent, qui mettait en pièce tous les vaisseaux sur son passage, les réduisant chacun à un point de lumière avant de poursuivre sa course.

Le champ du Docteur ne faiblissait qu'à la périphérie du simulateur. Quelques chasseurs ennemis étaient en train de s'éloigner. Les propres bâtiments d'Ender n'explosaient pas. Mais là où s'était trouvée l'immense flotte adverse, de même que la planète qu'elle protégeait, il n'y avait plus rien de significatif. Juste un agglomérat de poussière en cours de densification à mesure que la gravité rassemblait l'essentiel des débris. Elle rayonnait de chaleur, et tournait visiblement sur elle-même ; elle était aussi beaucoup plus petite que ne l'avait été la planète. La majeure partie de sa masse se résumait à présent à un nuage de cendres qui continuait à s'éloigner.

Ender ôta alors son casque, saturé des acclamations de ses chefs d'escadrille, pour se rendre aussitôt compte qu'il y avait pratiquement autant de bruit dans la pièce où il se trouvait. Des hommes en uniforme se serraient dans leurs bras, riaient, hurlaient ; d'autres étaient en train de pleurer ; quelques-uns étaient à genoux, ou à plat ventre par terre – manifestement occupés à prier. Ender ne comprenait pas. Tout sonnait tellement faux. Ils étaient censés être en colère.

Le colonel Graff se détacha du groupe pour s'approcher d'Ender. Des larmes coulaient le long de son visage, mais il souriait. Il se pencha, tendit les bras, et à grande surprise du cadet des Wiggin le serra contre lui en murmurant : « Merci, merci, Ender. Que Dieu soit loué pour ton existence. »

Les autres vinrent bientôt lui serrer la main à leur tour, le féliciter. Lui essayait de trouver un sens à tout ça. Avait-il réussi le test malgré tout ? C'était *sa* victoire, pas la leur, et fausse avec ça, une tricherie ; pourquoi se comportaient-ils comme s'il l'avait emporté avec honneur ?

La foule s'ouvrit pour laisser passer Mazer Rackham. Il se dirigea droit sur Ender et lui tendit la main.

« Tu as choisi la voie la plus difficile, mon garçon. Tout ou rien. Eux ou nous. Mais Dieu sait que tu n'avais pas d'autre moyen d'y parvenir. Félicitations. Tu les as battus, tout est fini. »

Fini. Battus. Ender ne comprenait pas. « Je *vous* ai battu. »

Mazer éclata de rire, un rire sonore qui emplit la salle. « Ender, tu n'as jamais joué contre *moi*. Tu n'as jamais *joué* depuis que je suis devenu ton ennemi. »

Le jeune Wiggin ne saisissait pas sa plaisanterie. Il avait joué à de nombreuses reprises, au prix le plus fort pour lui-même. Il sentit la colère enfler en lui.

Mazer tendit la main pour lui toucher le bras. Ender se déroba d'un haussement d'épaules. « Ender, lui dit-il alors avec gravité, ça fait déjà quelques mois que tu es devenu le commandant en chef de nos flottes. C'était la Troisième Invasion. Il ne s'agissait pas de jeux, les batailles étaient réelles, et les doryphores le seul ennemi que tu aies affronté. Tu as remporté chaque combat, et aujourd'hui tu as fini par les combattre sur leur planète d'origine, là où se trouvait la reine – *toutes* les reines de toutes les colonies, elles y étaient toutes et tu les as anéanties jusqu'à la dernière. Ils ne nous attaqueront plus jamais. Tu as réussi. Toi. »

La réalité. Pas un jeu. L'esprit d'Ender était trop confus pour tout intégrer. Ce n'étaient pas de simples points de lumière dans les airs, il avait combattu avec de vrais vaisseaux – et détruit des vaisseaux tout aussi réels. Et c'était un monde bien concret qu'il avait définitivement anéanti. Il traversa la foule de gens, évitant leurs félicitations, ignorant leurs mains, leurs paroles, leur jubilation. Une fois dans sa chambre, il ôta ses vêtements, grimpa dans son lit et s'endormit.

Quelqu'un le secoua pour le réveiller. Il mit un moment à reconnaître de qui il s'agissait. Graff et Rackham. Il leur tourna le dos. *Laissez-moi tranquille.*

« Ender, il faut que nous te parlions », fit Graff.

Le garçon se retourna pour leur faire face.

« Les vidéos sont diffusées sur Terre sans interruption depuis la bataille d'hier.

— Hier ? » Il avait dormi une journée entière.

« Tu es un héros, Ender. Ils ont vu ce que vous avez fait, toi et les autres. Je doute qu'un seul gouvernement de la Terre te refuse sa plus haute médaille.

— Je les ai tous tués, n'est-ce pas ? demanda Ender.

— Qui ça, "tous" ? s'enquit Graff. Les doryphores ? C'était l'idée. »

Mazer se pencha plus près. « C'était l'enjeu de cette guerre.

— Toutes leurs reines. Donc j'ai tué tous leurs enfants, jusqu'au dernier.

— Ce sont *eux* qui nous ont attaqués en premier. Ce n'était pas ta faute. C'était ce qui devait arriver. »

Ender saisit l'uniforme de Mazer et s'y accrocha pour le forcer à baisser la tête au niveau de la sienne. « Je ne voulais pas tous les tuer. Je ne voulais tuer personne ! Je ne suis pas un tueur ! Ce n'était pas moi que vous vouliez, espèces de salauds, c'était Peter, mais vous m'avez forcé à le faire, vous m'avez trompé ! » Il pleurait. Il était déchaîné.

« Bien sûr que nous t'avons trompé, fit Graff. C'était la seule solution, sans quoi tu n'aurais pas pu le faire. C'était le dilemme auquel nous étions confrontés. Il nous fallait un commandant suffisamment empathique pour réfléchir comme les doryphores, les comprendre et anticiper leurs actes. Avec assez de compassion pour pouvoir gagner l'amour de ses subordonnés et travailler avec eux comme une mécanique parfaite, aussi parfaite que les doryphores. Mais un tel individu n'aurait jamais pu être le tueur dont nous avions besoin. Il n'aurait jamais pu livrer bataille avec la volonté de vaincre à tout prix. Si tu avais su, tu n'aurais pas pu le faire. Si tu avais été le genre de personne capable de le faire tout en le sachant, tu n'aurais jamais pu comprendre assez bien les doryphores.

— Et ça devait être un enfant, Ender, ajouta Mazer. Tu étais plus rapide que moi. Meilleur que moi. J'étais trop vieux, trop prudent. Toute personne de bonne volonté consciente des réalités de la guerre ne peut jamais passer à l'action de tout son cœur. Mais toi, tu ignorais tout de cela. Nous y avons veillé. Tu étais insouciant, brillant, jeune. C'était la raison même de ta venue au monde.

— Il y avait des pilotes dans nos vaisseaux, n'est-ce pas.

— Oui.

— J'ordonnais à des pilotes d'aller à la mort sans même le savoir.

— *Eux* le savaient, Ender, et ça ne les a pas empêchés d'y aller. Ils connaissaient l'enjeu.

— Vous ne m'avez jamais demandé mon avis ! Vous ne m'avez jamais dit la vérité, sur quoi que ce soit !

— Il *fallait* que tu deviennes une arme, Ender. Comme un pistolet, comme le Petit Docteur – un mécanisme parfaitement inconscient de ce sur quoi il était braqué. *Nous* t'avons pointé, Ender. Nous sommes responsables. Si quelqu'un a fait quelque chose de mal, c'est nous.

— Ça peut certainement attendre. » Ses yeux se fermèrent.

Mazer Rackham le secoua. « Ne te rendors pas, Ender. C'est très important.

— Vous en avez fini avec moi. Laissez-moi tranquille.

— C'est la raison de notre présence ici, Ender. C'est ce que nous essayons de t'expliquer. Ils n'en ont pas fini avec toi, loin de là. C'est la folie en bas. Ils vont déclarer la guerre. Les Américains prétendent que le Pacte de Varsovie est sur le point d'attaquer, et les Russes disent la même chose à propos de l'Hégémonie. Ça ne fait même pas vingt-quatre heures que la guerre contre les doryphores est terminée, et le monde entier recommence déjà à se battre comme avant. Et tout le monde s'inquiète à ton propos. Ils te veulent tous. Ils veulent tous que le plus grand chef militaire de l'histoire mène leurs armées. Les Américains. L'Hégémon. Tout le monde à part le Pacte de Varsovie – eux, ils veulent ta mort.

— Je ne demande pas mieux.

— Nous devons t'évacuer d'ici. Éros grouille de Marines – des Russes, tout comme le Polémarque. La situation peut tourner à l'effusion de sang à tout moment. »

Ender leur tourna à nouveau le dos. Ils ne l'en empêchèrent pas cette fois. Mais il ne comptait pas dormir. Il voulait les écouter.

« C'est ce que je craignais, Rackham. Vous l'avez poussé à bout. Certains de leurs avant-postes secondaires auraient pu attendre. Vous auriez pu lui laisser quelques jours de repos.

— Vous comptez vous y mettre aussi, Graff ? Essayer de déterminer comment j'aurais pu mieux faire ? Vous *ignorez* ce qui serait arrivé si je n'avais pas insisté. Personne ne le sait. Je l'ai fait à ma manière, et ça a marché. Peu importe le reste, ça a marché. Mémorisez bien cette défense, Graff. Vous allez peut-être devoir l'utiliser vous aussi.

— Désolé.

— Je ne suis pas aveugle. Le Colonel Liki estime que les dégâts risquent fort d'être irréversibles, mais je n'y crois pas. Il est trop fort pour ça. Gagner signifiait beaucoup pour lui, et il a gagné.

— Ne me parlez pas de force. Ce gosse a onze ans. Accordez-lui un peu de repos, Rackham. La situation est encore sous contrôle. Nous pouvons poster un garde devant sa porte.

— Ou bien devant une autre porte, en faisant croire que c'est la sienne.

— Qu'importe. »

Ils s'en furent. Ender se rendormit.

Le temps passa sans le toucher, sinon par des coups de biais. À une occasion, une pression sur sa main le réveilla pendant quelques minutes – une pression sourde, insistante, *douloureuse*. Une aiguille enfoncée dans une veine. Il tenta de l'arracher, mais on avait mis un sparadrap dessus, et il était de toute façon trop faible pour ça. Une autre fois, il entendit dans l'obscurité des gens qui murmuraient et juraient à proximité. Ses oreilles bourdonnaient du bruit puissant qui l'avait réveillé ; il ne se souvenait pas de quoi il avait bien pu s'agir. « Allumez les lumières », dit quelqu'un. Une autre fois encore, il s'imagina sentir quelqu'un pleurer doucement près de lui.

Ça pouvait avoir duré un jour ; ou alors une semaine ; s'il devait en croire ses rêves, ç'aurait tout aussi bien pu être des mois. Il avait l'impression d'y traverser des existences successives. Le Verre du Géant, les enfants-loups, les morts horribles, les meurtres incessants… Il entendait une voix murmurer dans la forêt. *« Il fallait que tu tues les enfants pour atteindre le Bout du Monde. »* Et quand il essayait de répondre qu'il n'avait jamais voulu tuer qui que ce soit, que personne, jamais, ne lui avait demandé s'il voulait *tuer*, la forêt se moquait de lui. Et, lorsqu'il sautait de la falaise au Bout du Monde, ce n'étaient pas toujours des nuages qui le rattrapaient, mais parfois un chasseur qui le menait jusqu'à un poste d'observation situé à proximité de la planète des doryphores, d'où il pouvait assister, encore et encore, à l'éruption de mort provoquée par le Docteur Méca ; puis de plus en plus près, au point qu'il voyait chaque doryphore exploser, se transformer en lumière, puis s'effondrer devant ses yeux en un tas de poussière. Et la reine, entourée de sa progéniture ; sauf que la reine était Mère, les nouveau-nés, Valentine et tous les enfants qu'il avait connus à l'École de Guerre. L'un d'eux avait le visage de Bonzo, qui gisait là, à saigner des yeux et du nez, et lui disait : « *Tu n'as aucun honneur.* » Et toujours le rêve prenait fin avec un miroir, ou une flaque d'eau, ou la surface métallique d'un vaisseau, quelque chose qui lui renvoyait l'image de son visage. C'était celui de Peter, dans un premier temps, qui apparaissait alors, avec du sang et une queue de serpent qui lui sortaient de la bouche. Au bout d'un moment, cependant, il commença à voir le sien, vieux et triste, avec des yeux qui pleuraient un milliard, des milliards de meurtres – mais c'étaient *ses* yeux, et il se réjouissait que ce soit le cas.

Ce fut le monde dans lequel Ender vécut maintes existences pendant les cinq jours que dura la Guerre de la Ligue.

Il était étendu dans le noir à son réveil. Au loin, il pouvait entendre le bruit assourdi d'explosions. Il écouta quelque temps. Puis perçut des pas légers.

Il se retourna et brandit une main pour saisir l'inconnu qui s'approchait de lui en silence. Ses doigts se refermèrent sur des vêtements, qu'il tira en direction de ses genoux, prêt à tuer si nécessaire.

« Ender, c'est moi, c'est moi ! »

Il connaissait cette voix. Elle s'extirpa de sa mémoire comme si un million d'années s'étaient écoulées depuis la dernière fois qu'il l'avait entendue.

« Alai.

— *Salaam*, moustique. Qu'est-ce que tu cherchais à faire ? Me tuer ?

— Oui. Je pensais que tu essayais de *me* supprimer.

— Je ne voulais pas te réveiller. Eh bien, à l'évidence il te reste encore un minimum d'instinct de survie. Vu la manière dont Mazer parlait de toi, j'ai cru que tu étais en train de devenir un légume.

Ender balança ses jambes pour se redresser. Sans succès. Sa tête le faisait trop souffrir. Il grimaça de douleur.

« Ne bouge pas, Ender. Tout va bien. Il semble que nous puissions l'emporter en fin de compte. Le Polémarque n'a pas convaincu tous les membres du Pacte de Varsovie de le suivre. Et beaucoup ont changé de camp quand le Strategos leur a dit que tu restais loyal à la F.I.

— Je dormais.

— Donc il a menti. Tu n'étais pas en train de manigancer quelque trahison dans tes rêves, pas vrai ? Certains des Russes qui sont venus ici nous ont dit que lorsque le Polémarque leur a ordonné de te retrouver pour te tuer, c'est *lui* qu'ils ont failli supprimer. Quelle que soit leur opinion sur les autres, Ender, ils t'aiment. Le monde entier a regardé nos batailles. Des vidéos, jour et nuit. J'en ai vu quelques-unes. Complètes, avec ta voix donnant les ordres. Tout y est, rien n'a été censuré. Bon boulot. Tu as une carrière toute tracée dans les médias.

— J'en doute.

— Je plaisantais. Hé, tu ne vas pas y croire. On a gagné la guerre. Nous avions tellement hâte de grandir pour pouvoir y participer, et nous n'avons jamais rien fait d'autre. Sans déconner, Ender, on est des gosses. Et on a tout fait. (Alai éclata de rire.) Enfin *toi*, en tout cas. Putain, tu étais bon. Je ne sais pas comment tu as fait pour nous sortir de là cette fois. Mais tu l'as fait. Tu étais bon. »

Ender remarqua sa façon de parler au passé. « J'*étais* bon. Et *maintenant*, Alai ?

— Toujours bon.

— À quoi ?

— À... n'importe quoi. Il y a un million de soldats prêts à te suivre à l'autre bout de l'univers.

— Je ne veux pas aller à l'autre bout de l'univers.

— Où veux-tu aller dans ce cas ? Ils te suivront partout. »

Je veux rentrer chez moi, se dit Ender. *Mais j'ignore où c'est.*

Le vacarme cessa.

« Écoutez ça », fit Alai.

La porte s'ouvrit. Quelqu'un se tenait sur le seuil. Quelqu'un de petit. « C'est fini », murmura-t-il. C'était Bean. Et comme pour confirmer ses dires, les lumières s'allumèrent.

« 'lut, Bean.

— 'lut, Ender. »

Petra le suivit à l'intérieur, la main de Dink dans la sienne. Ils s'approchèrent du lit d'Ender. « Hé, le héros est réveillé, fit Dink.

— Qui a gagné ? demanda Ender.

— Nous, Ender, répondit Bean. Tu y étais.

— Il n'est pas fou *à ce point*, Bean. Il parle de ce qui se passe maintenant. (Petra prit la main d'Ender.) Une trêve a été conclue sur Terre. Ils ont négocié pendant des jours. Pour finalement se mettre d'accord sur la Proposition Locke.

— Il n'est pas au courant pour la Proposition Locke...

— C'est très compliqué, mais en gros elle stipule que la F.I. va continuer d'exister, mais amputée du Pacte de Varsovie. Les Marines du Pacte vont donc rentrer chez eux. Je crois que les Russes ont accepté à cause de la révolte des États islamiques à laquelle ils ont dû faire face. Tout le monde a eu des problèmes. On a eu pas loin de cinq cents morts ici, mais c'était pire sur Terre.

— L'Hégémon a démissionné, révéla Dink. C'est de la folie là-bas. On s'en tape.

— Tu vas bien ? (Petra lui caressa la tête.) Tu nous as fait peur. Ils disaient que tu étais devenu fou ; pour nous, c'étaient *eux* les fous.

— Je suis fou, dit Ender. Mais je crois que je vais bien.

— Quand as-tu décrété ça ? s'enquit Alai.

— Quand j'ai cru que tu allais me tuer et que j'ai décidé de te tuer avant. Je dois être un tueur dans l'âme, décidément. Mais je préfère encore être vivant que mort. »

Dans un éclat de rire, tous convinrent qu'il avait raison. Puis Ender se mit à pleurer. Il étreignit Bean et Petra, les plus près de lui. « Vous m'avez manqué, dit-il. J'avais tellement envie de vous voir.

— On ne peut pas dire que tu t'en sois privé, répondit Petra, qui l'embrassa sur la joue.

— J'ai surtout vu votre virtuosité, dit Ender. J'ai épuisé en premier ceux dont j'avais le plus besoin. Mauvaise planification de ma part.

— Tout le monde va bien maintenant, fit Dink. Aucun de nous n'avait passé que cinq jours recroquevillés dans des pièces obscures, en plein milieu d'une guerre, ne puissent guérir.

— Je n'ai plus à être votre commandant, n'est-ce pas ? Je ne veux plus jamais commander qui que ce soit.

— Plus rien ne t'y oblige, dit Dink. Mais tu resteras toujours le nôtre. »

Un ange passa.

« Qu'est-ce qu'on va faire à présent ? demanda Alai. La guerre des doryphores est terminée, tout comme celle là-bas sur Terre. Et même celle d'ici. Qu'allons-nous faire ?

— Nous sommes des enfants, dit Petra. Ils vont probablement nous forcer à retourner à l'école. C'est la loi. On doit aller à l'école jusqu'à ses dix-sept ans. »

La remarque les fit tous rire. Aux larmes.

15

La voix des morts

Le lac était calme ; aucune brise ne venait rider sa surface. Les deux hommes étaient assis ensemble sur l'embarcadère flottant, auquel était attaché un petit radeau en bois ; Graff passa le pied dans la corde pour ramener la barque, puis la laissa partir à la dérive avant de la tirer à nouveau.

« Vous avez perdu du poids.

— Certains types de stress vous font grossir, d'autres vous font maigrir. Je dépends beaucoup de mes humeurs.

— Ça n'a pas dû être une partie de plaisir. »

Graff haussa les épaules. « Détrompez-vous. Je savais que je serais acquitté.

— Certains parmi nous en doutaient fortement. Les gens sont devenus fous là-bas pendant un moment. Mauvais traitements à enfants, homicide involontaire – les vidéos de la mort de Bonzo et de Stilson étaient assez horribles. Regarder un enfant faire ça à un autre…

— Je pense qu'elles m'ont sauvé la mise, au moins autant que le reste. L'accusation les a publiées, mais nous en avons diffusé l'intégralité. Ender n'était clairement pas le provocateur. Après ça, il ne me restait plus qu'à jouer avec leurs attentes. Je leur ai dit que j'avais fait ce que je croyais nécessaire à la préservation de l'espèce humaine, et que ça avait marché ; nous avons forcé les juges à admettre que l'accusation devait prouver de manière indubitable qu'Ender aurait remporté la guerre *sans* l'entraînement qu'il a reçu. Après ça, c'était gagné. Les exigences de la guerre.

— Quoi qu'il en soit, Graff, ça a été un grand soulagement pour nous. Je sais que nous avons eu des mots, et je sais que l'accusation a utilisé contre vous les enregistrements de nos conversations. Mais j'ai compris depuis que vous aviez raison, et j'ai proposé de témoigner en votre faveur.

— Je sais, Anderson. Mes avocats me l'ont dit.

— Qu'allez-vous faire, à présent ?

— Je ne sais pas. Continuer à prendre du bon temps. On me doit quelques années de permission. Suffisamment pour que je tienne jusqu'à la retraite, sans même parler de tous mes salaires inutilisés qui dorment dans les banques. Je pourrais vivre avec les intérêts. Je ne vais peut-être rien faire.

— Ça a l'air bien. Moi, je ne pourrais pas le supporter. On m'a offert la présidence de trois universités différentes, sur l'idée que je serais une sorte d'éducateur. Ils refusent de croire que le jeu était l'unique chose qui m'intéressait à l'École de Guerre. Je pense accepter l'autre proposition.

— Commissaire ?

— Maintenant que les doryphores ont disparu, le temps est venu de se remettre à jouer. Ça sera presque comme des vacances, de toute façon. Juste vingt-quatre équipes dans la ligue. Mais après des années passées à voir ces gosses voler, le football me fait un peu l'effet d'un combat de limaces. »

Ils rirent. Dans un soupir, Graff poussa l'embarcation du pied.

« Ce radeau. Ça m'étonnerait fort qu'il puisse flotter. »

Graff secoua la tête. « C'est Ender qui l'a construit.

— C'est vrai. C'est là que vous l'aviez emmené.

— La propriété a même été mise à son nom. J'ai veillé à ce qu'il soit amplement récompensé. Il ne manquera jamais d'argent.

— Pour peu qu'on le laisse revenir le dépenser.
— Ils ne permettront jamais une telle chose.
— Même avec la campagne de Démosthène en faveur de son retour ?
— Démosthène n'est plus sur les réseaux. »
Anderson leva un sourcil. « Qu'est-ce que cela signifie ?
— Il a pris sa retraite. Définitivement.
— Vous savez quelque chose, espèce de vieux bouffeur de merde. Vous savez qui est Démosthène.
— Était.
— Eh bien dites-le-moi !
— Non.
— Vous n'êtes plus drôle, Graff.
— Je ne l'ai jamais été.
— Vous pouvez au moins me dire pourquoi. Nous étions nombreux à penser que Démosthène deviendrait un jour Hégémon.
— Ça n'a jamais fait partie des options envisagées. Non, même tous ces crétins de politiques qui soutiennent Démosthène n'ont pu convaincre l'Hégémon de ramener Ender sur Terre. Il est bien trop dangereux.
— Il n'a que onze ans. Douze, à présent.
— Ça le rend d'autant plus dangereux, car aisément contrôlable. Le nom d'Ender est prestigieux dans le monde entier. L'enfant-dieu, le faiseur de miracles, celui qui décide de la vie et de la mort. N'importe quel aspirant dictateur de bas étage aimerait lui mettre la main dessus, le coller à la tête d'une armée et regarder le monde soit se joindre massivement à lui, soit se recroqueviller de peur. Si Ender revenait sur Terre, il voudrait s'installer ici, se reposer, tenter de sauver ce qu'il peut de son enfance. Mais on ne le laisserait jamais se reposer.
— Je vois. Et quelqu'un a-t-il expliqué cela à Démosthène ? »
Graff sourit. « Démosthène l'a expliqué à quelqu'un d'autre. Quelqu'un capable d'utiliser Ender comme

personne d'autre ne le pourrait, pour prendre le contrôle du monde et lui faire aimer ça.

— Qui ?

— Locke.

— Locke est celui qui a plaidé pour qu'Ender reste sur Éros.

— Les apparences sont parfois trompeuses.

— Ça me dépasse, Graff. Laissez-moi le jeu. De jolies règles bien précises. Des arbitres. Un début et une fin. Des gagnants et des perdants, après quoi tout le monde retourne chez soi.

— Envoyez-moi des billets de temps en temps, d'accord ?

— Vous n'allez pas vraiment prendre votre retraite ici, n'est-ce pas ?

— Non.

— Vous allez travailler pour l'Hégémonie, pas vrai ?

— Je suis le nouveau Ministre de la Colonisation.

— Ainsi donc ça a commencé.

— Dès que nous aurons reçu les rapports sur les mondes des doryphores. Je veux dire, ils sont là-bas, déjà fertiles, avec des logements et des industries sur place, et tous les doryphores morts. Très pratique. Nous allons abroger les lois de limitation de la natalité…

— Que tout le monde déteste…

— Et tous ces troisièmes, quatrièmes et cinquièmes vont embarquer à bord de vaisseaux spatiaux pour se rendre sur des mondes connus et inconnus.

— Les gens vont vraiment partir ?

— Ils partent toujours. Toujours. Ils croient toujours que l'herbe sera plus verte ailleurs.

— Le pire, c'est qu'ils n'ont peut-être pas tort. »

Dans un premier temps, Ender crut qu'on allait le ramener sur Terre dès que les choses se seraient calmées. Mais tel était le cas à présent – au moins depuis un an –, et il devint évident pour lui qu'on ne comptait aucunement le faire, qu'il était infiniment plus utile comme un nom, une *histoire*, que comme un individu de chair et de sang à jamais gênant.

Et restait la question de la cour martiale jugeant des crimes du colonel Graff. L'amiral Chamrajnagar tenta en vain d'empêcher le cadet des Wiggin de visionner le procès ; Ender, qui avait lui aussi été nommé amiral, fit alors valoir les privilèges de son grade, chose qu'il s'autorisait rarement. Il regarda donc les vidéos des combats contre Stilson et Bonzo, regarda de quelle manière les photographies des cadavres étaient exhibées, écouta psychologues et avocats se quereller sur la question de savoir s'il s'agissait de meurtres ou de légitime défense. Ender avait une opinion là-dessus, mais personne ne la lui demanda. Durant tout le procès, ce fut en fait sa personnalité même qu'on incrimina. L'accusation était trop maligne pour l'attaquer directement, aussi essaya-t-elle de le faire passer pour un malade, un pervers, un fou dangereux.

« Peu importe, fit Mazer Rackham. Les politiciens ont peur de toi, mais ils ne peuvent pas encore détruire ta réputation. Pas avant que les historiens ne se penchent sur ton cas, dans une trentaine d'années. »

Ender n'avait que faire de sa réputation. Il regarda impassiblement les vidéos, mais en fait tout cela l'amusait. *J'ai tué au combat dix milliards de doryphores, qui avaient des reines aussi vivantes et intelligentes que n'importe quel humain, qui n'avaient même pas lancé de troisième attaque contre nous – et il ne vient à l'idée de personne d'appeler ça un crime.*

Toutes ces atrocités pesaient lourdement sur ses épaules, les morts de Stilson et de Bonzo ni plus ni moins que le reste.

Avec ce fardeau à porter, il attendit donc pendant tous ces mois insipides que le monde qu'il avait sauvé décide de l'autoriser à rentrer chez lui.

Ses amis le quittèrent un par un à contrecœur, rappelés dans leur famille pour être reçus en héros dans leurs villes natales – des villes dont ils se souvenaient à peine. En regardant les vidéos de leur retour au foyer, Ender fut touché de les voir passer leur temps à faire l'éloge d'Ender Wiggin, qui leur avait tout appris, à les en croire, qui les avait formés et menés à la victoire. Mais s'ils demandèrent à ce qu'il soit ramené chez lui, leurs paroles furent censurées et personne n'entendit leur appel.

Pour un temps, les seules tâches sur Éros consistèrent à nettoyer les traces sanglantes laissées par la Guerre de la Ligue et à recevoir les rapports des vaisseaux spatiaux, jadis de guerre, qui exploraient à présent les colonies des doryphores.

Mais Éros grouillait d'activité désormais, bien plus qu'au cours du conflit, car les colons y étaient conduits afin de se préparer à leur voyage pour les planètes des doryphores. Ender fit sa part du travail, dans la mesure où on le laissait faire ; il ne semblait venir à l'esprit de personne que ce garçon de douze ans pouvait valoir autant en période de paix qu'en temps de guerre. Mais il prenait leur propension à l'ignorer avec patience, et s'attacha même à faire passer ses propositions et suggestions par l'intermédiaire des quelques adultes qui l'écoutaient, en leur en abandonnant la paternité. Seul l'intéressait le résultat – que le travail soit fait.

L'unique chose qu'il ne parvenait pas à supporter était l'adoration des colons. Il apprit à éviter les galeries dans lesquelles ils vivaient, parce qu'ils le reconnaissaient immanquablement – le monde entier avait mémorisé son visage – et qu'ils se mettaient à crier, à hurler, à l'étreindre et le féliciter, ils lui montraient des enfants à qui ils avaient donné son nom, lui disaient que ça leur brisait le cœur de le voir si jeune, qu'*eux* ne lui reprochaient aucun de ses meurtres parce que ce n'était pas sa faute, il n'était qu'un *enfant*...

Il faisait de son mieux pour s'en préserver.

Il y eut un colon, cependant, à qui il ne put échapper.

Ender ne se trouvait pas à l'intérieur d'Éros ce jour-là. Il avait pris la navette pour le nouveau LIS, où il apprenait à travailler sur l'enveloppe extérieure des vaisseaux spatiaux ; Chamrajnagar estimait malséant qu'un officier effectue pareilles tâches, mais Ender lui avait répondu qu'avec la perte générale d'intérêt pour les aptitudes qu'il maîtrisait il était temps qu'il en découvre de nouvelles.

Sa radio de casque l'avertit que quelqu'un voulait le voir dès son retour à l'intérieur. Ender ne trouvait personne qu'il avait eu envie de croiser, de sorte qu'il ne se pressa pas. Il termina d'installer les boucliers pour l'ansible du vaisseau, puis utilisa les crochets de surface pour regagner le sas.

Elle l'attendait à la sortie du vestiaire. Il s'irrita un instant du fait qu'on laisse un colon venir le harceler ici, où il allait s'isoler ; puis un deuxième coup d'œil lui fit comprendre que si cette jeune femme avait été une petite fille, il connaîtrait son identité.

« Valentine, dit-il.

— Salut, Ender.

— Qu'est-ce que tu fais ici ?

— Démosthène a pris sa retraite. Je vais partir avec la première colonie.

— Elle va mettre cinquante ans pour y aller…

— Seulement deux à bord du vaisseau.

— Mais, si jamais tu reviens un jour, tous les gens que tu connaissais seront morts…

— C'était ce que j'avais en tête. J'espérais néanmoins qu'une de mes connaissances sur Éros se décide à m'accompagner.

— Je ne veux pas aller sur un monde que nous avons volé aux doryphores. Je veux juste rentrer chez moi.

— Ender, tu ne retourneras jamais sur Terre. J'y ai veillé avant de partir. »

Il la regarda sans un mot.

« Je préfère te le dire tout de suite ; comme ça, tu pourras me haïr dès maintenant, si tu veux me haïr. »

Lorsqu'ils eurent gagné le minuscule compartiment d'Ender à bord du LIS, elle entreprit de tout lui expliquer. Peter voulait que son frère revienne sur Terre, sous la protection du Conseil de l'Hégémon. « Vu comment vont les choses actuellement, Ender, ça te placerait de fait sous le contrôle de Peter, étant donné que la moitié du Conseil lui obéit au doigt et à l'œil à présent. Ceux qui ne sont pas sous la coupe de Locke, il les tient par d'autres moyens.

— Est-ce qu'on connaît sa véritable identité ?

— Oui. Pas publiquement, mais les grands de ce monde sont au courant. Ça n'a plus la moindre importance. Il a trop de pouvoir pour qu'ils s'intéressent à son âge. Il a fait des choses incroyables, Ender.

— J'ai remarqué que le traité de l'année dernière portait le nom de Locke.

— C'était son grand œuvre. Démosthène l'a soutenu après qu'il l'a proposé par l'intermédiaire de ses amis des réseaux politiques publics. C'était le moment qu'il attendait, utiliser l'influence de Démosthène sur les foules et celle de Locke sur l'intelligentsia pour accomplir quelque chose de remarquable. Ça a prévenu une guerre vraiment brutale qui aurait pu durer des décennies.

— Il a décidé de devenir un homme d'État ?

— Je crois. Mais lors d'une de ses crises de cynisme, qui restent nombreuses, il m'a fait remarquer que, s'il avait laissé la Ligue s'effondrer complètement, il lui aurait fallu conquérir le monde morceau par morceau. Dès lors que l'Hégémonie existait, il pouvait le faire en une seule fois. »

Ender hocha la tête. « C'est du Peter tout craché.

— Amusant, non ? Que Peter puisse sauver des millions de vies.

— Alors que j'en ai tué des milliards.

— Je n'allais pas dire ça.

— Il voulait se servir de moi ?

— Il a des projets pour toi, Ender. Il comptait dévoiler publiquement son identité à ton arrivée, aller t'accueillir devant toutes les caméras. Le grand frère d'Ender Wiggin, qui s'avère aussi être le grand Locke, l'architecte de la paix. Debout à tes côtés, il aurait l'air d'un véritable adulte. Sans compter votre ressemblance physique – elle est plus évidente que jamais. Il n'aurait aucun mal à prendre le pouvoir après ça.

— Pourquoi l'en as-tu empêché ?

— Ender, passer le reste de ta vie comme un pion de Peter ne te rendrait pas heureux.

— Et pourquoi pas ? J'ai passé ma vie dans la peau d'un pion.

— Moi aussi. J'ai montré à Peter toutes les preuves que j'avais réunies, assez pour convaincre l'opinion publique de son passé de tueur psychotique. Avec entre autres des photos en couleurs d'écureuils torturés et des vidéos de ce qu'il te faisait subir extraites du moniteur. Ça m'a pris du temps pour tout récupérer, mais, après l'avoir vu, il était tout disposé à m'accorder ce que je voulais. À savoir ta liberté et la mienne.

— Ma conception de la liberté n'intègre pas l'idée d'aller vivre chez des gens que j'ai tués.

— Ender, ce qui est fait est fait. Leurs mondes sont vides à présent, et le nôtre déborde. Et nous pouvons emporter avec nous ce qu'ils n'ont jamais connu – des villes remplies de gens vivant chacun leur vie, qui s'aiment et se détestent pour des raisons qui leur sont propres. Il n'y a jamais eu qu'une seule histoire à raconter sur les planètes des doryphores ; le monde en sera plein quand nous serons là-bas, et nous en improviserons les conclusions jour après jour. Ender, la Terre appartient à Peter. Si tu ne viens pas avec moi, il te gardera ici et t'utilisera jusqu'à ce que tu finisses par regretter d'être né. C'est la seule chance qui te reste de lui échapper. »

Son frère ne répondit rien.

« Je sais ce que tu as en tête, Ender. Que je cherche à te contrôler, ni plus ni moins que Peter, Graff et tous les autres.

— Ça m'a traversé l'esprit.

— Bienvenue parmi les hommes, Ender. Tu sais, personne ne contrôle sa propre existence. Le mieux que tu puisses faire est de remplir un rôle qui t'est confié par des gens bien, des gens qui t'aiment. Je ne suis pas venue ici par envie de devenir un colon. Je suis venue parce que j'ai passé ma vie entière en compagnie du frère que je haïssais. Maintenant j'ai une chance de connaître le frère que j'aime, avant qu'il ne soit trop tard, avant que notre enfance soit derrière nous.

— Il est déjà trop tard pour ça.

— Tu te trompes, Ender. Tu te vois comme un adulte fatigué, blasé de tout, mais au fond de ton cœur tu restes tout comme moi un enfant. Nous pouvons garder le secret pour nous. Tu gouverneras la colonie, moi j'écrirai de la philosophie politique, et ils ne devineront jamais qu'au cœur de la nuit nous nous retrouvons discrètement dans l'une de nos chambres pour jouer aux échecs et nous battre à coups d'oreiller. »

Ender rit, mais il avait remarqué certaines choses qu'elle avait lâchées avec trop de désinvolture pour qu'ils soient secondaires. « Gouverner ?

— Je suis Démosthène, Ender. Je suis partie sur un coup d'éclat. L'annonce publique que je croyais à ce point au mouvement de colonisation que j'allais moi-même partir avec le premier vaisseau. Dans le même temps, le Ministre de la Colonisation, un certain Graff, anciennement colonel de son état, a annoncé que le pilote du vaisseau serait le grand Mazer Rackham, et Ender Wiggin le gouverneur de la colonie.

— Ils auraient pu me demander.

— Je voulais le faire moi-même.

— Mais c'est déjà annoncé.

— Non. Ils le feront demain, si tu acceptes. Mazer l'a fait il y a quelques heures, sur Éros.

— Tu dis à tout le monde qui se cachait derrière Démosthène ? Une fille de quatorze ans ?

— Nous leur disons juste que Démosthène part avec la colonie. Laissons-leur passer les cinquante années à venir à étudier la liste des passagers pour essayer de trouver qui parmi eux était le grand démagogue de l'Époque de Locke. »

Ender secoua la tête, tout sourire. « En fait, Val, tout cela t'amuse.

— Je ne vois pas pourquoi je devrais m'en priver.

— Très bien, dit Ender. Je vais partir. Peut-être même en tant que gouverneur, dès lors que toi et Mazer serez là-bas pour m'aider. Mes talents sont quelque peu sous-exploités à l'heure qu'il est. »

Elle l'étreignit en poussant un cri de joie, comme n'importe quelle adolescente du monde recevant de son petit frère le cadeau qu'elle espérait.

« Val, dit-il. Je veux que les choses soient claires. Je ne pars pas pour toi. Je ne pars pas pour devenir gouverneur, ou parce que je m'ennuie ici. Je pars parce que je connais les doryphores mieux que quiconque, et qu'en allant là-bas j'arriverai peut-être à encore mieux les comprendre. Je leur ai volé leur avenir ; tout ce que je peux faire, c'est m'acquitter d'une partie de ma dette en découvrant ce que leur passé peut m'apprendre. »

Ce fut un long voyage. Suffisamment pour laisser à Valentine le temps de terminer le premier volume de son histoire des guerres contre les doryphores. Elle l'avait transmis sur Terre par ansible, sous le nom de Démosthène ; quant à Ender, il était parvenu à transformer l'adulation des passagers en quelque chose de mieux. Ils le connaissaient à présent, et il avait gagné leur amour et leur respect.

Il travailla dur sur leur nouveau monde. N'ayant guère mis de temps à comprendre en quoi différait une administration civile de son équivalent militaire, il gouvernait davantage par persuasion que par décret, se pliant autant que les autres aux tâches qu'exigeait l'instauration d'une économie autonome. Mais sa fonction première, avec l'assentiment de tous, consistait à explorer ce que les doryphores avaient abandonné derrière eux, à essayer de découvrir parmi les structures, les machines et les champs depuis longtemps laissés en friche, ce que les êtres humains pouvaient utiliser, ce qu'ils pouvaient en apprendre. Il n'y avait pas de livres à lire – les doryphores n'en avaient jamais eu besoin. Comme tout restait présent dans leur mémoire, comme toute chose était dite au moment même où ils la pensaient, les doryphores avaient emporté leur savoir avec eux dans la mort.

Et pourtant. De la solidité des toits des étables et des greniers, Ender déduisit que l'hiver serait rude, avec de lourdes chutes de neige. Les clôtures aux pieux affûtés dirigés vers l'extérieur lui apprirent l'existence d'animaux maraudeurs qui représentaient un danger pour les cultures et les troupeaux. Du moulin, il tira la conclusion qu'on pouvait sécher les longs fruits à l'odeur désagréable qui poussaient dans les vergers en friche pour les transformer en farine. Et des bandoulières qui jadis servaient aux adultes pour emmener avec eux leurs petits dans les champs, il comprit que malgré leur individualité limitée les doryphores se souciaient de leur descendance.

La vie s'organisa, et les années passèrent. Les colons vivaient dans des maisons en bois, utilisaient les galeries des doryphores pour le stockage et les usines. Ils étaient à présent administrés par un conseil, avec des administrateurs élus, de sorte qu'Ender, quand bien même on l'appelait toujours gouverneur, n'était plus dans les faits qu'un arbitre. Il y avait des crimes et des querelles, mais aussi de la bonté et de la collaboration ; il y avait des gens qui s'aimaient, et d'autres non ; c'était un monde humain. Ils n'attendaient plus avec la même impatience de nouvelles transmissions par l'ansible ; les célébrités terrestres ne signifiaient plus grand-chose pour eux. L'unique nom qu'ils connaissaient était celui de Peter Wiggin, Hégémon de la Terre ; les seules nouvelles qui leur parvenaient étaient des nouvelles de paix, de prospérité, de grands vaisseaux quittant le littoral du Système Solaire, passant la barrière de comètes pour aller peupler les planètes des doryphores. Il y aurait bientôt d'autres colonies sur ce monde, le Monde d'Ender ; bientôt ils auraient des voisins ; ceux-ci se trouvaient déjà à mi-chemin d'ici ; mais personne ne s'en souciait. On viendrait en aide aux nouveaux venus à leur arrivée, on leur enseignerait ce qu'on avait appris, mais l'essentiel dans l'existence à présent, c'était de savoir qui épousait qui, qui était malade, à quelle période il fallait planter, et pourquoi-devrais-je-le-payer-vu-que-son-veau-est-mort-trois-semaines-après-que-je-le-lui-ai-acheté.

« Ils vivent de la terre à présent, dit Valentine. Tout le monde se fiche du septième volume de l'*Histoire de Démosthène*. Personne ne le lira. »

Ender appuya sur un bouton ; son bureau chargea la page suivante. « Quelle perspicacité, Valentine. Encore combien de volumes avant d'en avoir fini ?

— Un seul. L'histoire d'Ender Wiggin.

— Qu'est-ce que tu comptes faire ? Attendre ma mort pour l'écrire ?

— Non. Juste l'écrire et arrêter quand j'atteindrai le présent.

— J'ai une meilleure idée. Arrête-toi au jour de notre ultime victoire. Rien de ce que j'ai fait depuis ne vaut la peine d'être mis par écrit.

— Peut-être, dit Valentine. Ou peut-être pas. »

L'ansible leur avait appris que le nouveau vaisseau de colons allait arriver dans un an à peine. Ender fut chargé de leur trouver un endroit où s'installer, suffisamment près de sa colonie pour que les deux puissent commercer, mais assez éloigné pour qu'elles puissent être gouvernées séparément. Ender utilisa l'hélicoptère afin d'explorer les environs, emmenant avec lui un garçon de onze ans nommé Abram ; âgé d'à peine trois ans au moment de la fondation de la colonie, il ne se souvenait pas d'autre monde que celui-ci. Tous deux volèrent aussi loin qu'Ender estimait l'emplacement de la nouvelle communauté possible, campèrent pour la nuit et allèrent à pied se faire une idée des lieux le lendemain matin.

Ce fut au milieu de la troisième matinée qu'une désagréable impression de déjà-vu envahit Ender. Il regarda autour de lui ; c'était une région inexplorée, jamais il ne l'avait vue. Il héla Abram.

« 'lut, Ender ! » Il se tenait au sommet d'une petite colline escarpée. « Monte ! »

Ender commença tant bien que mal à grimper, la tourbe se détachant sous ses pieds dans le sol meuble. Abram pointait du doigt quelque chose en contrebas. « Tu as vu *ça* ? »

La colline formait une cuvette. La profonde dépression en son centre, partiellement remplie d'eau, était entourée de pentes concaves en équilibre instable. Dans une direction, l'éminence faisait place à deux longues crêtes qui créaient une vallée en forme de V ; dans l'autre, elle s'achevait par un morceau de rocher blanc qui grimaçait comme un crâne, avec un arbre qui poussait de sa bouche.

« C'est comme si un géant était mort ici, fit Abram, et que le sol avait poussé pour recouvrir son cadavre. »

Ender savait à présent pourquoi l'endroit lui avait paru familier. Le cadavre du Géant. Il avait joué trop souvent ici dans son enfance pour ne pas le reconnaître. Mais c'était impossible. L'ordinateur de l'École de Guerre n'avait en aucun cas pu voir ces lieux. Il braqua ses jumelles dans une direction qu'il connaissait bien, craignant et espérant découvrir ce qui distinguait ce territoire.

Balançoire et toboggans. Cages à poules. Envahis par la végétation, à présent, mais leurs formes restaient caractéristiques.

« Quelqu'un a forcément construit tout ça, fit remarquer Abram. Regarde, ce crâne, ce n'est pas un rocher. Regarde-le bien. C'est du béton.

— Je sais, dit Ender. Ils ont construit ça pour moi.

— Quoi ?

— Je connais cet endroit, Abram. Les doryphores l'ont construit pour moi.

— Les doryphores étaient tous morts cinquante ans avant notre arrivée.

— Tu as raison, c'est impossible, mais je sais ce que je sais. Abram, tu devrais rester ici. Ça risque d'être dangereux. S'ils me connaissaient suffisamment bien pour construire cet endroit, ils projetaient peut-être...

— De te rendre la monnaie de ta pièce.

— Parce que je les ai tués.

— Alors n'y va pas, Ender. Ne fais pas ce qu'ils veulent t'obliger à faire.

— S'ils veulent se venger, Abram, peu m'importe. Mais peut-être n'est-ce pas le cas. Peut-être que c'est ce qui se rapproche le plus de la parole pour eux. Un écrit à mon intention.

— Ils ne savaient ni lire ni écrire.

— Peut-être étaient-ils en train d'apprendre quand ils sont morts.

— En tout cas, je ne vais certainement pas poireauter ici si tu pars quelque part. Je t'accompagne.

— Non. Tu es trop jeune pour prendre le risque de...

— Arrête ! Tu es Ender *Wiggin*. Tu es mal placé pour me dire de quoi les enfants de onze ans sont capables ! »

Ils allèrent ensemble survoler en hélico l'aire de jeux, les bois, le puits dans la clairière. Au-delà s'élevait effectivement une falaise, avec une caverne et une saillie à l'endroit précis où le Bout du Monde d'Ender était censé se trouver. Et, plus loin encore, exactement là où elle se situait dans le jeu de *fantasy*, la tour du château.

Il laissa Abram à l'hélico. « Ne me suis pas, et repars dans une heure si je ne suis pas revenu.

— Dans tes rêves, Ender. Je viens avec toi.

— Dans tes rêves, Abram. Ne m'oblige pas à te couvrir de boue. »

Le ton facétieux du cadet des Wiggin n'empêchait nullement Abram de croire en sa sincérité ; aussi resta-t-il.

Les murs de la tour étaient entaillés pour en faciliter l'ascension. Ils voulaient qu'il y pénètre.

La pièce n'avait pas changé d'un iota. Ender se rappelait chercher le serpent par terre, mais il n'y avait là qu'un petit tapis accueillant dans un coin une tête de reptile sculptée. Une imitation, pas une copie ; pour un peuple sans art, ils avaient fait du bon travail. Ils avaient dû en extraire les images de l'esprit même d'Ender après l'avoir localisé, assimilant ses pires cauchemars par-delà les années-lumière. Mais pourquoi ? Pour le faire venir dans cette pièce, bien sûr. Pour lui laisser un message. Mais où dénicher celui-ci, et comment faire pour le comprendre ?

Le miroir l'attendait sur le mur. Une plaque de métal terni sur laquelle la silhouette grossière d'un visage humain avait été gravée. *Ils ont essayé de dessiner l'image que je devrais y trouver.*

Et dans le miroir il pouvait se revoir le casser, l'extraire du mur, puis les serpents jaillir de nulle part pour l'attaquer, le mordre au moindre endroit que leurs crochets empoisonnés pouvaient atteindre.

Jusqu'à quel point me connaissent-ils ? songea Ender. *Suffisamment pour savoir que la mort hante mes pensées, qu'elle ne me fait pas peur. Assez pour savoir que, même si je la redoutais, ça ne me retiendrait pas d'ôter le miroir du mur.*

Il marcha jusqu'au miroir, le souleva, l'arracha. Rien ne bondit de l'espace situé derrière. Dans une espèce de niche se trouvait une boule de soie blanche avec quelques filaments qui s'en échappaient ici et là. Un œuf ? Non. La chrysalide d'une reine doryphore, déjà fécondée par les mâles larvaires, prête à donner naissance à cent mille petits, y compris quelques mâles et une infime proportion de reines. Ender pouvait visualiser dans son esprit les mâles, semblables à des limaces, accrochés aux murs d'un tunnel obscur, et les adultes venant installer la jeune reine dans la pièce d'accouplement ; chaque mâle pénétrant à tour de rôle la reine larvaire, frémissant d'extase, puis mourant, tombant sur le sol pour commencer à y flétrir. Puis la nouvelle reine posée devant la précédente, une magnifique créature vêtue de soyeuses ailes luisantes, qui avait depuis longtemps perdu le pouvoir de voler mais conservait celui de la majesté. La vieille reine l'embrassait pour l'endormir du doux poison de ses lèvres, puis l'enroulait de fils sortis de son ventre, puis lui ordonnait de devenir elle-même, une nouvelle ville, un nouveau monde, de donner naissance à maintes reines et maints mondes…

Comment puis-je savoir cela ? se demanda Ender. *Comment puis-je être témoin de ces choses comme s'il s'agissait de mes propres souvenirs ?*

Comme en réponse, il vit la toute première bataille qu'il avait livrée contre les flottes des doryphores. Il l'avait déjà vue grâce au simulateur ; à présent il la découvrait comme la reine l'avait vue, à travers maints yeux différents. Les vaisseaux des doryphores formaient leur sphère, puis les chasseurs terrifiants surgissaient des ténèbres et le Petit Docteur les détruisait dans une explosion de lumière. Il ressentit alors ce que la reine avait éprouvé, voyant par les yeux des ouvrières la mort qui s'abattait sur eux trop vite pour qu'elles puissent l'éviter, mais pas assez pour qu'elles ne puissent l'anticiper. Il n'y avait cependant aucun souvenir de douleur ou de peur.

Ce qu'éprouvait la reine relevait de la tristesse, de la résignation. Elle n'avait pas pensé ces paroles à l'arrivée des humains, mais ce fut par des mots qu'Ender la comprit : *Ils ne nous ont pas pardonnés*, songea-t-elle. *Nous allons certainement mourir.*

« Comment pouvez-vous revivre ? » demanda-t-il.

Enfermée dans son cocon de soie, la reine ne disposait d'aucun terme pour lui répondre ; mais lorsqu'il ferma les yeux pour essayer de se rappeler, ce furent de nouvelles images qui apparurent en lieu et place de souvenirs. Mettre le cocon dans un endroit frais, un endroit sombre, mais avec de l'eau pour qu'il ne se dessèche pas, pour que certaines réactions puissent y advenir. Puis du temps. Des jours, des semaines, afin que la chrysalide à l'intérieur se transforme. Et alors, quand le cocon eut pris une couleur brune poussiéreuse, Ender se vit l'en tirer par les membres antérieurs, l'aider à s'extraire de l'eau de sa naissance pour la poser sur le sable, dans un doux nid de feuilles sèches. Puis une pensée apparut dans son esprit : *Maintenant je suis vivante, maintenant je suis éveillée. Maintenant j'engendre mes dix mille enfants.*

« Non, dit Ender. Je ne peux pas faire ça. »

Détresse.

« Tes enfants sont devenus les monstres de nos cauchemars. Si je te réveillais, nous ne penserions qu'à vous tuer à nouveau. »

Dans son esprit se succéda alors une dizaine d'images d'êtres humains tués par les doryphores ; mais ces images étaient accompagnées d'une tristesse si puissante qu'il ne put la supporter. Les larmes se mirent à couler le long de son visage.

« Si tu pouvais leur faire ressentir la même chose qu'à moi, peut-être finiraient-ils par vous pardonner. »

Juste moi, comprit-il. *Ils m'ont trouvé grâce à l'ansible, ils l'ont utilisé pour prendre leurs quartiers dans mon esprit. Ils ont pénétré dans mes rêves torturés pour apprendre à me connaître, alors même que je passais mes journées à préparer leur destruction ; ils y ont découvert la peur qu'ils m'inspiraient, mais aussi le fait que j'ignorais être en train de les tuer. Pendant les quelques semaines qui leur restaient, ils ont bâti cet endroit pour moi, le Cadavre du Géant, l'aire de jeux, la plate-forme du Bout du Monde, afin que mes yeux me donnent la preuve de sa réalité. Je suis le seul qu'ils connaissent, ils ne peuvent donc parler qu'à moi, et à travers moi. Nous sommes comme vous,* insistait la voix dans sa tête. *Nous n'avions pas l'intention de tuer. Quand nous avons compris ce que nous avions fait, nous ne sommes jamais revenus. Nous croyions être les uniques êtres pensants de l'univers, jusqu'à ce que nous vous rencontrions, mais nous n'aurions jamais pu imaginer que la conscience pouvait apparaître chez des animaux solitaires, incapables de rêver les rêves d'autrui. Comment aurions-nous pu ? Nous pourrions vivre en paix avec vous. Croyez-nous, croyez-nous, croyez-nous.*

Il enfonça les bras dans la cavité afin d'en extraire le cocon. Étonnamment léger, pour quelque chose qui renfermait tous les espoirs et l'avenir d'une grande espèce.

« Je vais t'emporter, dit Ender. J'irai de monde en monde jusqu'à ce que je trouve les conditions de sécurité nécessaires à ton réveil. Et je raconterai ton histoire à mon peuple, afin qu'en temps voulu ils finissent peut-être par vous pardonner. Tout comme vous m'avez pardonné. »

Il enroula le cocon royal dans sa veste et l'emporta hors de la tour.

« Qu'est-ce qu'il y a là-dedans ? lui demanda Abram.

— La réponse.

— À quoi ?

— À ma question. » Et ce fut tout ce qu'il dit sur le sujet ; ils poursuivirent leurs recherches cinq jours de plus, et choisirent pour la colonie un site localisé loin au sud-ouest de la tour.

Quelques semaines plus tard, il alla demander à Valentine de lire quelque chose qu'il avait rédigé ; elle s'exécuta après avoir récupéré le document qu'il lui désigna dans l'ordinateur du vaisseau.

C'était écrit comme si la reine elle-même s'exprimait, pour expliquer tout ce qu'ils avaient eu l'intention de faire, et tout ce qu'ils avaient accompli. Voilà nos échecs, et voilà notre grandeur ; nous ne voulions pas vous faire de mal, et nous vous pardonnons de nous avoir anéantis. De leur éveil à la conscience jusqu'aux gigantesques guerres qui balayèrent leur planète d'origine, Ender narrait leur histoire rapidement, comme s'il s'agissait d'anciens souvenirs. Lorsqu'il parvint à l'épisode de la grande mère, leur reine à tous, celle qui apprit en premier à préserver sa remplaçante, à lui enseigner son rôle plutôt qu'à la tuer ou à la chasser, alors il prit son temps, racontant combien de fois elle avait finalement dû détruire la chair de sa chair, cet être inédit qui différait d'elle, jusqu'à ce qu'elle en enfante une qui comprenne sa quête d'harmonie. Jamais ça n'avait eu lieu sur ce monde, deux reines qui s'aimaient et s'entraidaient au lieu de se combattre, et cela les rendit plus fortes que n'importe quelle autre ruche. Elles prospérèrent ; de nouvelles filles vinrent se joindre à elle en paix ; ce fut le début de la sagesse.

Si seulement nous avions pu communiquer avec vous, disait la reine avec les mots d'Ender. *Mais c'était impossible, aussi demandons-nous simplement ceci : que vous vous souveniez de nous, non pas comme des ennemis, mais comme des sœurs tragiques, déformées par le destin, Dieu ou l'évolution. Nos différences se seraient comme par miracle effacées si nous nous étions embrassés – au lieu de quoi nous nous sommes entre-tués. Mais nous vous accueillons malgré tout comme des amis à présent. Venez dans nos demeures, filles de la Terre ; installez-vous dans nos galeries, moissonnez nos champs ; ce que nous ne pouvons accomplir, vous serez nos mains pour le faire à notre place. Que les arbres fleurissent ; que les champs mûrissent ; que le soleil vous réchauffe, que les planètes soient pour vous fertiles : vous êtes nos filles adoptives, et vous êtes rentrées chez vous.*

Le livre qu'Ender écrivit n'était pas long, mais il recueillait tout le bien et le mal connus de la reine. Et il le signa non pas de son nom, mais d'un titre :

LA VOIX DES MORTS

Publié discrètement sur Terre, il passa tranquillement de main en main jusqu'à ce qu'il devienne difficile de croire que quiconque ne l'ait pas lu. La plupart de ceux qui le lisaient le trouvaient intéressant ; certains d'entre eux refusèrent de s'en détourner. Ils commencèrent à s'en inspirer du mieux qu'ils le pouvaient, et lorsqu'un de leurs proches trépassait, un croyant se dressait au bord de la tombe pour être la Voix du Mort, dire ce que celui-ci aurait dit, mais en toute franchise, sans cacher le moindre de ses défauts ou lui inventer des vertus. Ceux qui venaient assister à pareilles cérémonies les trouvaient parfois pénibles, troublantes, mais il en était beaucoup pour estimer leur existence suffisamment notable pour qu'en dépit de leurs erreurs une Voix dise leur vérité à leur mort.

Sur Terre, cela resta une religion parmi bien d'autres. Mais, pour ceux qui voyageaient dans la grande caverne de l'espace, qui vivaient leur vie dans les galeries de la reine et moissonnaient ses champs, c'était la seule. Pas une colonie ne se passait de sa Voix des Morts.

Personne ne savait qui était la première Voix – et personne n'avait vraiment envie de le savoir. Ender n'était pour sa part guère désireux de le leur dire.

Lorsque Valentine eut vingt-cinq ans, elle mit un point final au dernier volume de son *Histoire des guerres contre les doryphores*. Elle y inclut en guise de conclusion le texte intégral du petit livre d'Ender, sans indiquer le nom de son auteur.

Elle reçut par ansible une réponse de l'ancien Hégémon, Peter Wiggin – soixante-dix ans, le cœur fragile.

« Je sais qui a écrit ça, lui dit-il. S'il peut parler pour les doryphores, il peut sûrement faire de même pour moi. »

Ender et Peter discutaient de temps à autre grâce à l'ansible, l'aîné lui racontant la petite et la grande histoire de sa vie, ses crimes et ses bontés. À sa mort, Ender écrivit un second volume portant également la signature de la Voix des Morts. Ses deux textes furent regroupés sous le titre *La Reine de la ruche et l'Hégémon*, et devinrent des livres saints.

« Allez, dit-il un jour à Valentine. Envolons-nous d'ici et vivons à jamais.

— C'est impossible, Ender. Il y a des miracles que même la relativité ne peut accomplir.

— Nous devons partir. Je suis presque heureux ici.

— Eh bien, reste, dans ce cas.

— Ça fait trop longtemps que la douleur m'accompagne. Je ne saurais plus qui je suis sans elle. »

Ils embarquèrent donc dans un vaisseau spatial et allèrent de monde en monde. Partout où ils s'arrêtaient, il était toujours Andrew Wiggin, voix itinérante des morts, et elle toujours Valentine, historienne errante mettant par écrit le destin des vivants, tandis que son frère narrait celui des morts. Et toujours Ender trimballait un cocon sec blanchâtre, en quête d'une planète où la reine pourrait se réveiller et s'épanouir en paix. Il chercha longtemps.

10483

Composition
NORD COMPO

Achevé d'imprimer en Slovaquie
par NOVOPRINT SLK
le 3 mars 2020

1er dépôt légal dans la collection : septembre 2013
EAN 9782290071823
OTP L21EPGN000469A008

Éditions J'ai lu
87, quai Panhard-et-Levassor, 75013 Paris
Diffusion France et étranger : Flammarion